김재홍 문학전집 ⑥

카프시인비평

국학자료원

일러두기

1. 전집은 단행본 발행연도를 기준으로 삼았으나, 학위논문인 『한용운 문학연구』는 1권에, 편저는 9권과 10권에 각각 수록했다.

2. 출판 당시 저자의 집필의도를 살리기 위해, 일부의 보완 원고는 그대로 두었다. 단, 내용이 중복된 것은 삭제하여 전집의 전체성을 유지했다.

3. 원문을 최대한으로 살리되, 의미와 어감을 해치지 않는 범위에서 현행 맞춤법에 따라 고쳤다.

4. 한문과 외국어는 괄호 안에 병기하는 원칙으로 하되, 필요한 부분은 노출하였다. 단, 제1권 『한용운 문학연구』는 원문 그대로 수록하였다.

5. 본문의 '인용' 부분은 필요에 따라 한글 표기를 했으며, 이외의 것은 원문에 충실하려고 노력했다.

카프시인비평

金載弘 著

1990年

서울대학교출판부

머 리 말

이 작은 책은 저자가 공부하고 있는 한국 현대시인 연구 중 특히 프로시인 연구의 중간보고서에 해당한다. 여기에서의 논의는 1931년 간행된 『카프시인집』에 수록된 시인들을 중심으로 하였다. 물론 이 시집에 수록된 시인들로써 카프시 운동의 전모를 살펴볼 수 있는 것은 아니다. 그렇지만 이 시집은 카프의 전성기에 그 핵심 시인들이 망라되어 있다는 점에서 카프시운동의 주요한 면모와 수준을 알 수 있게 해주는 한 자료가 된다.

지금까지 카프시인에 대한 논의는 일제강점기는 물론 분단 이후 오랫동안 불온시 내지는 금기 사항으로 여겨져 온 것이 사실이다. 남북분단의 비극으로 인한 배제론과 단절론이 강력하게 작용해왔기 때문이다. 따라서 그 시인 작품의 내용이나 질 또는 문학사적 위치와는 관계없이 월북이라는 문학 외적 판단 기준에 의해 대다수의 카프시인들의 경우 그들은 일반인에게는 물론 문학사에서조차도 실종상태에 높여져 온 실정이다. 그러다가 1988년 7월의 월북문인 해금 조치로 인해 어둠 속에 묻혀 있던 이들 프로시인들이 비로소 햇빛을 보게 되고 문학사적 논의의 대상으로 부각되기 시작한 것이다.

카프시인에 대한 연구는 실상 여러 가지 난점을 지니고 있음이 분명하다. 우선 아직까지 카프문학운동은 물론 당대 사회주의운동의 전모가 소상히 밝혀져 있지 못한 실정이며, 게다가 카프시인들의 시 세계가 하나로 묶여서 파악하기 어려운 여러 계열과 내용을 지니고 있다는 점이 그러하다. 본저가 『카프시인집』 수록 시인을 중심으로 논의를 전개하는 것도 그러한 고민의 반영이랄 수 있다. 따라서 본고는 카프의 몇 가지 특징적인 단면만을 살펴보고자 의도할 따름이다. 또한 이들 작품을 운동으로서의 문학으로 보느냐 아니면 작품으로서의 문학적 관점에서 보느냐에 따라 그 내용과 결과가 달라질 수밖에 없다. 아울러 그것을 오늘날과의 상대주의 관점에서 파악하느냐 절대주의 입장에서 바라보느냐도 커다란 편차를 빚을 것이 분명하다. 실상 이러한 딜레마는 오늘날 우리가 현대문학사를 공부하는 데 있어서 부딪치게 되는 어려움이 아닐 수 없다.

저자는 우리 문학사를 정신사적 각도에서 바라보고자 하는 학도의 한 사람이다. 그렇게 보면 저자의 입장은 분명해진다고 하겠다. 그것은 카프의 당대성을 충분히 인정하면서 오늘의 관점에서 바라보는 일이며, 운동성으로서의 성격을 전제하면서 예술적 성과를 논의해 보고자 하는 태도라고 할 것이다. 문학은 현실이나 이념의 형상적 반영일 수 있지만 그들과 일치하는 것은 아니다. 또한 문학 특히 시는 단순한 서정의 표출이나 언어의 유희일 수도 있지만 그것으로만 그쳐서도 안 된다. 문학은 개인성과 사회성, 사상성과 예술성, 시대성과 영원성이 탄력 있게 조화되는 데서 그 이상적인 모습이 드러난다. 내용적인 사회성과 형식적인 자율성이 변증법적으로 통합되고 고양되는 데서 문학의 생명적 요소라 할 진실성이 배태되고 예술성이 확보될 수 있기 때문이다.

카프시의 문제점은 바로 여기에서 드러나는 것으로 생각한다. 카프시는 일제강점하의 수탈과 궁핍 속에서 시가 당대 사회와 어떻게 상동 관계를 지니며, 사회적, 역사적 응전력을 지녀야 하는가에 대한 문학적 자각과 실천을 보여준 데서 의미를 지닌다. 그렇지만 이들 카프시들은 지나치게 계급의식에 함몰되어 예술형식에 대한 진지한 탐구를 결여한 나머지 문학 본래의 미적 기능을 상실하고 이데올로기화함으로써 문학적 진실성과 예술성을 감쇄해 가게 된 데서 그 단점 또는 한계가 드러난다고 하겠다. 뒤의 논의에서 보겠지만 볼셰비즘시에 이르면 카프시는 점차 문학적 형상성 또는 인간적 진실미를 소실하고 전투성만을 강조하여 그야말로 수단으로서의 시 또는 구호시의 수준으로 떨어져 가고 마는 것이다. 그러나 앞에서도 말했지만 이 논의는 아직 진행 중인 작업에 속하기 때문에 카프에 대한 종합적인 결론은 다음 기회로 유보하기로 한다. 아울러 끝부분에 오늘의 북한 시 개관을 수록한 것은 그것이 카프문학과 어떤 공통점 내지는 차이점을 지니고 있는가를 일별해 보고자 하는 의도에서 비롯되었다.

　이 부족한 책이나마 꾸려볼 수 있게 해주신 은사 김윤식 선생님께 깊이 감사드린다. 또한 『한국문학』에 연재의 기회를 마련해 주었던 조정래, 김초혜 두 분과, 책을 만들어 주신 서울대학교 출판부 여러분께도 고마움을 표한다. 아울러 책의 체제상 분량이 넘쳐서 수록하고자 한 많은 부분을 다음 기회로 유보하게 됨을 안타깝게 생각한다. 부족하고 소략한 점은 차후 더 보완해서 언젠가 보다 완성된 모습으로 선보일 것을 약속드림으로써 부끄러움에 대하고자 한다.

1990. 4
지은이 씀

차 례

경향파 프로시인,
유완희와 김창술

1. 머리말

1988년 7월의 납·월북 문인에 대한 해금 조치를 계기로 그 작가, 작품연구
가 활발히 전개되기 시작한 것은 민족문학사 내지 정신사의 올바른 복원을
위해 다행스러운 일이 아닐 수 없다. 분단 후 지금까지 납·월북 여부는 문학적
연구나 문학사적 위치 평가에 커다란 영향을 미쳐온 것이 사실이다. 그러나
납·월북 여부나 작가의 이념선택 자체가 인간적 선악 판단이나 작품의 우열
판단 및 문학사적 위치판단에 결정적인 기준이 될 수는 없다.[1] 이러한 외재
적 요소에 대한 불온시의 태도와 함께 우상화의 압력도 마땅히 배제되어야
하리라고 생각한다. 아울러 해금은 이른바 월북 문인이 아니면서도 실종상태
에 놓여 있던 작가, 작품들로 하여금 문학사의 전면에 떠오르게 하는 계기를
마련해 준 점에서도 의미를 지닌다.

---

1) 임헌영은 납·월북 문인이라는 명칭이 냉전체제에 의한 독재 권력의 신원조회 냄새
가 풍길뿐더러 피해의식까지도 암시하여 올바른 문학사연구를 가로막고 있다는 점
에서 과도기적인 표현으로 "분단으로 매몰된 문학인"이란 명칭을 쓴 것을 주장한
다.(임헌영, 「분단으로 매몰된 작가와 작품」, 『분단시대』, 학민사, 1988, 12쪽)

이들 대표적인 카프 계열의 실종시인으로 우리는 적구 유완희(1903~?)와 야인 김창술(1906~?)을 들 수 있다. 이들은 1920년대 온갖 모순과 부조리에 가득 찼던 일제 식민통치에 대해 시를 통해 가열한 저항을 보여줬을 뿐 아니라, 노동자, 농민 등 기층민중의 비참한 삶을 계급의식의 관점에서 리얼하게 묘파한 선구적인 프로시인에 해당한다. 그럼에도 불구하고 기존 문학사에서 이름 정도가 어쩌다 거론될 뿐 이들은 행방불명 상태에 놓여져 있는 처지이다. 그 까닭은 이들이 1920년대 중반부터 1930년대 초까지 프로문학 전성기에만 집중적으로 작품활동을 전개하고 말았다는 점에서 찾아볼 수 있다. 또한 이들은 시집 한 권 남기지 못하고 작품이 산일 된 채, 시작품 자체의 계급성으로 말미암아 분단 후 이 땅의 경색된 상황에서 진지하게 논의되기 어려웠던 이유도 있을 것이다. 그렇지만 정확한 문학적 사실의 구명과 그를 통한 정당한 문학사적 가치판단이 이루어질 때 문학사 내지 정신사가 올바로 기술될 수 있다는 점에서 이들에 대한 학문적 논의는 필수적이라고 아니할 수 없다. 물론 이들 이외에도 일제강점의 어두운 상황하에서 민족해방과 민중해방을 위해 문학적인 투쟁을 전개했으나 일제의 강력한 탄압과 뒤이은 분단비극으로 말미암아 역사의 뒤안길에 매몰된 많은 문학인들에 대해서도 진지하게 논의가 전개되어야 함은 물론이다.

유완희는 1920년대 중반 등장하여 1931년 카프 1차검거 및 1934년 2차검거 무렵까지 주로 『개벽』, 『조선지광』 및 『조선일보』를 중심으로 해서 적구라는 필명으로 작품을 발표하였다. 그는 시 이외에도 소설과 평론류를 발표하기도 했으나 작품 양이 많은 편은 아니다. 그의 생애사 또한 자세히 드러나지 않고 있는 실정이다. 김창술도 비슷한 시기 비슷한 지면에 주로 시작을 발표하였고, 1931년 『카프시인집』[2])에 「오월의 훈풍」, 「가신뒤」, 「앗을대로 앗

---

2) 조선프로레타리아예술동맹 문학부 편, 『카프시인집』, 집단사, 1931에는 김창술, 권환, 임화, 박세영, 안막의 작품 20편이 수록되어 있다. 김창술의 시집으로는 제1시집 『열과 광』, 제2시집 『기관차』 등에 대한 기록이 보이나 확인할 수 없는 형편이다.

아라」, 「기차는 북으로 북으로」 등 시 네 편을 수록하기도 하였다. 이후 광복 직후 재결성된 조선프롤레타리아문학동맹(1945. 9. 30)에 맹원으로 가담한 것으로 보이나 행적이 확실하지 않다. 이 점에서 앞으로 이들의 작품발표 서지 목록 및 생애사에 대한 집중적인 탐구가 이루어져야 하리라고 생각한다. 따라서 본 장에서는 두 시인의 작품 개요 및 그 특징을 중심으로 살펴보기로 하겠다.

2. 적구 유완희

① 비관적 현실인식과 서정성

① 봄이라 기여드는볏 해말기도하네만은
　내마음 일상어둡네 어두어눈보라싸히네
　봄이라 종다리울어 아즈랑이에타네만은
　내마음 일상싸늘하네 싸늘하야부칠곳없네
　　　　　　　　　　　　　　　　　—「춘영(春詠)」

② 잠들어 고요한밤거리를 내홀로헤메이노니
　묵어온 자최마다 달그림자딸우네 딸어눈물젖네
　삼동(三冬)을뉘웃노라 외마디기럭소리 하날에 울으니
　이나라의 봄을등지고 북(北)으로가는그대더욱그립네
　　　　　　　　　　　　　　　　　—「봄의 서울밤」

③ 밤새여네리는비 힘껏대지(大地)의가슴을 축이네만은
　분(憤)울에타는내가슴의불길 유황(硫黃)이나부은듯
　소상(瀟湘)이라넓은둑에뿌려노흔눈물자죽알록겨반죽(班竹)이나되

엿네만은
봄이라이한밤에뿌리고간 실비자최몰으매라그무엇되랴는가?
— 「봄비」

④ 우름의시절이라 한님또두님나뭇님 떨어져따우에몸부림치니
가는네야조아간다만 오는님이야언제나오시리
내환멸(幻滅)을안고통곡(痛哭)한지 이미오래이로되
아즉도목과마음시들지안엇나니
세기(世紀)를말니는너의힘인들 뛰는내가슴의 피야말니랴?
— 「가을」

유완희 시3)의 기저에는 비관적인 현실인식이 짙게 깔려있다. 그의 시에는 어둡고 우울한 분위기가 지배적인 흐름을 형성하고 있는 것이다. "어둠─어둠에서 어둠을 뚫고/어둠에 잠자는 무리들이여!"(「어둠에 흘으는 소리」)라는 한 시에서 보듯이 어둠과 추위가 그의 시적 정서를 관류하고 있다고 하겠다.

인용시들에서도 이러한 비관적인 현실인식이 드러난다. 이 시들에는 어둠과 추위, 그리고 외로움과 울분이 정서적 공감대를 형성하고 있는 것이다. 그렇지만 특이하게도 유완희의 다른 시들과는 달리 4행시라고 하는 정형적 틀을 지니고 있다는 점이 눈에 띈다. 그만큼 이들 유완희 시는 형태 면에서 안정적인 영역에 놓여 있다고 할 것이다. 시어 면에서도 다른 프로시에서 특징적이라 할 투쟁성이나 과격성이 두드러지게 나타나 있지는 않다. 다만 실제 내용에 있어서는 이러한 비애와 울분이 짙게 깔려있음을 볼 수 있다. 다만 그것들이 서정적인 여과를 거쳐서 표현성을 획득하고 있다는 점이 색다른 것이다.

시 ①에서는 봄과 겨울의 심상이 대립된다. 그것은 봄볕이나 좋다리, 아지랑이 등과 눈보라 및 어둠, 싸늘함이라고 하는 대립 심상으로 표출되는 것이

---

3) 인용시 ①「춘영」, 『조선일보』, 1928. 4. 8, ②「봄의 서울밤」, 『조선일보』, 1928. 4. 12, ③「봄비」, 『조선일보』, 1928. 4. 24, ④「가을」, 『조선일보』, 1928. 10. 16.

다. 겨울 다음에 봄이 찾아온다는 계절의 순환법칙에도 불구하고 진정한 봄이 오지 않고 어둠과 추위 속에 떨고 방황하는 모습이 제시됨으로써 불모의 현실에 대한 비관적 인식을 드러냈다고 하겠다. 몇 가지 상징적인 이미지들로써 비관적 진실인식을 선명히 표출했다는 점도 돋보인다고 할 것이다.

시 ②에도 이러한 슬픔과 울분의 정서가 아로새겨져 있다. 그것은 밤거리를 헤매는 '나'의 모습과 하늘에 떠가는 기러기의 대조로써 나타난다. 그것은 물론 슬픔과 방황의 정서에 해당한다. 그렇지만 이 속에 '이 나라의 봄을 등지고 북으로 가는 그대'를 연관시킴으로써 현실적인 긴장력을 제고시켜 주목된다. 물론, 이 '북으로 가는 그대'란 북만주나 시베리아 어디로 떠나가는 이 땅의 유이민을 상징할 것이다. 이처럼 서정과 현실을 탄력 있게 결합함으로써 비극성을 심화시키고 있다는 점에서 이 시의 의미가 드러난다고 하겠다.

시 ③에서는 비와 불의 이미지를 대립시켜 현실에 대해 울분과 비애를 효과적으로 형상화하고 있다. '밤새어 내리는 비'와 '분울에 타는 내 가슴의 불길'을 대조시킴으로써 온갖 모순과 부조리가 지배하는 현실에 대한 울분과 적개심 그리고 비애를 적절히 형상화하고 있는 것이다.

시 ④에는 이러한 불모의 현실과 그에 맞서는 시적 자아의 대결 의지가 선명히 드러난다. 여기에서 현실은 울음과 낙엽의 이미지로 제시된다. 그러기에 '환멸을 안고 통곡'할 수밖에 없다. 그야말로 현실의 불모성, 비극성에 대한 통탄이며 울분의 표현이라 할 것이다. 그렇지만 그러한 현실의 불모성, 비극성에 굴하지 않고 일어서려는 데서 힘찬 극복 의지가 표출된다. "세기를말니는너의힘인들 뛰는내가슴의 피야말니랴"라는 구절 속에는 현실에 대한 비극성과 함께 대결의지가 담겨 있다고 할 수 있기 때문이다.

이렇게 본다면 이러한 종류의 시들은 사회주의적 관념이나 근로자에 대한 공감을 핵심4)으로 하는 프로문학의 내용과는 거리가 있는 것이 아닐 수 없

---

4) 킬포틴, 「창작방법의 기본문제」, 『창작방법론』, 문경사, 1949, 135~136쪽.

다. 이러한 경향은 오히려 상징과 비유, 그리고 이미지를 강조하는 순수문학의 입장에 선다고 하겠다. 그렇지만 시 정신의 바탕에는 현실을 비관적으로 파악하고, 그에 대한 타개를 목표로 하는 이념 지향성이 착색되어 있다고 할 것이다. 이 시들은 프로문학 계열의 시인들이 오로지 계급의식이나 투쟁의지로 가득 찬 시를 쓴 것만은 아니라는 사실을 말해주는 것이기도 하다.

비관적 현실인식을 바탕으로 해서 적절한 상징과 비유를 활용해서 비교적 예술성 있는 시를 썼다는 점에서 유완희의 시 세계가 지닌 우수성이 드러난다.

② 기층민중의 참상과 저항의식

① 봄은 되얏다면서도 아즉도겨울과 작별을 짓지못한채
　　— 낡은민족의 잠들어잇는저자우에
　새벽을알리는공장(工場)의첫고동소리가
　그래도세차게 검푸른한울을치바드며
　삼천만(三千萬)백성의귓겻에 울어나기 시작할때

　목도메다치여죽은 남편의상식상을
　밋처치지도못하고 그대로달녀온
　애젋은안악네의갓븐숨소리야말로……

　악마(惡魔)의굴속가튼작업물(作業物)안에서
　무릅을굽힌채 고개한번돌니지못하고
　열두시간(時間)이란그동안을보내는것만하야도—
　오히려 진저리가나거든
　징글징글한감독(監督)놈의 음침한눈짓이라니……
　그래도그놈의뜻을바더야한다는이놈의 世上—

오오조상(祖上)이여! 나의남편이여!
왜 당신은 이놈의世上을그대로두고가섯습닛가?
―안해를말리고 자식을애태우는……

―「여직공(女職工)」5)

② 저녁볏이건너ㅅ산(山)을 기여올을때
남편은 분노(憤怒)에질닌얼골로
동네작인들과함께
작대를끄을고 남(南)쪽 마을로달려가드니

밤은삼경(三更)이나지나서
달빗조차낡어가는이한밤에
시체(屍體)로변(變)하야집으로도라온다
눈도 감지못한채 들거지에언쳐서―

그러면앗가 막설거지를맛치고 날때
때아닌총소리가 연겁허뒤ㅅ산(山)을 울리더니
그것이내남편의영혼(靈魂)을모서가는
애닯은영결(永訣) 초혼소래이던가보다

오냐 이놈!
한개의탄자로서 내남편을밧귀간 원수놈―
아모련들 가슴의매듭이풀닐줄아느냐!
내 목숨이世上에멈으러잇는동안은―

―「희생자(犧牲者)」

③ 아오여! 아오의혼백(魂魄)이여!
형(兄)은방금 이땅을버리고가려한다
한아버지가 주추까지노아준
이땅이터 의이집을 버리고가려한다

---

5) 『개벽』 68호, 1926. 4, 110~113쪽.

천리(千里)나만리(萬里)나정처도없는곳으로—

그래도 그대는백골(白骨)이나마
조상(祖上)의끼친터를베고잇건만……

—「아오의 무덤에」

유완희의 시가 지닌 가장 중요한 특징은 그의 시 속에 일제강점기하의 불모의 현실을 살아가는 노동자, 농민의 척박한 삶과 투쟁 의식이 날카롭게 제시되어 있다는 점이다. 다시 말해서 "프롤레타리아트의 승리를 설정하기 위해서, 또 사회주의를 건설하기 위하여 부르주아에 대전(對戰)하는 프롤레타리아트의 계급투쟁에 참가하려는 노력"[6]을 생생하게 제시하고 있는 점이라 하겠다. 먼저 이러한 노력은 노동자, 농민을 둘러싼 열악한 환경과 생존권에 대한 위협으로 나타난다. 시 ①에서 공장의 여직공의 비참한 모습과, ②에서의 소작인의 억울한 죽음, 그리고 ③에서의 아우 죽음과 가족의 유랑민화가 제시된 것이 바로 그것이다.

먼저 시 ①에서는 당대 일제의 수탈에 시달리는 민족의 참상이 한 여직공의 비참한 삶을 통해서 계급의식으로 고양되고 있음을 볼 수 있다. 여기에는 일제에 의한 죽음의 위협과 계급적 착취에 시달리는 당대 민중들의 척박한 삶의 모습이 리얼하게 드러나 있는 것이다. 이 시의 내용은 두 가지이다. 그 하나는 '목도메다 치여죽은 남편'의 사연과 그로 인해 가족을 부양하기 위해 '악마의 굴속' 같은 공장에서 일하는 여직공의 사연이다. 이 '목도메다 치여죽은 남편'이란 기본적인 생존권도 확보하지 못한 채 노동과 착취에 시달리다가 죽어간 일제강점하 이 땅의 수많은 근로자들의 참상을 대변한다고 하겠다. 한편 이렇게 죽은 '남편의 상식상을 미처 치지도 못하고' 공장으로 달려와 일할 수밖에 없는 여직공의 '가쁜 숨소리' 속에는 최저 생존권마저도 위협당

---

6) 킬포틴, 앞의 글, 앞의 책, 158쪽.

하면서 살아가는 처참한 모습인 것이다. 실상 1920년대에 있어서 한국여성들의 전통적인 보수성에 비추어 볼 때 여성들이 임금노동자로서 공장에 나간다는 것은 기본적 생존을 위한 것이 아닐 수 없다. 그것은 경제적 자립을 목적으로 한 서구 여성들의 노동 참여의식과는 전혀 다른 것이 분명한 것[7]이다. 따라서 이 시에는 여성으로서 당하는 특이한 성적 수모와 함께 피지배 민족으로서 당하는 압박감에서 싹트는 저항의식이 분출한 것으로 볼 수도 있다. 실상 이 시가 여직공을 주인공으로 한 것 자체가 극도의 피해의식과 그에 따른 저항의식을 극대화하기 위한 방법적 장치임은 물론이다. 여직공이란 그 임금조건이나 작업환경[8]에 있어서 이중 삼중의 피해자일 수밖에 없기 때문이다. "무릎을굽힌채 고개한번돌니지못하고/열두시간(時間)이란그동안을" 악마의 굴속 같은 공장에서 보내야 하는 여직공의 모습 속에는 당대 이 민족의 모습이 피착취자의 그것으로 형상화되어 있는 것이다. 더구나 "징글징글한감독놈의 음침한눈짓"에 시달려야 하는 가혹한 인권유린과 비인간적 착취상이 제시되어 있다고 할 것이다. 그러기에 이 시에는 "오오조상이여! 나의 남편이여!/왜 당신은 이놈의세상을그대로두고가셨습닛가?"와 같이 울분과 통탄, 적개심과 변혁의지가 들끓고 있다고 하겠다. 이 시에는 일제의 가혹한 착취와 수탈 속에서 최저 생존권도 확보하지 못한 채 신음하는 당대 민중의 고통스러운 모습이 생생하게 묘사되어 있는 것이다. 그것은 피지배민족으로서의 저항의식이자 적개심의 분출이며 동시에 피지배계급으로서의 분노이자 투쟁의지의 형상화라 할 수 있다. 프로문학이란 사회적 의식과 계급적 이데올로기의 특수한 형식이며, 그 형식은 형상을 빌어서 현실의 계급적 인식

---

7) 이효재, 『여성의 사회의식』, 평민사, 1978, 43~44쪽.
8) 실상 당시 일본인 남자의 공장노동임금에 비해 조선인 남자의 임금은 약 ½이고, 여직공의 경우는 다시 그것의 ½ 수준이었다고 한다. 또한 근로 시간도 일본인이 대부분 10시간 이내였음에 비해 조선인은 대부분 12시간 이상이었다. 이효재, 앞의 책, 54~55쪽 도표 참조.

을 표현하고 계급의 자기 긍정과 혁명 과제에 봉사해야 하는 것9)이다. 아울러 그것은 계급투쟁의 결과이며 요인이라고 할 수밖에 없다. 이 점에서 이 시는 반일제 저항의식과 반계급 투쟁의식을 '여직공'이라는 한 시대적 전형을 통해서 날카롭게 형상화한 작품이라고 할 수 있다.

시 ②외에는 한 소작인의 어처구니없는 죽음과 그에 대한 가련한 아내의 분노를 날카롭게 표출하고 있다. 이 시에서의 시적 모티프는 소작쟁의이며, 그로 인한 한 소작인의 어이없는 죽음이다. "남편은 분노에 질닌얼골로/동네 작인들과함께/작대를끄을고 남쪽 마을로 달려가드니/시체로변하야집으로 도라온다/눈도 감지못한채 들거지에 언쳐서"라고 하는 구절 속에는 소작쟁의라고 하는 계급투쟁 끝에 참담하게 죽어간 한 작인의 모습이 제시되어 있다. 그것은 '총소리'가 상징하듯이 악덕 지주와 결탁한 일제의 주구(走狗) 경찰에 의해 무참하게 살육당한 한 농민의 한 서린 생애라 할 것이다. 이러한 소작인들의 구체적인 저항 양상과 무참한 죽음에는 나라를 빼앗기고 생존권마저도 위협당하는 당대 민중들의 참상이 예리하게 반영되고 있다고 할 것이다. 특히 삶의 지주인 남편마저 빼앗긴 한 아녀자의 입장에서는 세상의 모든 것이 적으로 보일 수밖에 없을 것이 자명한 이치이다. "오냐 이놈!/한개의탄자로서 내남편을밧궈간 원수놈/아모련들 가슴의매듭이풀닐줄아느냐?/내목숨이 세상에 멈으러잇는동안은"이라는 결구 속에는 세상에 대한 적대감과 함께 한 서린 복수의식이 담겨져 있다고 하겠다. 이렇게 본다면 '나라 빼앗김'과 '남편 살해당함'이라는 두 가지 사실은 근원적인 면에서 하나로 귀일된다고 할 것이다. 그것은 '없음'과 '빼앗김'으로서의 세계인식10)이며, 그에 대한 저항과 투쟁의식이라고 할 수 있다. 이러한 저항의식과 투쟁의식은 실상 일제의 조국 침탈에 대한 항거이면서 동시에 가진 자, 착취자들의 횡포와 수탈에 대한

---

9) 누시노브, 「문학의 본질」, 『문학원론』, 콤·아카데미 편, 백효원 역, 문경사, 1949, 57쪽.
10) 이러한 인식은 김소월, 한용운, 이상화 등의 시에서 두루 발견되는 현상이다. 유종호, 「소월론」, 『동시대의 시와 진실』, 민음사, 1982.

저항의식의 발현임에 분명하다. 그것은 현실에 대한 기계적인 형상적 촬영이 아니라 현실의 계급적 인식이며 계급투쟁에 목표를 둔 프로문학의 한 전형11) 이라 할 것이다. 실상 이 점에서 유완희의 시가 지닌 현실적인 대응력이 두드 러진다고 하겠다.

시 ③에는 두 가지 비극적인 사실이 제시된다. 그 하나는 아우의 죽음이며, 다른 하나는 조국을 버리고 떠나야만 하는 유이민12)의 쓰라린 심정이다. 아우의 죽음이란 그 원인이 밝혀져 있지 않음에도 불구하고 대략 식민지상황하의 참담한 생존문제와 저항의식에 연결되어 있으리라는 점을 쉽게 짐작할 수 있다. 그럼에도 불구하고 "천리나만리나정처도없는 곳으로" 떠나갈 수밖에 없는 형의 처지는 아우의 죽음만큼이나 비참한 것으로 받아들여진다. 죽어서 나마 조국 땅에 남아있을 수 있는 아우와, 살아있지만 조국의 정든 터전을 버리고 떠나 천리만리 유랑할 수밖에 없는 형의 모습이 대조되면서 당대 조선 민중의 궁핍한 실존상이 뚜렷이 부각되는 것이다. 그것은 '집 없음'과 '먹이 없음'으로서의 현실인식이며 '조국 빼앗김'과 '생존권 빼앗김'으로서의 상황 인식13)이라 할 수 있다. 조국 상실에 대한 뼈저린 분노와 함께 생존권 위협에 대한 심각한 불안의식이 유이민 문제와 날카롭게 연결됨으로써 당대 민족과 민중이 처한 궁핍하고 척박한 현실을 첨예하게 반영해 준 것이라 하겠다. 모든 예술은 언제나 그들이 처한 경제적 처지와 내적인 인과관계를 가질 수밖에 없으며,14) 예술가는 현실 속에서 전형적인 것을 찾아내고 그 전형적인 것

---

11) 누시노브, 앞의 글, 앞의 책, 41쪽.

12) 유민문제는 윤영천의 『한국의 유민시』, 실천문학사, 1987에서 자세히 다룬 바 있다.

13) 이러한 모습은 같은 카프 계열 시인이던 김동환의 「국경의밤」에서 죽은 병남의 시체가 "그래두 조선 땅에 못긴다"라는 탄식 속에 묻히는 일이나, 심훈의 「나의 강산이여」에서 "부디부디 백골이나마 이 흙속에 돌아와 묻히소서"라는 구절들과 대응된다고 하겠다. 김재홍, 「김동환론 및 심훈론」, 『한국현대시인연구』, 일지사, 1986.

14) 보토보어, 톰, 『마르크스사상사전』, 임석진 역, 청아출판사, 1988, 387쪽 재인용.

을 전형적인 형상으로 표현한다[15]고 할 것이다. 앞의 시들에서 여직공과 소작인, 그리고 망명 유민들의 모습은 그대로 일제침탈로 인하여 생존권을 박탈당하고 떠돌거나 죽어가던 수많은 당대 조선민족과 민중들의 한 전형들이라 할 수 있다.

이렇게 본다면 유완희의 시들은 일제강점기 당대 현실의 제반 모순과 불합리와 대응하면서 계급의식에 눈떠가고 계급투쟁으로 나아가는 사회주의적 세계관을 반영하고 있는 것이 분명하다. 근로투쟁이나 소작쟁의라고 하는 삶의 구체적 현장성에 근거하면서 민족적인 자각과 계급투쟁의식으로 나아가려는 의식적 노력이 담겨 있는 것이다. 이 점에서 유완희의 시는 일제에 대한 저항으로서의 민족해방의식과 함께 계급해방의식을 담고 있다는 점에서 당대 프로시의 한 전형을 보여준다고 하겠다.

③ 민중적 세계관과 혁명적 열정

유완희의 시에는 증오와 울분으로 가득 찬 현실을 떨쳐버리고 거리로 나서자고 하는 힘찬 민중의 함성이 담겨 있는 것도 중요한 특징이라고 하겠다. 그것은 각성된 민중의식의 발현이면서 혁명적 열정의 분출이라고 할 것이다.

> ① 행렬(行列)! 푸로레타리아의 행렬(行列)!
> 가정(家庭)에서 전원(田園)에서 공장(工場)에서 또학교(學校)에서
> 가두(街頭)로가두(街頭)로혼더져나온다
> 영양(營養)에주리여창백(蒼白)한얼골—그러나열(熱)에띠인거름거리
> 그들은그들의뛰노는심장(心臟)의고동(鼓動)을듯는듯하다
>
> 비웃느냐? ×××무리들

---

15) 누시노브, 「세계관과 방법의 문제 검토」, 『창작방법론』, 98쪽.

―그늘에 자라날향악(享樂)의날이아즉도멀엇다고
그러나 그거름거리를보라! 대지(大地)를울리고 신생(新生)으로신
생(新生)으로다름질하는 그거름거리를

그들은인제는 너에의각성(覺醒)을 더바라지도 안는다
―적도(赤道)가북(北)쪽으로기울어지기를― 사실이외(事實以外)에
더큰

힘이 잇기를― 바라지 안는다
다만힘으로써힘을익이고 힘으로써힘을어드랴할따름이다
그곳에새롭은세기(世紀)가창조(創造)되고 ××××××를 맛볼수
잇스리니―

빗켜라! ××들!
그들의행렬(行列)을더럽히지말라! 굿세게전진(前進)하는그들의압
길을

행렬(行列)! 푸로레타리아의 행렬(行列)!
가정(家庭)에서 전원(田園)에서 공장(工場)에서 또학교(學校)에서
가두(街頭)로가두(街頭)로흘러져나온다
하날에는눈보라감돌아오르고 따에는모진 바람휩쓰러드는데
―돼지무리살가지우슴웃고……
                                        ―「민중(民衆)! 행렬(行列)」16)

② 거리! 중악(憎惡)에타는거리 분격(憤激)에불붓는거리
  보라! 사랑하는이여! 젊은이들이여!
  검붉은 분위기(雰圍氣)―― 굽이치는 물결

  나오라! 시인(詩人)이여! 미술가(美術家)― 음악가(音樂家)

---

16) 『조선일보』, 1927. 12. 8.

거리로나오라! 나와서소리치라!
언제까지나 탑(塔)안의올창이떼되지말고……

민중(民衆)—민중(民衆)—민중(民衆)
굿세게나가라! 압흐로압흐로—
도시(都市)의민중(民衆)— 향촌(鄕村)의민중(民衆)
「모터」의 음악(音樂)을 좀더확대(擴大)하라!
대지(大地)의 호흡(呼吸)을 좀더깁게하라!

민중(民衆)—민중(民衆)의전진(前進)—전진(前進)의 굿세임!
우리는 그것을찬미(讚美)한다! 그것을축복(祝福)한다!
그것은인간(人間)으로서 참'삶'에돌아가려는 강렬(强烈)한 '리듬'인
까닭이다

누가 그것을 막느냐? 작열(灼熱)된유기(有機)의결합(結合)— 민중
(民衆)의전진(前進)—전진(前進)의 위대(偉大)한 힘을
천지(天地)를휩쓰는바람 여전히민중(民衆)의감정(感情)을쇠북질하
는데……

—「가두(街頭)의 선언(宣言)」17)

유완희의 시에서 드러나는 또 다른 특징은 그의 시가 민중지향성 또는 미
래지향성을 형상화하고 있다는 점이다. 물론 여기에서 민중이란 시민성의 의
미보다는 계급성의 의미를 지닌다. 그것은 프롤레타리아 계급투쟁으로 열려
있기 때문이다.

먼저 시 ①에는 혁명적인 열정이 가득 차 있다고 하겠다. 여기에는 일반적
으로 프로시들이 지니고 있는 대중적 구호성, 선동성이 그대로 드러나 있다.
우선 반복되는 느낌표(!)라든지 단정적 어투 및 명령형 어미들이 힘찬 느낌을

---

17) 『조선일보』, 1929. 11. 20.

던져 준다. 아울러 시어의 강렬성이 두드러진다. 그런데 여기에서 주목되는 것은 '영양에 주리여 창백한 얼골'과 '살가지 웃음 짓는 돼지무리'의 대조라 하겠다. 그것은 한마디로 말해서 부르주아와 대조되는 프롤레타리아트로서의 계급적인 사회인식이라 할 것이다. 바로 이 점에서 이 시가 계급성에 근거한 민중의식을 형상하고 있음을 확인하게 된다. 비록 이들 프롤레타리아트로서의 민중들은 피압박자로서 착취와 수탈에 시달리지만 그들은 혁명에의 열정으로 인해서 힘차게 전진하는 힘의 주체로서의 의미를 지니는 것이다. 그들은 "다만힘으로써힘을익이고 힘으로써힘을어드랴"하는 능동적인 사람들이며 신생을 위해, 새로운 세기의 창조를 위해 나아가려는 역사의 주체로서 파악된다고 하겠다.

시 ②에서도 마찬가지이다. 이 시에도 끓어오르는 민중적 열정과 혁명의지가 표출되어 있다. 그것은 닫힌 현실을 열어젖히려는 열린 의지이며, '인간으로서 참 삶에 돌아가려는' 강렬한 생명의지의 발현이라고 하겠다. 지속적으로 되풀이되는 감탄 부호와 명령형 어미, 그리고 격렬한 시어는 현실에 대한 열정을 반영한 것이 아닐 수 없다. 실상 위대한 감동적인 예술을 창조하기 위해서 예술가는 생활에 대하여 질투와 같이 열심히 정열적인 태도로 향하여야 하며, 묘사되는 현실에 대한 정열이 없는 또는 미적지근한 태도는 버려야 한다는 프로 예술가의 창작입장[18]에 비추어 볼 때 이 시가 지닌 강렬성을 인정할 수 있을 것이다. 민중지향성과 광장지향성, 그리고 미래지향성은 퇴폐와 우울, 감상과 몽환주의가 범람하던 1920년대 시단에서 설득력 있는 것일 수 있음이 분명하다.

그럼에도 불구하고 이 두 편의 시는 당대 프로시들의 한계를 그대로 보여준다고 아니할 수 없다. 그것은 이들 시가 당대 민중의 참담한 삶의 현장이나 그 구체성과 너무나 유리되어 있다는 점이다. 그렇기 때문에 이러한 시의 외

---

18) 킬포틴, 「창작방법의 확립을 위하여」, 『창작방법론』, 150쪽.

침이 공허하고 관념적인 것으로 들릴 뿐이다. 입버릇처럼 민중을 외치고 가두에로의 진출을 외치지만, 그것은 한갓 구두탄에 그치고 말 뿐인 것이다. "오즉 전진하라! 압흐로 압흐로! 형제여 자매여!/먼저 허트러즌녀의 영혼을 거두어 가지고/오즉 전진하라! 압흐로! 압흐로!"(「오즉 전진하라」19)에서)라는 또 다른 시의 경우에서도 볼 수 있듯이 공허한 구호와 맹목적인 열정만이 제시되어 있다고 하겠다. 이것을 '노동계급의 목소리를 대변하는 외침이며 그들의 전진을 고무하는 우렁찬 행진곡'20)이라고 주장하기에는 지나치게 논리의 비약이 놓인다고 할 것이다. 또한 이러한 시들이 '자본가계급의 멸망을 촉진하는 노동계급의 혁명적 진출을 낙관주의적 전망과 결부시켜 노래'21)하고 있다고 보기에는 허황된 면이 없지 않다고 할 것이다. 다만 제반 사회적 모순과 부조리를 개혁해 나아갈 주체 또는 근본적인 힘으로서 프롤레타리아트 세력을 시의 전면에 부상시킨 점22)은 계급적 세계관의 입장에서 볼 때 의미 있는 부분이 아닐 수 없다고 할 것이다. 아울러 언어 미학적인 면에 지나치게 경사되어 있던 당대의 많은 서정시들에 대해 하나의 반성을 촉구했다는 점도 의미를 지닐 수 있으리라.

이렇게 본다면 유완희의 시들은 계급의식의 관점에서 문학을 프롤레타리아트 혁명투쟁으로 나아가게끔 고무하고 충동하는 프로문학의 초기적인 한 전형성을 제시하고 있다는 점을 알 수 있다. 김팔봉이나 박영희 등 프로문학의 선구자들이 그러한 프로문학을 이념적으로 주장했음에도 불구하고 실제 시 작품상의 성과를 거두지 못했던 데 비해서 유완희의 작품들은 실제적인 면에서 프로문학의 한 시범을 실천해 주었다는 점에서 의미를 지니는 것이

---

19) 『조선일보』, 1928. 1. 19.
20) 박종원·류만, 『조선문학개관 II』, 인동, 1988, 83쪽.
21) 『조선문학사』, 평양과학백과사전출판사, 1981, 475쪽.
22) 이 무렵이 카프가 종래의 자연발생적 단계에서 목적의식을 분명히 하기 시작한 시기, 즉 제1차 방향전환기였음을 주지할 필요가 있다. 김윤식, 『한국근대문예비평사연구』, 일지사, 1976, 32쪽.

다. "타는 가슴!! 불붙는 심사!/그것은 민중의 앞으로 민중의 앞으로 굳세게 나아가기를 요구한다/소리치는 나의 음성─음성의 파동/그것은 멀리 더 멀리 민중의 가슴을 뚫고/민중의 마음을 이끌고나간다"(「나의 행진곡」에서)처럼 비록 구호화한 면이나 도식주의에 경사된 약점이 없지 않지만 역사의 전개의 주체로서 민중에 대한 계급적 각성을 뚜렷하게 제시했다는 점에서 주목해야 마땅하리라 생각한다.

이 점에서 유완희의 시는 방법적인 면에서는 공허한 관념성과 상투적 도식성을 지니고 있음에도 불구하고 현실적인 응전력을 확보하고 있다는 점에서 당대 프로시에서 한 선구적인 의미를 지닌다고 할 것이다.

3. 김창술

① 광장지향성 또는 낙관주의적 전망

한편 김창술의 시에는 인격권은 물론 생존권마저도 박탈당한 일제강점하의 현실에서 자유와 평등, 그리고 참삶을 외치는 우렁찬 목소리가 들려 주목된다.

  1
  네활개를 벌리고 큰길우에 활보(闊步)한다
  무한(無限)한 이상(理想) 위대(偉大)한 사색(思索)으로
  맑게개인푸른한울을 전망(展望)하며
  몬지가다다구찌인시장(市場)과사람들의얼골을굽어다보며훨훨히
  거러간다
  허영(虛榮)을장식(裝飾)한집들을볼때
  허영(虛榮)에들떠인얼골을볼때

'참'이란구석은하나도엄다

2
수레바퀴가 활개를치고 큰길우에 활보(闊步)한다
진심(眞心)의진행(進行), 꾸준한궤도(軌道)로
녹아흐르는 눈(雪)의물결을 유미(蹂彌)하며
덜커덕 덜커덕 숨쉬는소리는 무한(無限)한 제작(制作)의거룩한몸
씨로 훨훨히궁구러간다
자기(自己)의창작(創作)인최후(最后)를바래며
뜨거운땀물이뚝뚝떠러질때
'거짓'이란구석은하나도엄다

3
절대(絶對)로평등(平等)인 큰길우에 네활개를 벌리고 활보(闊步)한다
차별(差別)이란 한푼어치도업고 큰길우에는
걸인(乞人)―귀족(貴族)―매음녀(賣淫女)―귀부인(貴婦人)―노동
자(勞動者)―자본가(資本家)―
모도가 자유(自由)로 거러를간다
이세상어느곳이나오즉이길만이 평등주의자(平等主義者)다
염치빠진 이세상에는 길만이거룩한성자(聖者)이다

4
이길을거러라! 훨훨히거러라!
붉은가슴이열화(熱火)에탈때
쓰라린눈물이두뺨에흐를때
이자유(自由)스러운길우에나아오거라
자비(慈悲)한성자(聖者)의위로를들어라
헤매이는이상(理想)과 영원(永遠)한광명(光明)을 괴요이괴요이일
너주리라
나아오거라, 훨훨히거러라, 이 자유(自由)의길을……
　　　　　　　　　　　　　　　　　　　―「대도행(大道行)」23)

불볏이 강렬한힘을 땅우에 던진다.

녀름도 삼복(三伏) 도가니속가티 더운날 숨이 컥컥막히는 이더위
일에
우리의 부대(部隊)는 나아간다. 이세기에 이사회에 온세상사람의
마음에
'미래의모순'이 움직인다 뻐르적인다 커라 어서어서커라
우리는 모순의 원소(元素)─ 그불ㅅ길이 밧브게 변혁(變革)하고 잇
나니
이무리의 물ㅅ결이퍼진다 도회에 공장에 빌딩에 농촌에 뫼에 숨풀
에 들에 시내에 바다에
이무리를실고 올라가는장갑차(裝甲車)가구을러 구을러 구을러간다
우리의마음과 피와 힘을 상징한 깃발이 바람을따라 퍼얼럭 퍼얼럭
녀름공기에 부대치는 이상한 리─듬이 청신(淸新)한향기를 뿌린다

'전개(展開)'!
동무야 살피라─ 모순의 전개를
나아가는 우리의길에 광명(光明)이 비최인다
프로레타리아의광명 이때는 점점 가차워온다
장갑차(裝甲車)고동이 뚜─ 뚜─
노래하자! 깃븜의노래 인터나소날의노래
삼삼(三三) 오오(五五) 떼를진 모든 동무여

—「전개(展開)」[24]

김창술의 시에는 탁 트인 남성적 목소리와 낙관주의가 담겨 있는 것이 중
요한 특징이다. 그의 시는 일제강점하에서의 수난과 시련 및 그에 대한 투쟁
의식을 지니고 있으면서도 시적 건강성을 확보하고 있는 것이다. 인용한 두

---

23) 『개벽』 56호, 1925. 2, 83쪽.
24) 『조선일보』, 1927. 8. 12.

편의 시에는 이러한 건강한 열정과 낙관주의가 드러나 있다고 하겠다.

먼저 시「대도행」에는 모순과 허영으로 가득 찬 현실에 대한 비판과 함께 열린 세계에 대한 지향성이 드러나 있는 것으로 보인다. '대도행', 즉 큰길을 가는 노래라는 제목 자체가 당대 기성 시인들의「월광으로 짠 병실」이나「흑방비곡」,「사의 예찬」등 어둡고 폐쇄적인 이미지와는 선명히 대조된다. 그것은 밀실이 아닌 광장의 이미지이며, 광명의 이미지인 것이다. 실상 시가 지향하는 것도 그러한 광장 또는 광명에의 길이라고 하겠다. 비록 현실은 어둡고 닫혀진 곳, 혹은 모순과 거짓이 판치는 세상이라 하여도 그러한 밝고 건강한 세계를 향한 우렁찬 전진만이 우리 민족이 나갈 길이라는 확신을 담고 있는 것이다. 그렇다면 이러한 광장과 광명의 이미지는 무엇을 의미하는가? 그것은 다름 아닌 자유와 평등의 길이라 하겠다. 그러나 그것은 그냥 쉽게 얻어질 수 있는 것이 아니다. 그것은 뜨거운 땀을 뚝뚝 흘리는 데서, 붉은 가슴이 열화로 타고 쓰라린 눈물을 이겨 나아가는 데서 비로소 획득되는 것이다. 다시 말해서 이상은 현실 자체의 힘, 즉 혁명적 실천에 의하여 획득될 수 있으며, 이 점에서 현실과 이상은 추상적인 대립이 아니라 변증법적인 통일25)인 것이다. 빈부귀천 차별이 없는 세계의 건설, 평등과 자유에 대한 갈망과 지향성이 시「대도행」의 골자라 할 수 있음은 물론이다. "이세상어느곳이나오즉 이길만이 평등주의자다/나아오거라, 훨훨히거러라, 이 자유의 길을"이라는 구절 속에는 바로 이러한 봉건적인 자유와 평등이 실현되는 낡은 세계를 떨치고, 온갖 현실의 모순과 부조리를 떨치고 역사의 새 아침을 맞이하고자 하는 능동적인 열정이 표출되어 있다고 하겠다. 시「전개」에는 이러한 새로운 세계를 향한 전진의 의지가 더욱 강렬하게 표출되어 있다. 그것은 '불볏'이나 '삼복도가니'가 상징하는 온갖 현실의 수난과 시련을 이겨내려는 힘찬 의지에서 출발한다. 그리고 세계를 둘러싼 온갖 모순을 극복하고자 이는 열화 같

---

25) 킬포틴, 앞의 책, 162쪽.

은 몸부림을 담고 있다. 이러한 민중들의 힘찬 극복의지와 전진에의 열망이 바로 '장갑차'의 이미지로 형상화된 것이다. "우리의마음과 피와 힘을 상징한 깃발"을 펄럭거리면서, 뚜─뚜─고동을 울리며 전진하는 장갑차의 모습 속에는 역사를 이끌어 가는 주체로서 프롤레타리아트로서의 기층민중의 힘찬 생명력이 담겨 있는 것으로 풀이되기 때문이다. 어쩌면 여기에는 "캄캄한 휘장이 이땅우에 나리엇는데/멍청한백성들이 그안에서 허부적으리다//새롭음이여, 더러운 행복이거든 보내지 말라/차라리 이나라안에선 싸홈을 바래나니/그저 정의의쌈사호는 백성이되여지라"(「긴밤이 새여지다」[26])에서)라고 하는 암흑적인 현실을 타개하려는 안간힘이 담겨 있는지도 모른다. 그만큼 김창술의 시에는 어두운 현실에 대한 비판과 함께 새로운 세상의 도래에 대한 열렬한 지향성을 간직하고 있기 때문이다.

이처럼 김창술의 시는 여성적인 정조와 폐쇄적인 어둠의 분위기가 범람하던 1920년대 초기 시단 형성과 그 전개과정에 있어서 남성적인 기백과 낙관주의적 풍모를 보여줌으로써 우리 시의 한 변경을 개척한 것으로 이해된다.

② 노·농투쟁과 민족해방의 길

① 한녀름 불볏을 실타안코
　거름주고 붓도다서
　순집고 벌레잡어
　잘지어논 이담배를
　맘대로팔엇다고 잡혀가는이몸!
　엇지타 이몸은
　이농사를 지엇는고

---

26) 『개벽』61호, 1925. 7.

산말막 험한땅을 곡굉이질하여가며
고된줄 모르고힘써지어논
이제에와서 묵겨가는이몸!

전매라는 그것이생겨진이제는
제물건도 못파는사세이라
가난한 목숨이 굶을수업서서
다만 두묵굼을 몰래팔엇다구
붓들려가는이몸!
오동마차는 안탄다드래도
이상투를 잘르게 될것이니
마을사람 보기에도
붓그러운
오 말할수업는이몸!
가슴속 분로는
관솔불처럼 타오르고
짓밟힌 핏덩이는
터지려는 폭탄가튼데
스므하로갇히게된이몸!

—「매벌(賣罰)」[27]

② 불가치 뜨거운 해ㅅ빗 미테서 살을 데우고 피를 말리며
　모든 힘을 다하고 오장을 다 테우면서
　알뜰이 지어노흔 쌀은 누구에게 빼앗겼는가

　왼 일년의 정력도 모다 소용이 업섯고
　또 봄이 왓구나 봄이!
　작년가튼 흉년에도 제 ×들이 욕심껏 빼앗어 갓섯다
　그리고도 그리고도 부족해서 눈이 벌거쿠나

---

27)『조선일보』, 1926. 1. 1.

그게 원 무슨 소리냐 아무리 뻔뻔한 제 ×들이라 하여도
그리하여 우리들은 우리들은 당연히 소작료의 인상을 거절하엿드
니라
우리들은 우리들은 방위할 ××를 만들엇고 그 빗나는 의론속에 항
쟁을 계속하였다

그러나 우리는 ××놈이요 소작인이기 때문에
용감한 사나히요 근로하는 우리이기 때문에
거더 채이고 뚜드려맛지 안으면 안되는가

놀내엇으리라 떨엇으리라
더러운 공기속에 신음하는 우리들의 리~다~를 다시 ×기 위하야
나붓기는 깃발미테 장엄한 데모가
×××를 포위하고 또 ×격하고……

앗을대로 앗어 보아라
네놈들의 잔×한 ××가 잇지 안느냐
그러니 념여도 업겟고 주저할 것도 업스리라
그러나 우리들은 ×復을 하지안으면 안될 것이 아니랴

벗아!
똑가튼 기ㅅ발 아래에서 움직이는
세계의 벗들아 그러치 아니하냐
우리의 희망은 분노는 깃븜은 불으지즘은 모다 우리들의 것이 아
니냐
            ―「앗을대로 앗으라」[28]

③ 쇠잔한저자거리에 모야슨
   북퉁스런무리의 얼굴우에

28) 『카프시인집』, 집단사, 1931, 14~17쪽.

맨끗의 공론이 매저질때
잿ㅅ빗 어스름이 땅을휩쓸며어르광친다

전선(戰線)으로……

동무여!
북을내어던지자
바듸를 찌저버리자
한올이나마
한자이나마
그리고공장(工場)바닥을 뒤집어놋차
배가주리여 죽는한이 잇드래도
한사람이 남는순간까지

전선(戰線)으로……

한사람이 부르지젓다

으왁…… 으왁…… 군중은 홍분되어
사장실(社長室)을 에워쌀 때
문고리에 쇠나리는 그의 마음……
햇슥한 그의 얼골…… 눈……

창을깨뜨리고
죽이자! 저 비겁한녀석을
군중은 더욱홍분되었다

그대들이여
될수업노라! 이공장(工場)을 쉬여도
한번나린삭을 올릴수는업다
가거라! 가거라! 하기실커든……

떨리는 전무(專務)의선언(宣言)!

한시간이지내인뒤
부서진의자의유경(遺敬)의
비린내 떠도는방속에
넘어진 두생명의 민절(悶絶)이여!
가난한무리의 내친서름……

전선(戰線)으로……
파괴(破壞)…… 광(光)……

                                        — 「전선(戰線)으로」29)

  김창술의 시가 지닌 진면목은 유완희의 경우와 마찬가지로 일제의 억압과
착취에 대한 민족적 저항을 바탕으로 하여 민중적 자각과 계급투쟁 의식을
형상화하고 있다는 점에서 드러난다. 그의 시에는 모순으로 가득 찬 식민통
치에 대한 울분과 적개심, 그리고 수탈과 착취에 신음하는 민중들의 참상 및
그에 대한 적극적인 투쟁의식이 선명하게 제시된 것이다. 인용한 세 편의 시
에는 이러한 투쟁의식이 잘 표현되어 있다.
  먼저 시 ①은 일제의 식민침탈과 그에 따른 전매수탈을 민요적 가락으로
재미있게 묘사하여 관심을 끈다. 이 시의 화자는 가난한 담배경작 농민이다.
그는 "산말막 험한땅을 곡괭이질하여가며/한녀름 불볏을 실타안코/거름주고
붓도다서" 담배 농사를 지었다. 그러나 "가난한 목숨이 굶을수 업서서/다만
두묵굼을 몰래 팔엇다구" 왜경에게 붙들려가서 상투 잘리고 옥살이하게 되
었다는 사실에 대한 억울함과 함께 그에 대한 분노를 표출한 것이다. 그런데
문제가 되는 것은 담배30)를 몰래 팔다가 옥에 가게 된 사연 자체에 있는 것이

<hr>

29) 『조선일보』, 1926. 1. 2.
30) 실상 "구야구야 담방구야/훨훨 타는 담방구야/너는 타서 재가 되나/나는 타서 재가
   된다"라는 한 민요에서 보듯이, 민요나 민요시에서, 담배가 흔히 애타는 심사 또는

아니다. 그것은 제 땅을 가질 수 없게 된 비극적 사연이며, 제 농사를 지을 수 없다는 비참한 상황에 원천적인 문제가 있는 것이다. 그것이 바로 일제의 침탈과 착취로 말미암은 것이라는 암유적 의미가 시 속에 제시되어 있다는 말이다. 그러기에 "가슴속 분로는/관솔불처럼 타오르고/짓밟힌 핏덩이는/터지려는 폭탄"과 같이 참담한 분노와 적개심에 사로잡히게 되는 것이다. 이러한 분노와 적개심은 착취자로서의 일제 또는 수탈자로서의 일제 및 그 주구를 향한 것임은 물론이다. 이처럼 김창술의 시에는 일제 식민통치와 그 수탈에 대한 울분과 적개심이 강력하게 표출된 데서 그 중요한 특징이 드러난다고 하겠다.

시 ②와 ③에는 식민 착취의 가혹한 시련 속에서 그러한 근본 원인으로서의 일제 및 그 주구로서의 수탈자들에 대한 투쟁 모습이 구체적으로 묘파 되어 있어서 주목을 끈다. 먼저 시 ②에는 소작쟁의로서의 농민투쟁의 모습이 사실적으로 제시되어 있다. 여기에는 농민들의 피땀어린 근로의 모습이 제시된다. "불가치 뜨거운 해ㅅ빗 미테서 살을 데우고 피를 말리며/모든 힘을 다하고 오장을 테우면서"라는 구절이 그것이다. 따라서 쌀은 농민들의 피와 땀, 또는 생명과 등가물로서의 의미를 지닌다. 이러한 쌀을 무참히 빼앗아가는 수탈자로서의 지주란 바로 일제 침탈자와 다름 아닌 존재라 할 것이다. 따라서 "거더 채이고 뚜드려맛지 안으면 안되는" 힘없고 가난한 농민들에게 일제 및 지주는 하나의 거대한 적일 수밖에 없으리라. 바로 여기에서 소작 농민들의 투쟁이 전개될 수밖에 없다. 소작 농민들은 그들의 최소한의 생존권을 위해서 투쟁본부를 만들고 불굴의 항거를 전개하게 되는 것이다. 실상 이러한 소작 농민들의 투쟁은 표면상으로는 지주들을 향한 것이라고 하겠지만, 근원적인 면에서는 일본 제국주의 침탈자들에 대한 것이라고 아니할 수 없다. 그것은 원

분노와 연결된다는 점에서 이 시가 해학적이면서도 비장한 느낌을 던져 준다. 그가 이러한 전통시에서의 민족적 형식문제를 시 방법론으로 적극 개발했으면 오히려 성과를 더 거둘 수 있었으리라 판단된다.

천적으로 일제의 식민침탈과 그에 따른 궁핍에 기인하는 것이기 때문이다. 바로 여기에서 이 시가 반제 항일을 핵심으로 하면서 계급투쟁을 방법적으로 고취하고 있다는 점을 알 수 있게 된다. 실상 김창술 시의 장점은 바로 이러한 반제 항일의 민족해방의식과 계급해방의식을 하나로 결합시킨 데서 드러난다고 할 것이다. 다만 그의 시에서 반제 항일의식이 보다 구체적으로 다양하고 깊이 있게 형상화되지 않은 것은 아쉬운 일이 아닐 수 없다고 하겠다.

시 ③에서도 마찬가지다. 이 시에는 방직공장에서의 노동 쟁의와 파업투쟁[31]이 한층 격렬한 현장 감각으로 묘파 되어 있다. 앞의 시 「앗을대로 앗으라」에서와 마찬가지로 이 시에도 이야기적인 요소, 즉 서사적인 내용이 담겨 있는 게 특징이다. 특히 이 시에는 파업투쟁하는 근로자들의 흥분한 시위 모습과 함께 그에 대조되는 사장과 전무의 안쓰런 모습이 대조되어 관심을 끈다. "북을내어던지자/바듸를 찌저버리자/공장바닥을 뒤업어놋차" 하면서 사장실로 쇄도하는 시위노동자와 그에 맞서서 "될수업노라! 이공장을 쉬여도/한번나린삭을 올릴수는업다/가거라! 가거라! 하기실커든" 하면서, 절규하는 전무의 부르짖음 속에는 계급적인 대립의식이 첨예하게 드러나 있는 것으로 이해된다. 그러나 그것은 표면상 임금투쟁에 관한 것으로 제시되어 있지만 실상에 있어서는 노동자의 생존권 문제와 그에 따른 정치투쟁으로서의 계급투쟁 의식의 반영으로 받아들여진다. 여기에서 또한 표면상 이러한 계급투쟁이 부르주아지와 프롤레타리아와의 갈등 양상을 지니지만, 그것은 원천적인 면에서 정치, 경제, 사회적인 제측면에 있어 끊임없이 억압과 수탈을 자행하는 일본 제국주의자들과의 투쟁을 의미한다고 해석할 수도 있다고 하겠다. 이것은 이 시가 쓰여진 1925~1926년에 있어서 이미 카프가 조직되어 자연

---

31) "1919년 3·1운동 이후에 성장한 노동자, 농민의 항일 민족역량이 열악한 노동조건과 부딪쳐 노동쟁의의 빈발을 보게 된다. ……<중략>…… 1919~1940년까지 신문지상 및 잡지, 기타 통계자료를 종합하면 약 123건의 사례"가 드러난다고 한다. 이효재, 앞의 책, 64쪽.

발생적인 계급의식에서 경제 투쟁으로서의 계급투쟁으로 변모하기 시작한 것과 무관하지 않다고 할 것[32]이다. 또한 1925년부터 이 땅의 사회운동(계급투쟁)이 민족운동과 어떻게 통일, 조정되는가 하는 문제가 심각하게 대두되기 시작한 것도 이러한 해석을 가능케 하는 것이 된다. 즉, 국가민족은 이념상 계급의식에 대립되는 것이지만 실천적 운동상에서는 부합해야 할 것이라는 『동아일보』 논설[33]이나, 자유권은 독립국가 단위를 의미하며 생존권은 계급의식을 뜻하는 것으로 보아 생존권의 보장과 자유권이 국가를 상실한 당대 한국에서는 동일한 운동으로 파악한 송진우의 주장 등 여러 논의들에 비추어 보더라도 이러한 해석이 가능할 수 있기 때문[34]이다.

이렇게 본다면 김창술의 시에는 당대의 일반적인 서정시인들이나 카프시인들에게서도 보기 어려운 계급투쟁의 현장성이 구체적으로 묘파 되어 있다는 점에서 특히 주목할 만하다고 할 것이다. 그의 시에는 당대 민중들이 고통받는 실상이 식민지 통치구조의 전체성과 매개되어 구체적 현장성을 확보하고 있으며, 아울러 실천적 운동성으로 연결되어 있다는 점에서 생생한 설득력을 지닌다고 하겠다.

당대의 프로시들이 일반적으로 빠져 있던 관념적 운동성과 소재주의가 어느 정도 극복되었다는 점에서 김창술의 프로시가 의미를 지닌다고 볼 수 있는 것이다. 아울러 자유와 평등 정신을 바탕으로 하여 민중해방과 민족해방을 지향한 점에서 김창술의 시는 이 땅 리얼리즘시의 한 개척적인 위치에 놓

---

32) 이 점에서 김창술의 시적 노선은 문학주의에 기울어진 회월이나 팔봉의 카프 쪽이 아니라, 임화를 중심으로 한 소장파 볼셰비키와 밀접하게 연관되는 것으로 보인다.

33) 『동아일보』, 1925년 6월 19일의 사설 「민족의식과 계급의식과의 논점」 및 송진우의 「평화와 자유」, 김윤식의 「프로레타리아의 한국적 양상」, 『근대한국문학연구』, 일지사, 1973, 297쪽 재인용.

34) 정노풍 등이 민족의식과 계급의식을 배타적인 관계에서 파악하지 말고 계급적 민족의식의 문학을 일으켜야 한다고 주장한 것도 주목할 만하다고 하겠다. 정노풍, 「조선문학건설의 이론적 기초」, 『조선일보』, 1929. 10. 23~11. 10.

인다고 할 것이다.

　바로 이 점에서 김창술의 시는 새로운 지평을 열어가게 된다. 그것은 바로 노동시로서의 특성을 확실히 하는 가운데 현실개조를 향해 힘찬 전진을 거듭한다는 점이다. "기나긴 느진 봄날 우리의 한 떼가 도롯고를 밀고 레일 우를 치달을 때/씩씩한 그대와 모든 동무들의 걸음이 한층 빗낫섯다//동무여! 새 세기를 향한 전초여 나팔을 불어라!"(「오월의 훈기」에서)나 "굿센 자여!/너의일흠은 프로레타리아//새날을 마즈려고 삐어애쓰는 우리의가슴이굿세어라/「지형의 개조」/물ㅅ결치는바다는 이 항선을실코깃븜의항해를니어간다/길이걸어가자 천진이다 기관차처럼 가난한 사람아 일하는사람아"(「지형을 뜨는 무리」[35])에서) 등의 시에서처럼 노동의지가 밝고 힘찬 미래지향적 전망을 확보하게 되는 것이다. 따라서 김창술의 시는 부분적인 면에서 다소의 과장성과 관념성 및 도식성을 지니고 있음에도 불구하고 전체적인 면에서 1920년대 당대의 현실인식을 계급적 입장에서 형상화한 시라고 할 수 있음이 분명하다.

4. 맺음 말

　이렇게 본다면 유완희와 김창술의 시들은 반외세 민족해방의식과 반봉건 계급해방의식을 두 가지 축으로 하여 형성되었음을 알 수 있다. 그렇지만 민족해방의식보다는 계급해방의식이 전면에 부각됨으로써 계급의식의 시로서의 성격이 더 두드러진다고 할 수 있겠다. 이들의 시는 저항적 현실인식과 투쟁적 계급의식을 기반으로 하면서 노동계급의 목소리를 대변하는 데 역점을 두었던 것이 사실이기 때문이다. 아울러 이들의 시는 리얼리즘적인 시각과

---

35) 『조선문학사』에서는 이 「지형을 뜨는 무리」(『조선일보』, 1927. 6. 22)를 '근로인민 대중의 낡은 세계를 개조하는 창조자로 선포하는' 시이며, '새역사 창조의 주체로서 근로대중의 성장과정을 노래한' 시로 높이 평가하고 있다. 『조선문학사』, 427쪽.

남성주의적 건강성을 견지하면서 미래의 현실개조에 대한 낙관적 전망을 열어갔던 것도 한 특징이라 할 것이다. 따라서 이들의 시는 문학이 현실적 응전력을 확보해야 하며 당대 조선문학의 방향성으로서 사회주의적 계급문학을 지향해야 주장을 담고 있었다 하겠다. 특히 이들의 시는 주로 이론만이 무성한 채로 이론과 실제 작품의 실천이 서로 괴리를 보여줬던 초기 프로문학에 있어서 작품상의 한 성과를 보여 준 것으로 판단된다는 점에서 의미를 지닌다. 또한 이들 시는 1920년대 종반 임화를 비롯한 이른바 제3전선파들의 볼세비즘으로 연결됨으로써 이 땅 정치 문학의 선구가 되었다는 점에서도 특기할 만하다고 하겠다.

그렇지만 이들의 시는 일반적인 프로시가 지닌 이데올로기 편중성으로 인한 도식주의와 구호주의에 떨어진 점을 지적할 수 있을 것이다. 이들 시가 다른 프로시들에 비해 다소 구체적 현장성을 확보한 것이 사실이라 해도 전체적인 면에서 관념화 내지 추상화된 부분이 다분히 발견되기 때문이다. 아울러 이들의 시는 지나친 현실 추수주의로 말미암아 현실의 실상에 대한 체계적이고 깊이 있는 이해가 부족한 점도 중요한 문제점으로 지적할 수 있다. 또한 예술적인 형상력36)에 있어서도 아쉬운 점이 발견된다. 그들의 시는 형식 미학적인 점에 대한 진지한 고려가 현저히 부족한 것으로 판단되기 때문이다. 이와 관련해서 실천적인 운동성이 체계화되지 못한 것도 사실이다. 민중적인 내용이 그에 걸맞은 민족적인 형식 및 민중적 방법을 획득하지 못함으로써 바람직한 민중리얼리즘의 길을 열어가지 못한 것으로 생각되기 때문이다. 무엇보다도 이들 시는 계급주의적인 투쟁의 대상이 당대의 보다 근원적인 착취자 또는 핵심적인 민중의 적으로서 일제를 설정해야 했음에도 불구하고 그러한 투쟁의 초점이 흐려져 있다는 점을 지적하지 않을 수 없다. 이 점은

---

36) 김용직은 일반적인 프로시의 결점을 '예술성의 잠식'과 '감상적 언어'로서 파악하였다. 김용직, 『한국근대시사』下, 학연사, 1986, 182~183쪽.

물론 이들의 투쟁 사상이 보다 성숙된 민족현실 인식과 세계관 획득에서 우러나오지 못한 데서 기인하며, 이것은 이들 개인의 한계이면서 동시에 당대 카프의 시대적 한계성과 무관하지 않다고 할 것이다. 그럼에도 불구하고 이들의 프로시는 이 땅의 문학운동사의 관점에서 하나의 뚜렷한 방향성을 제시함으로써 오늘날의 노동시 또는 민중문학운동에 여러 가지 시사점을 던져 준다는 점에서 의미를 지닌다. 이들이 시 창작을 대다수 근로계급의 실제 현실과 생활에 밀접하게 연관시키려 노력한 것은 중요한 문학사적 의미를 지니기 때문이다. 아울러 문학이란 동시대적인 삶의 진실과 역사적 필연성에 기반을 두어야 하면서도 깊이 있는 예술성을 획득하는 데서 바람직한 문학의 지평이 열릴 수 있다는 점을 깨닫게 한 점도 의미 있는 일이라 할 것이다.

신념파 프로시인, 박세영

"남국에서 왔나/북국에서 왔나/산상에도 상상봉/더 오를 수 없는 곳에 깃
드린 제비/너이야말로 자유의 화신 같고나"라고 노래하던 시인 백하 박세영
(1902~1989. 2. 28), 그는 일제강점하의 척박한 현실에서 남성적인 풍모로서
극복의지를 형상화하다가 8·15 후 월북하여 북한문단에서 활동한 대표적 월
북시인의 한 사람이다.

지금까지 그에 대한 논의는 전혀 불가능하였으며, 실제로 일제하에서 이
찬1), 박아지2), 권환3) 등에 의한 시집 『인상기』와 이기영, 임화에 의한 시집
『서문』 및 『발문』 이외에는 이렇다 할 논평을 찾아보기 어렵다.

그러던 차에 1988년 7월 19일 정부 당국이 홍명희, 이기영, 한설야, 조영
출, 백인준 등을 제외한 120여 명에 달하는 월북작가들에 대한 해금조치를
취함으로써 그들에 대해 본격적인 논의가 가능해졌다.

실상 분단 이후 이 땅에서 이루어진 작가·작품론과 문학사 기술이 주로 남
쪽 문학을 대상으로 하였다는 점에서 그 파행성 또는 한계성을 지닐 수밖에
없었다고 하겠다. 이에 비추어 앞으로는 일제강점하에서 항일투쟁에 헌신하

---

1) 이찬, 「대망의 시집, 『산제비』를 읽고」, 『조선일보』, 1938. 8. 30.
2) 박아지, 「박세영론」, 『풍림』 5호, 1937. 4.
3) 권환, 「박세영시집 『산제비』를 읽고」, 『동아일보』, 1938. 8. 17.

고 민족문학을 위해 고군분투하였으나 해방 후 월북 때문에 연구될 수 없었던 문인들에 대한 논의가 활짝 열릴 것이 기대된다. 이러한 대표적인 경우의 하나가 바로 박세영인 것이다.

박세영은 1902년 지금의 서울 근교인 고양군에서 태어났다. 1917년 배재고보에 입학하여 여기에서 동기동창 송영을 만남으로써 생애에 뚜렷한 이정표를 마련하게 된다. 그는 이 시절 송영 등과 함께 회람지『새누리』를 간행하면서 문학에 대한 꿈을 키운다. 배재고보를 졸업한 후 1922년에 연희전문에 입학하나 곧 중퇴하고는 상해로 건너가서 혜령영문전문학교에서 수학하면서 때마침 이곳에서 심훈을 만나 민족운동에의 꿈을 불태우기 시작한다. 이 무렵에 상해, 남경, 북경, 천진, 만주 등을 주유하면서「양자강」,「강남의 봄」,「침향강」,「해빈의 처녀」등 시작을 하던 중 송영이 본국에서 1922년에 사회주의 문화단체인 염군사(焰群社)를 조직하고 기관지『염군』을 간행하려 원고를 청탁하자,『염군』1호에 시「양자강반에서」를 보내는 등 사회주의운동에 관심을 보였다. 1924년에 귀국하여 송영, 이기영, 윤기정, 박영희, 임화 등과 교유하다가 카프 맹원으로 참여하면서 본격적인 작품활동과 사회운동을 시작한다. 1926~1934년까지는 소년 잡지『별나라』의 편집 책임자로서 박아지, 임화 등과 함께 편집하고 아동문학평론을 발표하는 등 아동문학운동을 전개하기도 했다. 이후 모교 배재에 근무하기도 하다가 해방 후 카프비해소파로서 조선프롤레타리아예술동맹에 적극 참여하고 조선문학가동맹에서 활약하다가, 1946년 제1차 월북파로 월북하여 동년 3월 25일 결성된 북조선문학예술총동맹에 참여, 사회주의 문학운동의 강경파로 활약하기 시작하였다.

월북 후에 그는 북한의「애국가」(1947)를 작사하였으며, 서사시「밀림의 역사」(1962) 및 김일성 찬양시「영원히 주체의 태양을 우러러」등을 써서 북한문단의 '장로'로서[4] 대접받아 왔다. 그는 문예창작의 공로로 북한 최고인

---

4) 그의 월북 후 시집으로는『박세영시선집』(1956)이 있는데, 이 시집은 '인민의 계급

민회의 대의원, 문예총중앙위원 등을 지냈으며, 월북작가 대부분이 1980년대에 이르면 숙청과 고령 등으로 작품활동이 없는데 비해 최근까지 창작 활동을 전개하는 등 실질적인 면에서 북한 시단의 지도자 역할을 수행해 온 것으로 보인다.

이렇게 보면 박세영은 일제강점하 프로문학을 광복 후 북한문학에 접맥, 계승 발전시킨 가장 대표적 시인이라는 점에서 주목을 끌어 마땅하다고 하겠다. 본장에서는 월북 이전까지의 작품을 중심으로 살펴보기로 한다.

박세영의 작품활동은 그의 상해 시절부터 시작된 것이 분명하지만 본격적인 활동은 대략「농부아들의 탄식」등을『문예시대』2호(1927. 1)에 발표하면서 비롯된 것으로 보인다. 물론『염군』1호에「양자강반에서」가 있지만 잡지 자체가 총독부에 의해서 발매금지처분되었기 때문에 햇빛을 보지 못하고 다만 그 작품이「양자강」이란 이름으로 시집『산제비』에 실려 있다.

그의 시집으로는 유일하게『산제비』(중앙인서관, 1938 초판, 별나라사, 1946 재판)가 있으며, 그가 대표 저자로 권환, 김용활, 박아지, 박석정, 송완순, 윤곤강, 이주홍, 이찬, 이흡, 조벽암, 조영출 등과 함께 펴낸 해방기념시집『횃불』(우리문학사, 1946)이 있고, 기타 동인시집으로『카프시인집』(1931)이 있을 뿐이다. 이 밖에 그는 문학비평에도 참여하여「1931년 시단의 회고」5) 등의 월·연평,「이 찬 시집『대망』을 읽고」6) 등의 작품론 및「조선 프로 시사론」7) 등의 비평론을 남겼고, 그외「조선 아동문학」등의 아동문학론을 발표한 정도이다. 한 가지 여기에서 유념해야 할 것은 시인 자신이『산제비』

적 교양과 혁명적 사상의 배양에 기여'한 시집으로 높이 평가되고 있다. 사회과학원 문학연구소 편,『조선문학사』(1959), 인동, 1988, 369쪽. 실상 카프 문학 시기의 그의 시들도 북한문학사에서 매우 중요하게 다루어지고 있다.『조선문학사』, 과학백과사전출판사, 1981, 489~492쪽.

5)『중앙일보』, 1931. 12. 7.
6)『동아일보』, 1937, 12, 16.
7)『문학비평』, 1947. 6.

자서에서 밝히고 있듯이 시집『산제비』가 그의 모든 작품을 실은 것은 아니었다는 점이다. 실제로『산제비』에는 그의 초기작과 근년작이 수록되어 있을 뿐 프로문학 계열에 드는 중간작품이 대부분 빠져 있는 것으로 보여져 안타깝게 생각된다.

1. 초기 프로시와 민족·계급 모순

박세영의 초기 시들은 대부분 당대 일제강점하에 있어서의 노동자, 농민들의 척박한 삶과 그렇게 만든 부당한 힘으로써 일제 및 친일 지배세력에 대한 강한 분노 및 항거의지를 표출하고 있다.

① '네그로'를 흉보든이들이
　어느사이에 그들과가티되여서
　지금은 들, 이삭이곤두슨 들에서
　훌륭한 인간(人間)의야외극(野外劇)을 보여주는구나.

　절늠바리의 거름과가튼이 가을은
　그래도 모든곡식(穀食)을 염을이고가는가
　울타리와집웅에 파란박이 굴늘듯이노엿드니만
　굴너갓는가 터져서×가됐는가
　지금은 집웅조차 발간물이들엇네.

　길진이 자란 수수ㅅ대는 이가을이다―가도록
　기럭이를 불넛스나 한놈도안와서
　얼골을붉컷네 왼몸이피에끌었네
　끌타못하야 기럭이도못맛나보고 주인에게잘니고말어
　가을은 절늠바리로 왔다가만 가버리나.

······중략······

잠간동안들은 금을 펴논것갓더니
강말나빠진 농부에게 주는 량식처럼
지금은 거더드리어 갈갈이 찌저내는구나
우리의농부여 허제비는 그대로두라
우리들의 꼴이 잡바지려는 허재비꼴이나무에 다르랴.

타적이 다―맛기전에
다시한번 한울탓이나 하엿네 입과입들은,
그러나 곱다란마당―메한톨안남깨쓰러갓슬 때
한울탓는 니것네모다 니것네모다 니저버렷네

오―해마다 오는가을이여
언제나 절늠바리로만 왓다가려는가
이해가 다―가서 래년이올젠
우리들의맘까지 ××에 찟는 땅가티 되려나봐
되고야말냐나븨.

―「타적」8)

② 굴둑도업는공장(工場)
　밤낫 문이닷처잇는공장(工場)
　공장(工場)이랄가······이랄가 여보서요 말이안나요
　아츰이면 여섯시 밤이면 아홉시
　들고날제 처다보면 별과달밧게
　해라고는 보지도 못하엿지요

　이공장(工場)은 털구뎅이

---

8) 이하「타적」은『조선지광』, 1928. 11~12월 합병호, 「산골의 공장」은『신계단』, 1932.
　10,「야습」은『조선문학사』, 과학백과사전출판사, 1981, 489쪽에서 인용.

노루털 개털 사슴털 톡기털을 조각뜨는
산인(山人)골의 털공장(工場)입니다
우리들의 몸에선 짐승내가나고
얼골은 황단이 들엇습니다
……하략……

—「산(山)골의 공장(工場)」

③ 허나싸움이 끝나기도 전에
모가지를 디미는 녀석들이나
배만불리려는 네놈들이나
모두 우리들의 적이 아니냐?

우리는 오늘밤을
어떻게 이대로야 보낼 수 있으랴
우리들의 공장을 전취하련다
이 밤에 우리가 뒤끓어간다고
누가 우리를 비겁하다 하겠느냐

늬들이 하는 꼴
이제는 더 참을 수 없다
우리들의 피를 더 끓이고는 못견디겠다

—「야습」

이들 프로시들은 대체로 하나의 전형성을 보여주고 있다. 노동자, 농민들의 척박한 삶을 드러내면서 그렇게 만든 불의한 힘으로서 일제와 친일 지배 계층에 대한 울분 및 적개심을 강하게 표출하고 있는 것이다.

먼저 시 ①은 일제강점하의 착취와 수탈상을 농민 시점에서 고발하고 있다. "절늠바리의 가을/허재비꼴/메한톨안남깨쓰러갓슬 때" 등과 같은 구절 속에는 일제의 수탈과 착취로 피폐화된 농촌과 농민들의 불구화된 삶의 모습에 대한 울분과 함께 지배계층에 대한 통렬한 저항의식이 담겨 있다고 하겠다. 뼈 빠지게 농사를 지어도 타작마당에 남는 것은 하나 없이 허수아비 꼴이 되어 있는 농민들의 고달픈 삶 속에 민족모순과 계급모순에 대한 뼈아픈 자각과 비탄이 담겨 있는 것으로 풀이되기 때문이다. 시 ②는 산골의 공장을 무대로 하여 가난한 여공의 고통과 울분을 통해서 시대적인 폭력과 가진 자들에 대한 적개심을 분출하는 것이다. 아울러 시 ③은 평양고무공장 노동자들의 총파업에 대한 선동·선전시로서 쓰여졌는 바[9], 볼셰비키 시로서의 강한 추동성을 지닌다. 노동파업과 투쟁을 민족모순과 계급모순으로 연결시켜 계급의식을 고취하는 적극적인 목적시로서 하나의 전형성을 지니게 된 것이다.

이처럼 카프의 전성 시기에 박세영은 당대 일제강점하의 시대 상황을 민족모순과 계급모순이라는 두 가지 축으로 파악하여 당대 노동자, 농민들의 척박한 삶에 관심을 기울이는 한편 이에서 한 걸음 더 나아가서 계급투쟁을 정치투쟁으로 이끌어 올리려는 선동·선전성을 강하게 분출함으로써 계급문학적인 특성을 분명히 하는 것이다.

2. 현실의식과 민중의식

박세영의 시집 『산제비』의 기저를 이루는 것은 궁핍화한 당대 농촌 현실에 대한 탄식이며, 그에 따른 민중의식의 발현이라고 할 수 있다. 또한 여기에는 상실의식 또는 피박탈감으로서의 실향의식이 짙게 작용하고 있다고 하겠다.

> 산촌(山村)의 어머니, 날이 춥습니다.
> 바람은 칼날같이 불고, 으르렁거릴 때,
> 그곧인들 오작 치웁겠습니까?

---

9) 『조선문학사』, 앞의 책, 489쪽.

어머니! 이럴 때마다, 나의 마음은 사나운 바람을 헤치고,
그곳으로 달려가집니다.

옛이야기의 할먼네 집 같은 저─산촌(山村)의 나의 집이여!
어머니는 지금 덜덜 떨고 계시겠지!
다 늙으신 몸이 오작 괴로우시리까.

세낫의 아들이 말둥말둥 살아있는데도,
재롱을 부리는 사랑스런 손주들이 열이나 넘는데도,
어머니는 다만 산촌(山村)에 계셔 쓸쓸이도 이 날을 보내십니까.
생각하면 저이 형제(兄弟)는 못난 놈들이외다.
늙으신 어머니를 산골에 내버려 두어
굽으신 허리는 활등처럼 더 굽어 하늘을 보지 못하오니
어머니 어머니는 그렇게 사세야 됩니까.

일흔이 너므신 어머니, 그 어두신 눈으로,
깊은 밤 객지 남편(男便)의 버선을 기어야 되고,
손수밥을 끓여야 되옵니까?
콧물을 씨스시는, 동태 같은 어머니 손이여,
이 못난 자식을 때려주소서.

이 자식은 십 년째나 늙으신 어머니를 속였음이나 무에 다르오리까.
해마다 올해는 편안히 모시겠다는그말을, 그러나 나의 어머니어,
이 땅의 가난한 어머니들이어 불상하외다.

눈날리는 거리에는
여호목도리를 둘른 안악네들이 수없이 오고 가는데,
비단 옷에 향그러운 꽃 같은 안악네들이 지나가는데,
어머니는 산촌(山村)에서 뜻뜻이도 못닙으시고, '고려장(高麗葬)'의
살림을 하시나이까
가슴이 무여지고 서글프외다.

아 산촌(山村)의 어머니여!

—「산촌(山村)의 어머니」 전문

시집 『산제비』에는 곤궁한 농촌 현실에 대한 분노와 비애가 짙게 드러나 있다. 이른바 일제강점하의 농촌 궁핍화 현상과 그에 따른 비참한 농민의 삶이 집중적으로 묘파된 것이다.

인용시에서 표면적으로 제시된 것은 고향에서 홀로 고생하시는 어머니의 모습이며, 그에 대한 자식으로서의 죄스러움과 안쓰러움이다. 그렇지만 이 작품에는 그처럼 어머니가 혼자 산촌에서 비참하게 사는 원인이 가정의 풍비박산에서 비롯되며, 그것은 결국 시대고이자 시대병에 기인한다는 통렬한 항일 저항의식이 깔린 것으로 보인다. 이 시에 등장하는 '칼날 같은 바람'과 '추위' 그리고 '어둠'이 그러한 불모의 현실인식을 표상하는 것으로 이해되기 때문이다. 무엇보다도 이 작품과 짝을 이루고 있다 할 수 있는 「탄식하는 여인」에 관련지어 보면 이러한 사실이 더욱 확연히 드러난다. "돌아오라 내 아들/사랑하는 중진아/너는 집떠난지 삼년에/한번이라 소식도 없니/살았는지 죽었는지조차 모르는 네 몸에/답답한 마음은 구름이 피우듯 허공에 나를 뿐/날이 또 추워지니 네가 보고 싶구나/너는 그러나 모르리라/네가 떠나던 해에 네 아버지를 여히고/또 사랑하던 네 어린 동생을 잃은 줄/너는 꿈에도 모르리라//바람편에 들리는 소리/만주에 있다거니, 남경으로 갔다거니/있기야 어데 있는 네몸이 성한지 궁금하구나"라고 하는 내용의 이 시는 가정의 파산과 아들의 출분이 불가분의 관계에 놓여짐을 말해준다. 그것은 당대 현실을 지배하던 살인적인 궁핍에 기인하며, 결국 이것은 일본 제국주의자들의 무자비한 수탈이 근본 원인이 될 것이 분명하다. 실제로 "1931년 현재 1만 4천여 명의 일본인이 차지하고 있는 비옥한 논의 면적은 평야지대에 위치한 그것의 70~80%에 달하였으며, 이른바 「조선인의 10대 평야의 옥답」은 온통 그들의 소유였다"[10]라는 한 예를 살펴보더라도 당대 일제에 의한 수탈상과 그에 따른 농촌의 궁핍상을 여실하게 알 수 있는 것이다. 따라서 농민들은 정든 고향 땅을 등지고 남의 나라 땅으로 삶을 찾아 흘러갈 수밖에 없었던 것이 자명한 이치라 하겠다. 그러므로 대다수 농촌에 남아있는 사람들은 소작인으로 영락하거나 머슴으로 전락하지 않을 수 없는 비참한 처지가 된 것이다. 가난과 상실은 당대 조선 민중이 처한 공동운명에 해당한다고 할 수밖에 없었다고 하겠다.

그런데 여기에서 한 가지 주목할 만한 것은 이 작품들에 계급 편향적 민중의식이 선명히 드러난다는 점이다. "눈 날리는 거리에는/여호목도리를 둘른 안악네들이 수없이 오고 가는데/비단옷에 향그라운 꽃 같은 아낙네들이 지나가는데/어머니는 산촌에서 뜻뜻이도 못닙으시고 '고려장'의 살림을 하시나이까"라는 구절 속에는 가진 자와 못 가진 자로서의 대립의식이 선명하게 제시된 것으로 받아들여진다. 실상 이러한 대립의식은 "온실의 국화가 숫아오른 연화같이 피어/귄의 보드러운 웃음을 웃겨줄 때/담밑의 감국은 찬서리를 맞으며 오늘, 낼, 꽃을 피우려 안타까이도 떨었네"(「감국보」에서)라는 한 예만을 들어보더라도 첨예하게 제시되어 있다고 할 수 있다. 아울러 박세영의 시에 무수히 등장하는 가난한 사람, 빼앗긴 사람과 가진 사람 또는 군벌 등 대립적인 요소들은 이러한 계급적 세계관의 한 반영일 수 있음이 분명하다. 실제로 그의 시에는 "젊은 웅변가, 노군! 그대는 장하였다/얼마 아니 배혼 것이나마 민중을 위하여 쏟았다/그대의 몸에 괴롬이 닥쳐도 억세게도 숨김이 없었다"(「젊은 웅변가」에서)라는 구절에서 볼 수 있듯이 계급의식이 뚜렷하게 분출되고 있다. 이러한 계급적 민중의식에의 경사는 그것이 인도주의적인 성격으로서뿐만 아니라, 당대 일제 식민지 현실에 대한 저항으로서의 의미를 지닌다는 점에서 필연적인 일이 아닐 수 없다.

---

10) 윤영천, 『한국의 유민시』, 실천문학, 1987.

아울러 이러한 농촌의 궁핍화와 그에 따른 가족의 이산은 대다수 민족 구성원들에게 실향의식을 심화시켜 주는 요인이 되기도 하였다. 실상 이러한 실향의식은 이미 김소월이나 한용운 또는 심훈이나 정지용 등 1920년대 시인들에게서, 두루 발견되던 정신적인 징후[11]이며, 이후의 시인들에게서도 흔히 발견할 수 있던 특징적인 현상임은 물론이다.

　　　아! 그립구나 내 고향,
　　　익은 들이 물결치는 가을,
　　　누르런 들과 새파란 하늘을 볼 땐
　　　생각ㅎ기느니 내 고향(故鄕).

　　　산(山)골작이엔 약수(藥水),
　　　마을 앞엔 푸른 강(江),
　　　강(江)에 배띄고 고기잡던 옛시절,
　　　내 고향(故鄕)은 이리도 아름다워라.

　　　산(山)없는 이곳에서,
　　　물흐린 이곳에서,
　　　흘러다니는 나그네 몸이 외롭구나,
　　　지금은 추석(秋夕)달, 끝없는 지평선(地平線)에서 떠오르는 저 달,
　　　북만(北滿)의 들개짖는 소리에 마음만 소란ㅎ구나.

　　　고향(故鄕)의 하늘을 나르는 새, 땅에 기는 짐승들도
　　　지금은 따스한 제 집에서 단꿈을 꾸련만
　　　팔려간 노예와 같이

---

11) 소월의 경우 「바란건대는 나에게 보습대일 땅이 잇더면」이나 만해의 「당신을 보앗습니다」, 지용의 「고향」, 심훈의 「나의 강산이여」 등에 나타나는 것이 이러한 집 없음, 땅 없음, 고향 없음 또는 먹이 빼앗김 등의 박탈과 결여의식이다. 유종호 「임과 집과 길」(『세계의 문학』, 1979), 겨울은 소월 시에서 이러한 모습을 날카롭게 파헤치고 있는 대표적인 경우에 해당한다.

풍겨난 새와 같이 이몸은 서럽구나.

고추를 너러 샛빨간 지붕,
파란 박은 보화(寶貨)같이 넝쿨에 달리고
방아소리 쾅쾅 울릴 때,
이 가을, 이 추석(秋夕)을 맞는 이
아! 고향(故鄕)에 몇이나 되노.

가라는 이 있지만 아니 나오면 왜 못살리
들은 익어 누르른데 배를 골리지 않으면 왜 못살드란 말인가?
사랑하는 연인(戀人)과 장별(杖別)하듯이
내 고향(故鄕) 떠난 지도 이미 십년(十年)

그야 이내몸 뿐이랴.
마을의 처녀(處女)들도 눈물지고 떠나들 갔으며,
마을의 장정(壯丁)들도 고향(故鄕)을 원망(怨望)하고 달아났다.
그리운 고향(故鄕)은 야속(野俗)도 하구나.

수수이삭에 걸린 추석(秋夕)달,
잠든 호수(湖水)가에 거니는 기러기,
지금은 그 멀리 들릴거나 다드미 소리,
아! 그립고나 이내 고향(故鄕)!

—「향수(鄕愁)」 전문

이 시의 핵심은 쫓겨나다시피 떠나온 고향에 대한 그리움에 놓여진다. 그러나 그러한 "익은 들이 물결치는 가을/누르런 들과 새파란 하늘/방아소리 쾅쾅 울리는" 곳으로서의 고향은 실재하는 것이 아니다. 그것은 오로지 추억 속에서 그리움의 대상으로서만 존재할 뿐이다. 고향은 다만 이국땅을 흘러 다니는 '나그네 몸'으로서의 시적 화자에게 하나의 정신적인 위안으로 떠오를 뿐인 것이다. 실제의 고향은 "들은 익어 누르른데 배를 골리지 않으면" 안되는 궁핍함의 현장이며, "마을의 처녀들도 눈물지고 떠나가고/마을의 장정들도 고향을 원망하고 달아나는" 수탈의 현장일 따름이다. 실제로 시의 화자 역시 "팔려간 노예와 같이/쫓겨난 새와 같이" 고향으로부터 쫓겨난 사람인 것이다.

이렇게 본다면 박세영의 시에는 동척(東拓)과 동척의 일본인 지주 및 토착 지주들에게 땅을 빼앗기고 노동력마저 착취당함으로써 피폐화한 농촌과 농민들의 비참한 삶이 제시되면서 그에 따른 상실의식 또는 실향의식이 두드러진다고 하겠다. 아울러 이러한 궁핍화한 농민들의 삶과 실향의식을 노래하는 바탕에는 일본 제국주의자들의 침략과 수탈에 대한 분노와 적개심이 강렬하게 깔린 것으로 보인다. 또한 거기에는 쇠잔해 가는 민족의식에 대한 강한 집념과 함께 수탈의 직접적인 피해자로서 민중에 대한 뜨거운 애정이 담겨 있음이 물론이라고 하겠다.

3. 북만의 시 또는 유이민의 참상

박세영의 시에서 농촌의 피폐한 삶과 민중의식이 짙게 깔려있음은 이미 살펴본 바이다. 당연한 결과로 그의 시에는 조국을 떠나 만주에서 고달프게 살아가거나 고생 끝에 죽어가는 등 유이민의 비참한 삶의 모습이 제시되어 주목을 환기한다.

그대는 남편(男便)도 없는 그대는
늙은 어머니와 어린 자식들을 데리고
대담(大膽)히도 북만(北滿)으로 떠난 지도 이미 삼년(三年).

한 해, 두 해 기다려도 소식 없더니만,

이제야 왔다는 소식(消息)이 이것이었든가?
그대들의 최후(最後)를 말하는, 쓰라린 이 소식(消息)이었든가.

우리는 정말 몸이 부르르 떨리고
왼 몸에 소름이 끼치여 못견디겠구나.

그대가 그렇게 말못할 고생(苦生)을 하였고,
그렇게도 몹돼지 같은 욕심쟁이에게
피와 땀을 다─ 말리웠다지.

그대가 그곳에 갈 적에는
한가닥 희망(希望)을 바라고
용감(勇敢)히도 사나이답게 나서지 않았든가.

그러나 그대는 약한 몸이 황소같이 일을 했고,
강냉이와 조밥도 없이
넓은 광야(廣野)에서 배만 주리었다지.

어린 것들은 울고불고 고향(故鄕)으로 가겠다지
허나 그대는 다시는 고향(故鄕)에 오지 못하고,
원한(怨恨)의 죽엄을 하였다지.

그대여 포연(砲煙)이 구름같이 피어오르는
그곳을 빠져나와,

어린 자식이나 살릴까 하고,
하룻밤 하루 낮을 남(南)으로 남(南)으로 걸었다지.

그러나 그것도 소용없이
그대는 어린 것을 업은 채,
만주벌판에 엎으러지고 말었다지,

생각만 하여도 가엾구나.

그대여 한 여자(女子)의 몸으로서
북(北)으로 만리(萬里)길을 더듬을 결심(決心)이었거든
차라리 이곳에서 손목을 잡고,
억세게 나가지 않었드란 말인가.

그러나 이 비(悲)한 최후(最後)의 소식(消息)을 듣고는
그대의 남어지 가족(家族)들은 마루를 두들겼고
방고래가 따지라고 치며 울었단다.

북(北)으로 간들, 남(南)으로 간들
가난한 몸이어니
무에 신통한 희망(希望)이 있드란 말이냐.

오! 그러나 그대의 죽엄은 우리의 가슴에 낙인(烙印)을 찍고 갔다.
그대와 같은 쓰라린 사실이 왜 이리도 늘어만 간단 말이냐.

서산(西山)을 넘은 해는 대지(大地)를 어둠의 골로 맨들 때.
무심(無心)히도 대지(大地) 저 끝 하늘조차 어둬 가는 것을 보니
나의 가슴은 너무나 탄다.
만일에 햇빛이 다시 한번 노을을 펴보지 못한다면
이내 가슴의 정열(情熱)로라도 펴보고 싶구나,
아하! 왼 하늘에 펴보고 싶구나.

─「최후에 온 소식」 전문

대표적인 예로 뽑아본 이 시에는 일제의 강점과 수탈로 인해 가난밖에는
가진 것이 없는 당대 조선 민중의 고통스러운 삶과 참담한 절망이 아로새겨
져 있다. 이 시는 대체로 남편도 잃어버리고 노모와 어린 자식들을 데리고 살
다가 끝내 고향을 떠나 북만주의 황량한 벌판으로 쫓겨가 모진 고생 끝에 객

사하고 만 한 여인의 비참한 일생을 그린 것으로 요약할 수 있다.

먼저 이 시에는 "남편도 없는/고향에 오지도 못하고/소용없이 소식도 없이/조밥도 없이/못견디겠구나" 등과 같이 수많은 부정어사가 등장하는 것이 특징이다. 이것은 이 시에 비관적인 현실인식 또는 부정적인 세계관이 짙게 깔려있다는 사실을 반영하는 것이 된다. 그만큼 어둡고 음산한 분위기가 시를 지배하고 있는 것이다. 여기에 남편도 없이 식솔만이 잔뜩 딸린 한 여자 가장이 등장한다. 오로지 그녀가 할 수 있는 것은 노동일 뿐인데도 불구하고 그에게는 땅이 없다. 그런 사유로 어쩔 수 없이 북만주로 유이민이 되어 흘러가게 되고, 여기에서 "그대가 그렇게 말못할 고생을 하였고/그렇게도 못돼지 같은 욕심쟁이에게/피와 땀을 다 말리웠다지"라는 구절처럼 온갖 수탈과 고난을 당하게 된다. 또한 "약한 몸이 황소같이 일을 했고/강냉이와 조밥도 없이/넓은 광야에서 배만 주리었다지"라는 구절에서 보듯이 뼈빠지는 노동에도 불구하고 빈곤과 기아에서 허덕이는 궁핍한 생활에 시달린 것이다.

그러나 여기에서 비극은 끝나지 않고, 끝내는 "어린 것들은 울고불고 고향으로 가겠다지/허나 그대는 다시는 고향에 오지 못하고/원한의 죽엄을 하였다지//그대는 어린 것을 업은 채/만주벌판에 엎으러지고 말았다지"와 같이 처참한 결말에 이르는 것이다. 그렇지만 이 시가 강조하고자 하는 것은 이 비참한 한 여인의 운명 자체만은 아니다. 오히려 그러한 수탈과 궁핍, 억압과 수난, 그리고 죽음에 이르는 유이민의 모습이 바로 당대 조선 민중 전체의 운명이라는 사실을 제시하고자 한 것으로 보인다. "북으로 간들, 남으로 간들/가난한 몸이어니/무에 신통한 희망이 있드란 말이냐//오! 그러나 그대의 죽엄은 우리의 가슴에 낙인을 찍고 갔다/그대와 같은 쓰라린 사실이 왜 이리도 늘어만 간단 말이냐"라는 구절 속에는 바로 가난과 죽음이 우리 민족이 처할 수밖에 없는 고통스러운 운명이라는 데 대한 처절한 자각이 담겨 있는 것으로 이해되기 때문이다.

따라서 이 시는 일제강점으로 인한 무자비한 수탈과 억압에 대한 분노와 적개심을 드러낸 유민 저항시의 한 전형이라고 할 것이다. 실상 이러한 사실은 이상화의 시 「가장 비통한 기욕」이나 최서해의 「탈출기」와도 하나의 근친 관계를 이루고 있다는 점에서 확인할 수도 있겠다.

이처럼 궁핍한 농촌 현실에 견디다 못하여 만주로 떠나가는 민중들의 모습과 그 비참한 생활상은 박세영의 다른 시에서도 두루 발견된다. 「탄식하는 여인」, 「심향강」, 「강남의 봄」, 「표박」, 「화문보로 가린 이층」, 「다시 또 가는가」 등 여러 편에는 이러한 유이민의 모습이 투영되어 있다. 특히 "살을 에이는 치위에/도시도 언듯이 비명할 제/너는 젊은 몸이 낯설은 땅에 누어 있어/설어운 눈물에 벼개가 젖고/너는 그 치위가 풀리기 전데/서푼짜리 버리에 목숨을 걸고 다시 팔려가는 몸이 되지 않으면 아니 되는가?/나의 젊은 애야 가거라/북국의 하늘이 너를 기다리고/매운 바람이 너를 기다린다/오! 그리하여 너는 그곳에서 참 삶을 찾으리라"라는, 시 「다시 또 가는가」는 그 한 예가 될 것이다.

이렇게 본다면 박세영의 시는 당대 현실에 대한 치열하면서도 날카로운 응전력을 지니고 있었다고 할 것이다. 시인 자신이 "시문학파도, 이것의 직계인 문예월간은 읽으면 읽을수록 구역이 날 만큼 그야말로 왼몸을 간즈리는 것처럼 불쾌하였다. 이 시인 따위가 노동운동에 무슨 소용이 잇슬 것인가"[12]라고 비판하였듯이 박세영은 시의 현실적, 사회적, 역사적 효용을 크게 강조하였던 것이다. 바로 이러한 점에서 유이민 시는 박세영의 시 세계에 있어서 그 본령에 해당하는 것으로 이해된다. 아울러 이 점에서 그의 시가 특징적으로 지닌 남성적인 극복의 정신이 더욱 사실성을 획득할 것임은 물론이다.

---

12) 박세영, 「1931년 시단의 회고」, 『중앙일보』, 1951. 1. 1.

4. 산제비, 초극의지와 자유지향성

박세영의 시집에서 특히 시 「산제비」는 주목된다고 하겠다. 이 시에는 박세영 특유의 원시적인 생명력과 야성적인 건강미가 드러나 있으며, 현실에 대한 관심과 함께 그에 대한 극복정신, 그리고 자유에의 갈망이 솟구치고 있기 때문이다.

남국(南國)에서 왔나,
북국(北國)에서 왔나,
산상천구(山上川区) 상상봉(上上峰),
더 올를 수 없는 곳에 깃드린 제비

너이야말로 자유(自由)의 화신(化身) 같고나,
너이 몸을 붓들 자(者) 누구냐,
너이 몸에 이른 체한 자(者) 누구냐,
너이야말로 하늘이 네 것이요, 대지(大地)가 네것 같구나.

녹두(綠豆)만한 눈알로 천하(天下)를 내려다보고,
주먹만한 네몸으로 화살같이 하늘을 꾀여
마술사(魔術師)의 채쭉같이 가로 세로 휘도는 산(山)꼭대기 제비야
너이는 장(壯)하고나.

하로아침 하로낮을 허덕이고 올라와
천하(天下)를 내려다보고 느끼는 나를 웃어다오.
나는 차라리 너이들같이 나래라도 펴보고 싶고나.
한숨에 내닷고 한숨에 솟치여
더 날를 수 없이 신비(神秘)한 너이같이 되보고 싶고나.

창(槍)들을 꽃은 듯 히디힌 바위에 아침 붉은 햇발이 비칠 제
너이는 그 꼭대기에 앉어 깃을 가다듬을 것이요,

산(山)의 정기(精氣)가 뭉게뭉게 피어 오를 제,
너이는 마음껏 마시고, 마음껏 휘정거리며 씻을 것이요,
원시림(原始林)에서 흘러나오는 세상(世上)의 비밀(秘密)을 모조리
드를 것이다.

멧돼지가 붉은 흙을 파헤칠 제
너이는 별에 날러볼 생각을 할 것이요,
갈범이 배를 채우려 약한 짐승을 노리며 어슬렁거릴 제,
너이는 인간(人間)의 서글픈 소식을 전(傳)하는,
이 나라에서 저 나라로 알려주는 천리조(千里鳥)일 것이다.

산(山)제비야 날러라,
화살같이 날러라,
구름을 휘정거리고 안개를 헤쳐라.

땅이 거북등같이 갈러졌다.
날러라 너이들은 날러라,
그리하여 가난한 농민(農民)을 위하여
구름을 모아는 못 올까,
날러라 빙빙 가로 솟치고 내닫고,
구름을 꼬리에 달고 오라.

산(山)제비야 날러라,
활살같이 날러라,
구름을 헷치고 안개를 헤쳐라.
　　　　　　　　　　　　　　　—「산(山)제비(岩燕)」 전문

　시집의 표제이기도 한 시 「산제비」13)는 박세영의 대표작이라고 할 수 있
을 만큼 비중이 놓이는 작품이다. 아울러 이 시에는 박세영의 시적 특징이 단

_____

13) 원래 이 작품은 「낭만」 1호(1936. 11)에 발표되고 시집에 표제시로 재수록되었다.

적으로 제시되어 있어서 관심을 끈다.

흔히 박세영의 다른 시들이 그러하듯이 이 시도 비교적 길다 할 수 있는 9연 40행 정도로 짜여 있다. 그만큼 시 속에 무언가 메시지를 담고자 한 것으로 풀이된다. 첫 연에서는 먼저 산제비가 "산상에도 상상봉/더 오를 수 없는 곳"에 깃들여 있음을 묘사한다. 이곳은 대지로부터 솟아오른 가장 높은 끝이면서 하늘이 시작되는 지점을 상징한다 할 수 있다. '더 오를 수 없는 곳'으로서 산제비의 둥지는 대지와 하늘을 함께 어우르고 있는 것이다. 아울러 이 높은 곳이란 일종의 절정 또는 극점으로서 정신적인 고고성, 또는 상승의지를 반영한 것이라 할 수 있다. 실제로 "창들을 꽂은 듯 히디힌 바위에 아침 붉은 햇발이 비칠 제/너이는 그 꼭대기에 앉어 깃을 가다듬을 것이요."라는 구절에서 보듯이 이 꼭대기는 고고성의 비장함과 함께 새로운 비상을 위한 터전으로서의 상징성을 지닌다고 하겠다. 따라서 둘째 연에서는 산제비가 자유의 화신으로서 제시된다.

새가 흔히 그 날개와 비상의 힘으로 인해서 상승의지와 자유의지의 표상으로 활용된다는 점은 주지의 사실이다. 아울러 새는 두 발로 해서 지상을 오가며, 동시에 날개로 해서 천상을 오르내리는 중간자의 모습을 지닌다고 할 것이다. 따라서 산제비는 3연에서 "녹두만한 눈알로 천하 내려다보고/주먹만한 네몸으로 화살같이 하늘을 꿰여"와 같이 화해자이면서 초월자의 모습을 지니게 된다. 여기에 지상에서의 삶, 인간으로서의 한계가 대조되어 나타난다. "한숨에 내닷고 한숨에 솟치는" 산제비는 "하로아침 하로낮을 허덕이고 올라오는" 인간의 초라한 모습과 선명한 대조를 이루는 점이다. 그러므로 "나는 차라리 너이들같이 나래라도 펴보고 싶고나"와 같이 날개에 대한 소망을 간직함으로써 비상에의 갈망, 자유에의 의지를 표출하게 된다. 이러한 넷째 연에서의 날개를 펴보고 싶은 욕구란 실상 지상에서의 갇힌 삶, 운명적인 인간 조건들로부터 벗어나고 싶다는 소망을 담고 있는지도 모른다. 나아가서 이러한 자유에의 갈망은 일제강점하에 놓인 당대의 궁핍한 현실과 그 속에서의 척박한 삶으로부터 벗어나고 싶다는 초극의지가 반영된 것으로도 볼 수 있다.

실상 이 시의 결구 부분에서 한발에 시달리는 당대 농촌의 궁핍상이 제시되고, 산제비를 통해서 이를 이겨보고 싶다는 염원이 제시된 것이 이러한 해석을 뒷받침해 줄 수 있기 때문이다. 또한 시인 자신이 카프의 맹원으로 활약한 생애사적 배경 또는 이와 무관하지 않음은 물론이다.

다섯째 연에서는 시인 특유의 원시적 생명력에 대한 동경과 갈망이 착색되어 있다고 하겠다. '바위/붉은 햇발/꼭대기/산의 정기/원시림' 등의 시어들이 서로 부딪치면서 생명력의 건강성을 일깨워 주기 때문이다. 이 점은 6연에서도 그대로 지속된다. '멧돼지/붉은 흙/갈범/짐승/노리며 어슬렁거릴' 등의 구절 속에 원시적 생명력의 건강성이 선명하게 표출되고 있다는 점에서 그러하다. 특히 이 5연에서의 산정과 붉은 해의 세계, 즉 천상의 질서에 대비되는 인간과 붉은 흙의 세계, 즉 대지적인 질서가 함께 어우러지면서 산제비가 "너이는 인간의 서글픈 소식을 전하는/천리조"로서 표현된 것은 관심을 끈다. 이것은 이 시가 대지적인 것에 뿌리를 두고 있으면서도 산정으로 솟아오르고, 다시 산제비의 날개를 통해서 하늘로 날아오르려는 극복의 의지, 또는 자유에의 상승의지를 반영한 것으로 이해되기 때문이다.

따라서 끝의 세 연에서는 이러한 지상에서의 고달픈 삶이 제시되면서 이에 대한 초극의지로서 산제비의 힘찬 비상에 대한 염원이 표출된다. 여덟째 연에서 '거북등같이 갈라진' 땅 위에서 고달프게 사는 '가난한 농민'들이 등장한 것이 그것이며, 일곱째 연과 마지막 아홉째 연에서 "산제비야 날러라/활살같이 날러라/구름을 헷치고 안개를 헤쳐라"라는 염원이 표출된 것이 그것이다.

이렇게 본다면 이 시는 당대의 궁핍한 삶, 척박한 현실에 대한 극복의지를 바탕으로 하면서 고고에의 의지, 자유에의 의지를 날렵하면서도 힘차게 표현한 작품이라 하겠다. 「산제비」는 대지와 하늘, 구속과 자유, 육신과 정신을 이어주는 촉매이자 초극의지의 표상인 것이다. 이처럼 이 시는 "항상 보다 노픈 곳을 지향하고 오수를 경원하는 산제비의 아름다운 습성"14)을 통해서 극복의 정신, 초월의 정신을 효과적으로 형상화한 것으로 판단된다. 특히 이 시에서 원시적인 자연의 생명력 또는 야성적인 건강성이 짙게 깔려있다는 사실은 그것이 박세영 시 정신이 지닌 건강성을 반영한다는 점에서 의미 있는 일로 여겨진다.

5. 대륙적 풍모와 남성주의

박세영의 시에서 두드러지는 또 다른 특징은 대륙적인 스케일과 남성적인 풍모가 두드러진다는 점이다. 그의 시에는 대자연의 웅장함과 함께 남성적인 생명력이 분출되어서 관심을 끈다.

녹음(綠陰)이 짙어진 쨍쨍한 여름
물소리 귀를 울려 갈 곳조차 잊을 듯

울퉁불퉁 돌끝이 솟은 밑바닥
물방울은 뚝뚝 떨어져
나의 기억(記憶)을 창조기(創造期)로 이끌어간다

소리는 대지(大地)의 밑바닥까지 뚫을듯 울리건만
그 깊이는 얼마인고
비스듬이 폭포를 비쳐주는 이것은 은하(銀河)

산(山)만치 무거운 침착(沈着)
바다만치 깊은 겸양(謙讓)

---

14) 이찬, 「대망의 시집 『산제비』를 읽고」, 『조선일보』, 1938. 8. 30.

그리고 하늘만치 높은 네 고결(高潔)은

—「은폭동(銀瀑洞)」에서

아침 햇살이 갓퍼진 녹음(綠陰)에 비쳤사외다
대지(大地)의 맑음이여, 그 아름다움이여
앞은 시내를 낀 수림(樹林)
그 뒤로는 파란 삼림(森林)이 한울을 찔렀사외다
거대(巨大)함이여, 웅장(雄壯)함이여!

그러나 대자연(大自然), 당신은 티끌만한 거짓도 없사외다
우리는 마음껏 당신을 사랑합니다.

—「자연과 인생」에서

이 두 편 시에 단적으로 드러나는 것은 대자연의 웅대한 아름다움이며 그 고정한 건강성이다. 그것은 '햇살/녹음/물소리/폭포/돌/수림/삼림/하늘/산' 등의 소재들이 어울려 빚어내는 대자연의 교향이며 생명력의 분출인 것이다.

박세영의 시에는 이러한 대자연의 원시적 생명력이 지속적으로 분출되는 것이 한 특징이라고 볼 수 있다. 어쩌면 '해의 상상력'이라고 불러볼 수도 있는 이러한 건강한 생명력은 흔히 밤의 분위기와 슬픔으로 가득 찬 당대의 많은 시편들, 이름하여 '달의 상상력'[15]과는 상대적인 위치에 놓인다고 할 것이다. 따라서 이러한 건강한 생명력은 "나의 홋껍데기 처녀처녀술을 모조리 씻어 보내련다/가면의 분가루를 날려 보내련다"(「은폭동」에서)나 "허나, 거짓없는 대자연에는/거짓없는 인간이 살아야 할 것이외나/당신은 여지껏 거짓의 거미줄을 되쓰고 왔사이다"(「자연과 인생」에서)라는 구절에서 보듯이 인간의 거짓이나 위선에 대한 비판과 분노로 연결된다.

대자연의 원시적 건강성, 그 남성적인 생명력에 대한 동경과 갈망은 필연

---

15) 김재홍, 『한국현대시인연구』, 일지사, 1986, 38쪽.

적으로 삶에 있어서 건강성과 생명력을 지향하게 될 것이 자명한 이치이기 때문이다. 실상 이러한 정신적 건강성과 힘찬 생명력에 대한 지향성이 당대 일제강점하에서 신음하는 민중의 삶에 날카로운 응시를 보낼 수 있는 원동력이었음은 두말할 나위가 없을 것이다. 이처럼 건강한 자연의 생명력과 힘찬 삶에의 의지는 다음 시에 더욱 분명하게 나타난다.

장마물에 파진 골자기,
토막토막 떨어진 길을, 나는 홀로 걸어서
병풍(屛風)같이 둘린 높은 산(山)아래로 갑니다.
해 질낭이 멀었건만,
벌서 회색(灰色)의 장막이 둘려집니다.

나의 가는 길은 조그만 산(山)기슭에 숨어버리고,
멀리 산(山)아래 말에선 연기만 피어 오를 때,
나는 저 마천령(摩天嶺)을 넘어야 됩니다.
나는 생각합니다, 저 산(山)을 넘다니,
산(山)을 싸고 도는 길이 있으면 백리(百里)라도 돌고 싶습니다.
나는 다만 터진 북(北)쪽을 바라보나,
길은 그여이 산(山)위로 뻗어 올라갔읍니다.

나는 장엄(莊嚴)한 대자연(大自然)에 눌리어,
산(山) 같은 물결에 삼켜지는 듯이,
나의 마음은 떨리었읍니다.
그러나 나는 빠삐론 사람처럼,
칼을 든 무녀(巫女)처럼,
산(山)에 절할 줄도 몰랐읍니다.

나는 그여이 고개길로 발을 옮겼읍니다.
붉읏붉읏 이따금 고개길 토막이 뵈는 듯 마는 듯,

이몸이 어디로 가질지도 모르는, 사로잡힌 마음이여,
이러구도 천하(天下)를 근심하였나, 스스로 마음먹습니다.

그러나 나는 지금은 갑옷을 입은 전사(戰士)와 같이
성(性)난 이리와 같이,
고개 길을 쿵쿵 울리고 올라갑니다.
거울 같은 산기슭의 호수(湖水)는 나의 마음을 비쳐보는 듯, 올라가
면 올를수록 겁나던 마음이야 옛일 같습니다.

나는 마천령(摩天嶺) 위에서 나의 올르던 길을 바라봅니다.
이리 꼬불, 저리 꼬불, W자(字), I자감(字感)은 N자(字),
이리하여 나는 승리(勝利)의 길, WIN자(字)를 그리며 왔습니다.

모든 산(山)은 엎디고,
왼 세상이 눈아래서 발버둥칠 때,
지금의 나의 마음은 나를 내려다보는 이 산(山)이나 같이 되었습니다.

이 장쾌(壯快)함이여,
이 위대(偉大)함이여,
나는 언제나 이 마음을 사랑하겠읍니다.
　　　　　　　　　　　　　　—「오후의 마천령(摩天嶺)」 전문

　　이 시에는 웅장한 마천령산맥의 모습과 그것을 걸어 넘으려는 힘찬 인간의
의지가 함께 표출되어 있다. 이 시의 핵심은 '길'과 '산'이라는 두 상징어 속에
함축되어 나타난다. 여기에서 길이란 인생행로, 즉 삶이 걸어가는 모습을 암
시하며 산이란 인생이 극복해 나아가야 할 고난과 시련의 과정을 암시한다고
하겠다.
　　먼저 이 시에서 전면에 드러나는 것은 마천령산맥의 웅장함이다. "병풍같
이 둘린 높은 산/장엄한 대자연/모든 산은 엎디고"라는 몇 구절에서 보듯이

높고 험준한 마천령산맥이 제시되어 있는 것이다. 웅장한 산맥들이 펼쳐져 있고, 그 앞에 그것을 넘어 보려는 한 인간이 서 있는 힘찬 모습의 대조 속에는 기실 대자연의 웅대함에 대한 깊은 외경심이 담겨 있을 것이 분명하다. 이러한 대자연의 위엄 앞에 인간의 도전 또는 대결 정신이 드러난다. 이것이 산을 올라 넘으려는 안간힘으로 제시된다. "나는 저 마천령을 넘어야 됩니다/나는 생각합니다. 저 산을 넘다니/산을 싸고 도는 길이 있으면 백리라도 돌고 싶습니다"라는 구절 속에는 넘어야 한다는 신념과 당위성, 그리고 그에 맞서는 인간적 왜소감 또는 위축감이 선명히 제시된 것이다. 그러나 "길은 그여이 산 위로 뻗어 올라갔읍니다"처럼 산을 넘지 않으면 길을 갈 수 없다는 위기감에 봉착하게 된다. 그러기에 "나의 마음은 떨리었읍니다/산에 절할 줄도 몰랐읍니다"라는 구절처럼 열패감과 긴장감에 사로잡히게 되고 마는 것이다. 그렇지만 '가야만 하는 길'이기 때문에 "이러구도 천하를 근심하였나, 스스로 마음먹습니다"와 같이 자책과 한탄에 빠져서 마침내 "그러나 나는 지금은 갑옷을 입은 전사와 같이/성난 이리와 같이/고개 길을 쿵쿵 울리고 올라갑니다"처럼 분연히 일어나 산맥을 오르기 시작하는 것이다. 특히 '전사/성난 이리/쿵쿵 울리고'라는 시어 속에는 치열한 대결 정신 또는 끈질긴 극복의 정신이 담겨 있다고 하겠다. 따라서 마침내 마천령 위에 서게 되며, 그것이 바로 승리의 길을 의미하게 된다. 이 지점에서 호연지기로서의 대장부의 기상이 빛나게 되는 것이다. "모든 산은 엎디고/왼 세상이 눈아래서 발버둥칠 때/지금의 나의 마음은 나를 내려다보는 이 산이나 같이 되었읍니다//이 장쾌함이여/이 위대함이여"라는 구절 속에는 한번 눈 들어 내려다보니 뭇 산이 작아 보인다는 두보의 「일람산소」의 기상이 담겨 있으며, 온갖 고난을 이겨내고 마침내 정상을 극복한 회열감이 용솟음치는 것이다. 이 점에서 이 시에는 온갖 고난과 역경을 남성적인 대결 정신으로 헤쳐 나아가려는 건강한 남성주의 또는 극복정신이 돋보인다고 하겠다. 아울러 마치 "모든 산맥들이/바다를 연모해 휘달릴

때도/차마 이곳을 범하던 못하였으리라"고 하는 이육사의 대륙적인 풍모와
도 연결되는 것이다. 이러한 건강한 남성주의 또는 대륙적인 풍모야말로 박
세영 시가 돋보일 수 있는 한 원천이 됨은 물론이다. 특히 이 시에서 마천령산
맥을 걸어서 정복한다는 사실이 산이 표상하는 인생에서의 고난과 시련을 등
동적으로 이겨 나가는 모습과 유사한 것이라고 할 때, 거기에는 윤리적 교훈
이 담겨 있다고도 생각할 수 있으리라. 그것은 삶에 대한 확고한 신념과 방향
성의 설정 및 상황에 대한 투철한 인식, 그리고 역경과 시련을 극복해 나아가
고자 하는 능동적이면서도 실천적인 열정이 무엇보다도 소중하다는 자각을
담고 있는 것으로 보인다.

무엇보다도 이 시에서 두드러지는 남성적 생명력과 대륙적인 풍모는 이 땅
현대시사에서 비교적 흔치 않은 예가 된다. 흔히 '꽃'과 '달'과 '님 지향성' 등
을 보여준 당대 이 땅 시단에 남성적인 생명력의 호흡을 불어넣은 데서 개성
적인 의미가 드러나는 것이다.

6. 해방, 문학 또는 이데올로기의 선택 명제

8.15를 맞이하면서 박세영의 시는 다시 현실인식을 첨예하게 드러내게 된
다. 그것은 대체로 당대의 일반적 과제이던 귀향이민문제와 민족반역자에 대
한 단죄, 그리고 새조국 건설에의 참여의지로 구체화되어 나타난다.

그야 낸들 목숨이 아까와서 떠났겠니
우리들의 일을 위하여
산 설고 물 설은 딴 나라로
달포나 걸어가지 않았겠니

어느덧 그때도 삼년 전 옛일

내 몸은 헐벗고 여위고
한숨의 긴 날의 보냈을망정
조국을 살리려는 오즉 그 뜻 하나로
나는 양식을 삼었거니

너, 내 사랑하는 순아!
빼앗긴 조국은 해방이 되어
왜놈의 넋이 타버리고
오빠는 미칠 듯 서풍모냥 왔는데도
너는 병든 몸으로 돌아오다니

딴 시악씨드냐
그 고왔던 얼굴이 어디로 가고
내 그 옛날 순이는 찾을 길이 없고나

가여워라 지금의 네 모습
어쩌면 그다지도 해쓱하냐
어린 너의 피까지 앗어가다니
놈들의 공장악마의 넋이 아직도 씨였니

— 「순아」에서

도적이 버리고 간 옷을 줏어 입고
가을바람을 안으며 거리에 나선다

잃어버린 옷 같은 건 쉬 도로 장만하려니
하였던 것인데
그냥 우는 아가와 함께 아침을 건너
인제도 몇차례 쫓겨날지 모르는 회관에의 길을 간다.

— 「서울 부감도(俯瞰圖)」에서

인용한 두 편의 시에는 해방이 되어 고국으로 돌아온 망명 독립투사 또는 실향 유이민이 느낀 참담한 절망감과 열패감이 표출되어 있다. 먼저 앞의 시 편에는 독립운동차 국외로 망명했다가 귀국해서 만난 누이동생을 보고 느낀 한 독립투사의 절망감이 드러나 있다.

이국땅에서 독립운동에 헐벗고 굶주렸던 작중 화자의 고통도 적은 것이 아니었지만, 일제강점하의 조국에서 생존을 위해 공장에서 일하면서 착취당하다가 마침내 병든 몸이 된 누이동생 순이의 모습 또한 처참한 것이 아닐 수 없었기 때문이다. 실상 이러한 순이의 비극적인 모습이야말로 식민지하에서 수탈과 압제를 겪어온 모든 조선 민중의 보편적인 자화상에 다름 아니라 하겠다.

뒷 시도 마찬가지이다. 해방이 되면 "잃어버린 옷 같은 건 쉬 도로 장만하려니" 하던 생각이 헛된 환상에 불과했으며, 나아가서 그토록 저주하고 증오하던 일본 제국주의자들, 즉 "도적이 버리고 간 옷을 줏어 입고/가을바람을 안으며 거리에 나서는" 웃지 못할 아이러니가 현실로 나타났기 때문이다. 실상 이러한 환상의 붕괴와 아이러니가 현실로 나타났기 때문이다. 실상 이러한 환상의 붕괴와 아이러니의 발생 속에는 참담한 시대적 절망감과 함께 비장한 슬픔이 담겨 있을 것이 분명하다. 해방된 조국이 진정하게 민족의 것이 되지 못했던 불행이 구체적 현실로 떠오르게 된 것이라 하겠다.

따라서 민족이 처한 현실을 직시하고 반민족자들에 대한 분노가 드러나게 된다.

> 산(山)이 아름답고 크면 무엇하며
> 바다가 푸르고 깊으면 무엇하리
> 산(山)의 짐승도
> 바다의 물고기도
> 이 나라 모든 생물이란
> 간악한 놈들이 있기에
> 억울한 죽음을 하였오

그러나 우리들의 불끓는 투사(鬪士)는
가도 또 오고
없어져도 또 생겨
언제나 이 산천(山川)을 좀먹던 자와 싸왔소
피를 흘리며 싸왔소
하늘이 벽력같이
땅의 지동(地動)같이
나라를 살리는 얼이있소

오! 장장하 산천(山川)이여! 묻노니
그러면 또 무엇을 기다리오
아직도 이 땅엔 같은 민족(民族)을 좀먹는 자(者)들이
탈을 쓰고 끼어 있어 새 건설(建設)을 헤살노는 걸
당신도 아마 알고 있나뵈

그러면 우리는 기어코 물리치리라.
인민(人民)의 행복(幸福)과 새 건설(建設)을 위하여
목숨을 걸고 뭇찌르리라
　　　　　　　　　　　　　　　ー「산천에 묻노라」에서

　이 시에는 이중적인 증오와 적개심이 드러나 있다. 그 대상의 하나는 '억울
한 죽음'을 준 자들로서 일본 제국주의자들이며, 또 다른 하나는 '같은 민족을
좀먹는 자'들로서 민족반역자들을 말한다. 다시 말해서 일본 제국주의 통치
의 찌꺼기를 청산하고 새 조국을 건설하는 일과 함께 친일 부역자들에 대한
단죄를 강력히 부르짖고 있다고 하겠다.
　물론 어쩌면 여기에서 "탈을 쓰고 끼어 있어 새 건설을 해살놓는" 자들이
란 작중 화자로서의 시인 박세영의 정치적·문단적 반대자들, 즉 우익인사들
을 지칭할 수도 있을 것이다. 왜냐하면 박세영은 해방 직후에 극좌라고 할 수
있는 '조선프롤레타리아문학동맹'(1945. 9. 30), 즉 세칭 '예맹'파의 중앙집행

위원을 역임했고, 다시 좌익계열의 '조선문학가동맹'에서 활약했으며, 마침내 제1차 월북파로서 사회주의 신념을 갖고 월북하여 1946년 3월 25일 '북조선문학예술총동맹'의 결성에도 적극 참여했기 때문이다.16) 이렇게 본다면 박세영에게 있어서 보다 긴요한 일은 새조국 건설을 위하여 적극적으로 뛰어드는 일이 아닐 수 없을 것이다. 바로 이 지점에서 해방된 현실에서 새로운 투쟁을 위한 각오와 다짐의 길로 나아가게 된다. 이러한 새로운 투쟁이란 민족사적인 면에서는 새나라 건설이 될 것이며, 문학사적인 면에서는 민족문학건설이라는 명제가 될 것이 자명하다.

> 비는 오고,
> 날을 어두워
> 지척(咫尺)이 안보이는 논길로
> 나는 지금 위원회(委員會)에 간다.
>
> 우산도 없이
> 등불도 없이,
> 다만 바람에 섞인 빗소리,
> 또랑물 소리만이 요란히 들릴 때,
> 그 옛날 연인(戀人)과 같이 이 길을 걷던 때보다도,
> 나의 마음 기쁘고나.
>
> 지금 동지(同志)들은
> 나를 기다릴게라.
> 지나간 날 놈들은 독사와도 같이
> 우리르 물어 띄었지!
> 이 밤엔 비, 바람이 또 헤살을 노는 거냐,

16) 권영민 편, 『납·월북시인평론가사전』, 문예중앙, 1987 겨울호, 『한국민족문학론연구』, 민음사, 1988 참조.

그러나 가자
비는 오고
바람은 불어도.

나는 이 밤에 동지(同志)들과 같이
우리가 행동(行動)할 것을 그려보면서 간다,
동지(同志)들의 번쩍이는 그 눈동자들이
어쩐지 이밤엔
내 길을 밝혀주는 등불과도 같구나.

가자 어둠의 밤,
비는 오고,
바람은 불어도.
— 「위원회 가는 길」 전문

　박세영이 월북하기 직전에[17] 발표했던 이 시는 그의 사상적, 문학적 진로를 확실히 해준 작품으로 받아들여진다. 물론 그것은 사회주의 노선이며 프롤레타리아트 문학 전선에 서는 일을 뜻한다. 따라서 이 시에는 새로우면서도 비장한 결의와 다짐이 피력되어 있다. 비록 그것은 비바람치는 험난한 길일지는 모르지만 불타는 정열과 의지로써 사회주의 노선을 개척해 나아가겠다는 날카로운 새 출발의 각오가 표출되어 있는 것이다. 그러나 실상은 바로 이 지점이 그의 생애사와 문학사에서 하나의 운명적인 갈림길이 되리라는 사실을 추측하기에 어려운 일은 아니다. 위원회에 적극 참여하는 길, 즉 정치의 길로 나아가게 될 때 그것은 문학적인 실천의 길과는 서로 엇갈릴 수밖에 없을 것이 자명하기 때문이다. 바로 여기에 시인 박세영의 문학적 특성 또는 한계가 드러나게 됨은 물론이다.

---

17) 『우리문학』, 조선문학가동맹발행, 1946. 1.

7. 맺음말

지금까지 살펴본 것처럼 박세영의 시는 당대 현실과 날카롭게 연관되어 있으며 구체적인 삶의 문제에 집중되어 있다는 점에서 특징이 놓인다고 하겠다. 그의 시가 일제의 무자비한 수탈로 인해 궁핍화한 이 땅 농민들의 삶과 함께 만주 등으로 쫓겨간 유이민의 참상에 관심을 기울인 것은 특히 주목할 만한 일이다. 또한 그의 시가 다분히 여성주의적 편향성에 젖어 있던 당대 시단에 대륙적인 풍모와 남성적인 생명력을 불어넣었다는 점도 쉽게 간과할 일이 아닌 것으로 판단된다. 그의 시에 두드러지는 이러한 현실적 삶의 참상에 대한 응시와 그에 대한 극복의지의 발현이야말로 일제강점하 이 땅의 시가 지녀야 할 하나의 역사적 방향성이자 당위성에 해당한다고 생각할 수 있기 때문이다. 그러나 그의 시에는 극복되어야 할 요소도 적지 않았던 것으로 판단된다. 무엇보다도 그의 시는 대부분 메시지 전달을 위주로 함으로 해서 시적 구조의 탄력성이 부족한 것이 단점이다. 주제가 형식을 압도하는 형국이어서 시가 거칠고 불안정한 느낌을 주는 것이 사실이라 하겠다. 또한 주요 작품 대부분이 이야기시여서 길이가 30~40행이나 되기 때문에 장황한 동어반복 내지 유사 이미지가 많이 등장하는 것도 한 결함이다. 무엇보다도 시인 자신이 견지했던 현실의 비참상에 대한 관심이 비교적 진지하였던 것은 사실이라 하겠지만, 그것이 당대 현실의 제반 모순과 불합리를 보다 투철하고 체계적으로 이해한 데서 우러나온 것인가는 미지수이며 또한 이것이 그에 걸맞은 양식과 표현으로 형상화되었는가 하는 데는 강한 의구심이 든다고 하겠다. 그의 시에는 그러한 비참상이 제시되기는 하였지만, 그러한 구조적 원인에 대한 비판과 저항의식이 보다 체계적이고 깊이 있게 표출되고 있지는 못한 것으로 판단되기 때문이다. 그만큼 현실인식이 피상적인 면을 지니고 있다는 말이다. 물론 이것은 그의 시집이 당대에 상업 출판사를 통해서 발간될 수밖에 없었던 시대적 한계와도 무관하지는 않을 것이 분명하다. 아울러 그의 시에 보이는 대륙적 풍모의 호한함에 비해 볼 때 그가 이루어 낸 시 작업과 그 영역이 그다지 크고 깊지 못한 것도 아쉬움이 아닐 수 없다고 하겠다.

그럼에도 불구하고 박세영의 시는 당대 시에 현실적인 구체성과 역사적인 대응력이 시에 있어 불가결한 요소가 된다는 점을 나름대로 일깨워 주었다는 점에서 시사에 기록될 수 있을 것이다. 무엇보다도 그의 시는 이들 월북 시인들에 대한 진지한 검토에서 이 땅 민족분단과 분단문학의 극복의 실마리가 열릴 것이라는 점을 깨닫게 했다는 점에서 의미가 놓여짐은 물론이다(『문학사상』, 1988년 11월호).

갈등의 프로시인, 박팔양

1. 머리말

시인 여수산인 박팔양(김여수·여수,1905~?), 그는 프로문학 형성기인 1920년대 중반에 등장하여 현실의식을 강하게 드러내면서도 예술성을 견지하려 노력한 개성적인 시인의 한 사람이다. 그는 이른바 좌익단체인 '서울청년회'의 일원으로서 1925년 8월 결성된 KAPF의 창립 멤버로 참여하여 데뷔기[1] 문학 활동의 계급주의적 색채를 분명히 하였다. 이후 그는 「밤차」, 「데

---

1) 그의 데뷔작은 보통 1923년 5월 25일 『동아일보』에 발표된 「현상 당선 신시 상·을」, 「신의 주(酒)」로 알려져 있으나 그 당선자는 박팔양이 아니라 박승만으로 명기되어 있다. 또 북쪽의 『조선 문학사』(학우서방, 1967)에는 염군사에서 발행한 시집에 처녀작 『물노래』를 발표했다고 되어 있는바, 데뷔작 문제는 확실하지 않다고 하겠다 (같은 책 213쪽), 아울러 카프의 결성 및 성격 등에 관해서는 김윤식의 『한국근대문예비평사연구』(일지사, 1973) 및 홍정선의 「카프와 사회주의 운동단체와의 관계」, 『역사적 삶과 비평』(문학과지성, 1986), 그리고 권영민의 「카프의 조직과정과 그 배경」, 『한국민족문학론연구』(민음사, 1988)의 논의가 주목할 만하다고 하겠다. 그리고 초장기 카프와 러시아 형식주의와의 관련 문제는 한계전의 『한국현대시론연구』(일지사, 1983)에 자세하게 논의되어 있다. 이밖에 비평사적인 관련 문제는 이선영 외 『한국근대문학비평연구』(세계사, 1989), 신동욱의 『한국현대비평사』(한국일보, 1975) 및 김시태 『한국프로문학비평연구』(아세아문화사, 1987) 등이 참고할 만하다.

모」 등 경향성이 짙은 시를 발표하는 한편 「포도주와 같은 문학—현단계의 조선사람은 어떠한 예술을 요구하는가」 등의 사회주의 계급사상에 기초를 둔 평론을 다수 발표하고 「오후여섯시」, 「정열의 도시」 등 소설도 쓰는 등 다방면에 걸쳐서 활약하였다. 그렇지만 그의 중심 세계는 언제나 시를 크게 벗어난 것은 아니었다고 하겠다.

박팔양은 경기도 수원에서 출생하였으며 서울 배재고보를 거쳐 경성법학전문학교를 졸업하였다. 그가 배재고보에서 동기생으로 김팔봉과 박영희를 만난 것,[2] 그리고 이 무렵 역시 프로문학 계열의 송영, 박세영, 나도향 등 배재의 문학 지망생들과 어울리게 된 것은 그로 하여금 전생애에 걸쳐 프로문학의 지속적인 영향권에서 벗어날 수 없게 하는 구속력으로 작용한 것으로 이해된다. 아울러 법전 재학시 휘문의 지용, 중앙의 김용준 등과 어울려 등사판 문예지 『요람』을 펴낸 것[3]도 중요한 의미를 지닌다. 이것은 박팔양이 1930년대 중반에 들어서서 반카프적 입장에서 순수문학을 옹호하는 취지로 모인 1953년 '구인회'로 전향하는 소인이 되기 때문이다. 바로 여기에 박팔양이 카프 쪽으로부터 옮겨온 것이다. 따라서 박팔양이 카프와 구인회라고 하는 당대의 두 대척적인 입장을 오가며 방황한 것으로 미루어볼 때, 그의 시가 경향성과 예술성을 양극단의 진동 축으로 하여 형성되고 있으리라는 점을 짐작할 수 있게 된다. 실상 이 점은 뒤에 선명히 드러나게 된다.

법전 졸업 후에 그는 『동아일보』, 『조선일보』, 『중외일보』 등의 기자로 활약하면서 민족운동의 계열 위를 전전하다가 1937년에는 만주 신경의 『만선일보』 기자로 떠나게 된다. 이 시기에 그는 단 한 권의 시집인 『여수시초』

---

2) "1916년 봄에 내가 ……배재고보였다…… 박영희와 나는 키가 비슷해서 책상 두 개를 사이에 끼우고서 한줄에 앉아 있었다. 첫째줄 맨 앞에 앉은 학생 중에 박팔양이 있었고 ……(하략)……" 홍정선 편, 「문단교류기」, 『김팔봉문학전집』, 문학과지성사, 1988. 525쪽.

3) 박팔양, 「요람시대의 추억」, 『중앙』 32호, 1936. 7.

(1940, 박문서관)[4]를 묶어내는 것으로 해방 전 시작 활동을 마무리한다.

광복 후에 그는 다시 좌익계의 신문기자생활을 하면서 1945년 9월 30일 결성된 '조선프롤레타리아 예술동맹'에 참여 중앙집행위원으로 활약하다가 월북한다. 6·25 때는 종군작가로 활동하고 이후 조선작가동맹부위원장, 조·소친선협회간부 등을 역임하면서 북한문단의 한 지도자로서 활약한 것으로 알려져 있다. 이 무렵 그는 그동안의 작품을 정리하여 『박팔양시 선집』(1959)[5]을 간행했다고 한다.

본장에서는 광복 이전의 작품을 대상으로 논의를 전개하고자 한다.[6]

2. 수난의 현실과 저항의식

박팔양의 초기 시는 이른바 신경향파시의 한 특징을 잘 보여준다. 그것은 현실에 대한 막연한 분노와 함께 관념적인 저항의식을 드러낸다는 점이다. 구체적인 저항이나 실천이 담보되지 않은 채 지식인으로서의 무력감과 울분을 강하게 표출하고 있는 것이다.

　　① 내가 이나라에 태여난후
　　　무엇이 나를 깃브게하엿더뇨
　　　아모것도업스되

---

4) 이 『여수시초』에는 모두 45편의 시가 수록되어 있는데 「근작」, 「자연·생명」, 「도회」, 「사소」, 「애상」, 「청춘·사랑」, 「구작」 등 그 내용에 따라 소제목으로 분류한 것이 특징이다.
5) 이 선집에는 카프 시기의 시를 품은 「밤길」과 그 이후의 작품들을 주제별로 나누어 「영광의 날」, 「불비 속에서」, 「건설의 노래」, 「승리의 깃발」로 구분해서 수록하였다고 한다. 『조선문학사』, 213~218쪽 참조.
6) 본 장의 텍스트는 프로문학시기 작품의 경우엔 원래 발표지의 것을 사용하고 그 이후의 시들은 시집 『여수시초』를 인용하는 것을 원칙으로 한다. 『여수시초』에는 카프시기의 시가 일부만 실려 있고 부분적으로 개작된 경우도 발견되기 때문이다.

오직 흐르는 시냇물소리가 잇슬뿐이로다.

내가 홀로 방안에누어
모든것을 생각하고 눈물흘릴 때
누가 나를 위로하여 주엇느뇨
오직 흐르는 시냇물이 잇슬뿐이로다.

보아라 나는 일개(一箇) ○○의 청년(靑年)
어더케내가 기운날수 잇겟는가
하지만 시내물이 흐르며 나에게속살대기를
"이러나라 이러나라 지금이어느때이뇨"

아아 참으로 지금이 어느때이뇨
새벽이뇨 황혼(黃昏)이뇨 암야(暗夜)이뇨
이 백성(百姓)들은 아직도 피곤(疲困)한잠을자네
이마을에는 오즉 시내물소리가잇슬뿐이로다.

무슨소리뇨 무에라하는소리뇨
언제부터 흐르는지몰으는 이 적은시내여
아츰이나 저녁이나 밤중이나
우리에게 무슨말을 부탁(付托)하느뇨.

내가 이나라에 태여난후
해수로이십년(二十年) 달수로두달
그간에 나는 아모 한일이업도다
오직 시냇물가에서 울엇슬뿐이로다.

그러나 울기만하면 무엇이되느뇨
슯은노래하는시인(詩人)이 무슨소용(所用)이뇨
광명(光明)한 아츰해가 빗최일때에
우리는 밧그로 뛰어나갈 사람이아니뇨.

'이러나라 이러나라 누어만잇느냐'
지금도 문(門)밧게서 시내물이 최촉(催促)하는데
나는 아직도 방안에드러누어
한숨쉬이고 생각할뿐이로다.

—「시내물소리를 드르면서」7)

② 이제야온단말인가 이사람들아
　나는그대들을기다려 기나긴밤을 다새엿노라
　까막까치 뛰여다니며 아침을 지저귈 때
　나는 그대들의울음을보려고 몇번이나 동구(洞口)밧게 나갓든고

　그대들은 모르리라
　황량(荒凉)한 이 폐허(廢墟), 이 거츠른터에
　심술구진바람이 허공(虛空)에서몸부림치든 지난밤 일
　아아 꼿가티 젊은무리가
　죄(罪)엽시 이자리에서 몇치나 피토(吐)하고 죽은지아느뇨

　광명(光明)한아츰을 못보고죽은무리
　그대들오기를 기다리다가
　아아 올흔사람오기를기다리다가 가버린무리
　그들의 피무든옷자락이
　소사오르는 아침볏에 붉게 빗나지안느뇨

　지나간모든일은 한바탕의뒤숭숭한꿈자리
　고개넘어마을에잇는 적은 종(鍾)이 울어
　구원(久遠)의길을떠난 수난자(受難者)를 조상(弔喪)할 때
　보라 나와 그대들의머리우에잇는 해와 무지개!
　폐허(廢墟), 야반(夜半)의비극(悲劇)을 모르는것갓고나

---

7)『조선문단』12호, 1925. 10.

밤새여기다리든 이사람들아
이제는 그 지리하든 어둔밤이 다지나갓느뇨
천리만리(千里萬里) 먼곳으로 다지나갓느뇨
아아 지나간밤의 지리하엿슴이여
— 「여명이전(黎明以前)」8)

　박팔양의 초기 시를 관류하는 것은 당대 현실에 대한 울분이며 비애이고,
자책감이라 할 수 있다. 그의 시는 삶과 현실에 관심을 갖고 있으면서도 그에
적극적으로 뛰어들지 못하는 데 대한 자책과 울분, 그리고 무기력감을 짙게
드러내고 있다.

　먼저 시 ①에는 이러한 시인의 무력감과 그에 따른 자책과 울분 및 비탄이
선명하게 드러나 있다. "내가 이나라에 태여난후/무엇이 나를 깃브게하였더
뇨/아모것도업스되"라고 하는 첫 구절에 제시된 것은 바로 나라 잃은 식민지
백성으로서 느끼는 상실감이며 허망감이다. 시의 화자가 기댈 수 있는 것, 찾
을 수 있는 행복은 그 아무 데도 없는 것이다. 당대의 상황은 "새벽이뇨 황혼
이뇨 암야이뇨"처럼 어둡고 적막이라 할 수 있다. 그러기에 "이 백성들은
아직도 피곤한잠을자네"에서 보듯이 잠의 상태, 죽음의 상태로 현실이 인식
되는 것이다. 바로 여기에서 지식인으로서의 화자, 시인으로서 화자의 갈등
이 드러난다. 그것은 "보아라 나는 일개 ○○의 청년"과 "이러나라 이러나라
지금이어느때이뇨" 사이에서 일어나는 갈등이다. 개인적 무력감과 당위적
현실인식의 마찰이 빚어내는 갈등이라 하겠다. 일제강점하의 시대상황은 지
식인으로서의 화자에게 "아츰이나 저녁이나 밤중이나/우리에게 무슨말을 부
탁하느뇨"처럼 끊임없이 시대적 자각과 실천을 요구하고 있는 것이다. 그렇
지만 이 시의 화자에게 더욱 깊어지는 것은 자신의 무기력성에 대한 자탄이
며 자책일 뿐이다. "그간에 나는 아모 한일이업도다/오직 시냇물가에서 울엇

---

8) 『개벽』 61호, 1925. 7.

슬뿐이로다"라는 구절에서 보듯이 감상적인 자학으로 빠져들 뿐이다. 그러기에 "그러나 울기만하면 무엇이되느뇨/슳은노래하는시인이 무슨소용이뇨"라고 하는 좌절과 비탄에 사로잡히게 된다. 따라서 "이러나라 이러나라 누어만잇느냐/지금도 문밧게서 시내물이 최촉하는데/나는 아직도 방안에드러누어/한숨쉬이고 생각할뿐이로다"라는 결구에서처럼 무기력한 자아를 새삼 확인하면서 실의와 절망감에 젖어 들고 마는 것이다. 결국 이 시는 당대의 무기력한 지식인들의 실의와 좌절감을 잘 드러내고 있다고 하겠다. 실상 이 시는 "입으로 말하는 '우나로—드—'/육십년전의 노서아청년의 /헛되인탄식이 우리에게 잇다—/Cafe Chair Revolutionist/너희들의 손이 너무나 희구나//너희들은 '백수'—/가고자 하는 농민들에게는 되지도못한 「미각」이라고는/조금도 조금도 없다는말이다/Cafe Chair Revolutionist"라고 외치던 김팔봉의 「백수의 탄식」9)과 맞닿아 있다고 할 수 있다. 그만큼 3·1운동 이후의 좌절과 허무, 무기력과 비탄의 분위기에 잠겨 있으면서 거기에서 벗어나고자 하는, 벗어나야 한다는 시대인식을 반영하는 것이다.

시 ②에는 이러한 비관적 현실인식과 저항의식 및 그에 따른 울분이 적나라하게 드러나 있다. 그렇지만 여기에서도 구체적인 투쟁의 현장성이 제시된 것은 아니다. 현장성보다는 투쟁의 이후 상황에 대한 안타깝고 벅찬 감회가 묘사되어 있을 뿐이다. 이 시의 핵심은 어젯밤과 오늘의 대조에 놓인다. 그리고 그것은 기본적인 면에서 '황량한 이 폐허, 이 거츠른 터'와 '기나긴 밤'이라는 국권 상실의 당대 상황에 대한 암유에 기초를 두고 있다. 따라서 여기에 등장하는 사람도 밤과 아침, 즉 어제와 오늘의 사람으로 대조되어 나타난다. 즉 '심술구진바람'과, 그에 맞서다가 '죄업시 이 자리에서 피토하고 죽은 젊은 무리'로서의 투사들의 모습이 제시되면서 '이제야 오는 사람들'로서의 새세대가 등장하는 것이다. 여기에서 투사들의 모습은 "광명한아츰을 못보고죽은

---

9) 『개벽』 48호, 1924. 6.

무리/올혼사람오기를기다리다가 가버린무리"로서 묘사된다. 아울러 '구원의 길을 떠난 수난자' 또는 '꽃같이 젊은무리'로서 제시된다. 그리고 보면 이들은 폐허의 현실, 즉 일제강점하의 불모의 현실에서 광명과 대의로서의 민족해방 또는 민중해방을 위해 투쟁하다가 억울하게 죽음을 당한 민족투사들을 의미한다고 할 수 있겠다. 따라서 "그들의 피무든 옷자락이/소사오르는 아침볏에 붉게" 빛날 수 있으며, 이것이 바로 혁명 투사들의 빛나는 죽음을 예찬한 것일 수 있는 것이다. '피무든옷자락'과 '소사오르는 아침볏'의 대조 속에는 일제강점하의 시대고와 함께 혁명의지가 아로새겨져 있다고 할 수 있기 때문이다. 바로 여기에서 '이제야 오는 사람', '기다리던 사람'의 의미가 드러난다. 그들은 앞으로 어둠 속에서 투쟁을 지속해 갈 새로운 역사의 주체이자 새세대의 표상이라 하겠다. 그들은 '올혼'일을 위해 간밤에 '피토하고 죽어간' 투사들의 뒤를 이어 이 폐허의 땅에서 어둠을 몰아내고 빛을 가져올 새로운 세대에 해당하는 것이다. 실상 "심술구진바람이 허공에서몸부림치든 지난밤/한바탕의뒤숭숭한 꿈자리/지나간밤의 지루하엿슴"이라는 구절 속에는 당대 조선을 지배하고 있던 절망적인 시대인식이 담겨져 있다고 할 수 있다. 그러기에 "소사오르는 아침볏/머리우에잇는 해와 무지개"처럼 빛에 대한 강한 갈망과 지향성을 표출하게 된다. 그만큼 시대적 고통과 절망이 극심함을 말해준다고 할 것이며, 새시대, 새세대의 도래에 대한 안타까운 갈망이 핍진하게 서술되어 있다고 할 수 있으리라. 따라서 이 시에는 '피무든옷자락'이 상징하듯이 항일반제·반계급투쟁의식이 반영된 것이 사실이다. 그렇지만 이 시에는 역시 앞의 시에서처럼 의식은 있으나 실천력이 결핍된 지식인 화자의 무력감과 함께 그에 대한 안타까움이 피력되어 있는 것으로 보인다. 다시 말해서 화자 자신이 능동적으로 현실투쟁에 뛰어들지 못하고 막연하게 새로 오는 세대를 기다린다는 식의 관념적인 투쟁의식이 드러나 있을 뿐이라 하겠다. 다만 어둠이 가면 새날이 오리라는 미래에 대한 막연한 기대, 역사법칙에 대한 수

동적인 소망이 제시되어 있다는 점에서 프로시로서 이 시의 한계가 놓임은 물론이다.

3. 계급의식과 실천성의 결여

박팔양의 시는 카프의 이른바 제1차 방향전환기에 해당하는 1927년 9월 경부터 현실에 대한 관심이 보다 적극적으로 나타난다. 현실에 대한 울분이나 소극적인 저항의식에서 분명하게 목적의식을 지니기 시작한 것이다.

> ① 추방(追放)되는 백성의 고닮힌혼(魂)을실고
>   밤차(車)는 헐레벌덕어리며 다러난다
>   도망(逃亡)군이 짐싸가지고 솔밧길을 빠지듯
>   야반국경(夜半國境)의들길을 달리는 이괴물(怪物)이어!
>
>   차창(車窓)밖 하눌은 내답답한마음을 닮엇느냐
>   숨맥힐듯 가슴터질듯 몹시도캄캄하고나
>   유랑(流浪)의짐우에 고개 비스듬이눕히고생각한다
>   오오 고향(故鄕)의아름답든꿈이 어듸로갓느냐
>
>   비닭이집 비닭이장가치 오붓하든내동리
>   그것은 지금 무엇이되엇는가
>   차(車)박휘소리 해조(諧調)마치 들리는중(中)에
>   희미하게벌려지는 괴로운 꿈자리여!
>
>   북방(北方) 고원(高原)의밤바람이 차창(車窓)을흔든다
>   (사람들은 모다 피곤(疲困)히 잠들엇는데)
>   이적막(寂寞)한방문자(訪問者)여! 문두드리지마라
>   의지할곳업는 우리의마음은 지금울고잇다.

그러나 기관차(汽關車)는 야암(夜暗)을뚤코나가면서
'돌진! 돌진! 돌진!' 소리를 질른다
아아 털끗만치라도 의룹게 할 일잇느냐
아까울것업는 이한목숨 바칠데가 잇느냐

피로(疲勞)한 백성의 몸우에
무겁게나려덥힌 이지리한밤아
언제나 새이랴나 언제나거치랴나
아아 언제나 이괴로움에서 깨워이르키랴느냐

— 「밤차(車)」10)

② 납덩어
오늘은 엇지하야 이가치 가볍고도유쾌(愉快)하냐
오월(五月)의한울─그밋헤서부르는 우리들의 노래가
무슨까닭에 참으로 무슨까닭에

가슴 울렁거리도록 이가치 즐거웁게 들리느냐
시가(市街)가좁다고 몬지휘날리며 달리든
××××자동차(自動車)와 마차(馬車)
그것이 오늘의××××무엇이란말이냐

보아라 거리와거리에모혀슨 우리××××
평소(平素)에 묵묵(默默)히일하든친구들의 오늘을!
가로(街路)에는 우리들의 데모
옥내(屋內)에는 경이(驚異)에 빗나는 저들×××
보혀주자 저 영리(怜悧)하고도 압못보는 백성들에게
미래(未來)를춤추는 이 군중(群衆)의무도(舞蹈)를!

××××××노래와 환호(歡呼)와 박수(拍手)와

---

10) 『조선지광』71호, 1927. 9.

보조(步調)·보조(步調)·보조(步調)를마처라
…… …… ……
오월(五月)의 향기(香氣)로운 공기(空氣)를통(通)하야
오오 울리라 우리들의 교향악(交響樂)을

— 「데모」11)

　먼저 시 ①에는 당대 현실의 어둠에 맞서 싸우고자 하는 능동적인 투쟁 의지가 두드러진다. 여기에서 제시된 것은 두 가지로 요약될 수 있다. 그 하나는 일제의 강점과 그 수탈에 쫓겨가는 유이민의 모습이며, 다른 하나는 그들을 싣고 어둠 속을 돌진하는 밤기차의 모습이다. 다시 말해서 일제의 압박과 수탈에 시달리다 못해 국경을 넘어 쫓겨가는 민족의 처참한 현실을 고발하면서 동시에 시대의 암흑을 뚫고 나아가려는 현실 타개의 힘찬 의지를 표출하고 있다. 이 시에서 기본적으로 드러나는 것은 비관적인 현실인식이다. 그것은 어둠과 상실의 이미지로서 제시된다. '밤'이라는 시간 배경이 그러하며, '추방되는 백성', '아름답던 고향의 꿈'이 그러하다. 고향을 잃고, 마침내 고국에서 추방되어 타국으로 망명해 가는 이 땅 유이민의 뼈아픈 상실의식과 고달픈 삶이 표출된 것이다. "추방되는 백성의 고닯힌 혼을실고/밤차는 헐레벌덕어리며 다러난다//숨맥힐듯 가슴터질 듯 몹시도캄캄하고나/오오 고향의아름답든꿈이어드로갓느냐//괴로운 꿈자리여!"라는 구절 속에는 박탈된 삶에 대한 고통과 함께 상실한 고향에 대한 비탄이 담겨 있다고 하겠다. 그러기에 "북방 고원의밤바람" 속에 "의지할곳업는 우리의마음은 지금울고 잇다"와 같이 애상이 짙게 드러나는 것이다. 당대 실향민으로서의 이 땅의 민중, 망국민으로서의 민족의 비애가 애절하게 표출되었다고 할 것이다. 그러나 이 시의 핵심은 그다음에 놓인다. 그것은 암흑을 뚫고 달려가는 '기관차'로서 제시된다. "'돌진! 돌진! 돌진!' 소리를질른다/아아 털끗만치라도 의롭게할일잇느냐/아

11)『조선지광』 79호, 1928. 7.

까울것업는 이한목숨 바칠데가 잇느냐'라는 구절이 그것이다. 여기에서 '기관차'는 시대의 암흑을 뚫고 나아가려는 가열찬 현실타개의지의 표상이다. 기관차는 바로 당대 고통스러운 삶을 살아가는 민중들의 새 삶에 대한 의지를 반영한 것이면서 동시에 독립투사들의 어기찬 투쟁의지를 표상한 것이다. "피로한 백성의 몸우에/무겁게나려덥힌 이 지리한밤"을 거둬내려는 혁명적인 낙관주의의 표출이라고도 볼 수 있을 것이다. 이처럼 시 「밤차」는 '밤'으로서의 고통스러운 현실인식을 드러내는 가운데 '기관차'의 이미지를 중첩시킴으로 해서 현실 타개의 힘찬 투지를 효과적으로 형상화한 데에 의미가 놓인다고 하겠다.

시 ②는 가두투쟁으로서의 데모를 제재로 한 점에서 관심을 끈다. 당대 일제강점의 현실 상황에서 실상 이런 제목을 붙인다는 일부터가 쉬운 것은 아니기 때문이다. 그러므로 유난히 복자(××표)가 많이 쓰일 수밖에 없었는지도 모른다. 이 시의 내용은 계급적인 갈등을 기초로 하고 있다. '자동차'와 '마차'가 표상하는 부르주아적인 삶과 '묵묵히 일하는 친구들'로서의 프롤레타리아트의 대립이 그것이다. 노동계층의 울분이 마침내 데모, 즉 가두시위와 투쟁으로 폭발한 것이다. "납덩어리가치 무겁고 괴로웁던 우리들의 마음"이 가두데모를 통해서 "×××××× 노래와 환호와 박수와/보조·보조·보조"를 획득함으로써 공동체의식으로서의 '교향악'을 형성하게 된다는 것이다. 이 시는 이처럼 가두시위와 투쟁의 광경을 제시하고 있다는 점에서 특이한 느낌을 주는 것이 사실이다. 그렇지만 그러한 근로계층들의 투쟁의식이 그들의 삶 자체로부터 내발적으로 우러나와 결집된 것이 아니라는 점에서 이 시의 취약성이 드러난다. "보혀주자 저 영리하고도 압못보는 백성들에게/미래를 춤추는 이 군중의무도를!"이라는 구절에서 이러한 괴리는 단적으로 드러난다. 그것은 가투의 주체로서 구체적인 노동현장에 삶의 뿌리를 두고 있는 근로자들을 제시해 놓고 그들을 '압못보는 백성들'과 유리시키는 데서 올바른

투쟁의 방법이나 방향성을 상실하고 있는 것이다. 바꾸어 말해서 민중과 함께 하는 투쟁성을 제시한 것이 아니라 단지 그것을 '바라보는' 입장에서 투쟁적인 분위기 또는 저항의 징후를 묘사하고 있을 뿐이라 하겠다. 바로 이 점에서 박팔양은 본격 프로시인이라기보다는 프로적인 '징후의 시인'으로서의 면모가 강하다고 할 수 있으리라. 그의 많은 투쟁시들은 현장성이 다소간 담겨 있긴 하지만 그것들이 대부분 관념적인 구호와 일상적인 수식에 치우쳐 심도 있는 리얼리티를 확보하지 못한 데서 그 한계점이 드러난다. 실상 이 점에서는 볼셰비키 권환의 비판이 적절하다고 하겠다.

> 우리 푸로시인(詩人)에서 가장 만혼 시편(詩篇)을 제작(製作)하엿고 또 푸로시인(詩人)으로서 뿌르시단(詩壇)에까지 만혼 총애(寵愛)를 밧든 박팔양씨(朴八陽氏)의 시(詩)를 보면 우리는 도저(到底)히 푸로시(詩)라고 명칭을 부치기 어려웟다. 그의 시는 상공(商工)소뿌르죠아를 표상하는……<중략>……그 가운데는 프로레타리아의 뿌르죠아계급(階級)에 대한 ××××는 거름자도 업고 조금식 요리(料理)의 '약임'처럼 들어 있는 불평(不平), 동정(同情)의 문구(文句)는 뿌르대중시인(大衆詩人)들의 반동시(反動詩)나에도 넉넉히 볼 수 잇는 것이였다. 이러한 시(詩)는 푸로시(詩)로서는 말할 여지(餘地)도 업거니와 소위(所謂) 인도주의(人道主義)의 시라고 일홈부치기에도 정도(程度)가 업섯다. 우리는 이러한 시(詩)는 어데까지든지 배척(排斥)하여야 하며 또 이 동지(同志)의 하로밧비 반성(反省)하여 진정(眞正)한 푸로레타리아트시(詩)의 길로 전환(轉換)하기를 충심(衷心)으로 바라는 바이다.12)

이러한 권환의 박팔양 비판은 실상 전투적인 프로문학의 입장에서 볼 때 설득력을 지닌 것이 분명하다. 그러한 박팔양의 시편들은 '피투성이 된 프롤레타리아트혼의 표백'13)에 도저히 미칠 수 없을 뿐 아니라 '혁명을 무기로 하

---

12) 권환, 「'시평'과 '시론'」, 『대조』 4호, 1930, 6. 원문 그대로이나 띄어쓰기만 바로 잡음.
13) 김팔봉, 「계급문학시비론」, 『개벽』 56호, 1925. 2, 45쪽.

는 반항문학'14)에는 어림도 없는 것이기 때문이다.

이렇게 볼 때 박팔양의 프로시들은 당대의 궁핍한 삶의 현실성에 기초를 두고 있는 것은 사실이지만, 그것이 실천적 투쟁의 구체성과 능동성을 결여함으로써 리얼리티를 확보하지 못한 점에서 한계가 드러난다고 하겠다.

4. 선구자의식 또는 예언자적 지성의 의미

박팔양의 시에서 가장 돋보이는 것은 그의 시가 생경한 관념이나 도식성에서 벗어나 그의 현실의식이 서정성과 탄력 있게 결합한 경우라고 할 수 있다. 이것은 어쩌면 프로시인으로서는 취약성을 드러내는 것일 수도 있지만, 박팔양의 경우에는 오히려 성공적인 요인으로 작용한다고 하겠다.

> 날더러 진달래꽃을 노래하라 하십니까?
> 이 가난한 시인(詩人)더러 그 적막(寂寞)하고도 가냘핀 꽃을,
> 일은 봄, 산골째기에 소문도 없이 피었다가
> 하루아침에 비바람에 속절없이 떨어지는 꽃을,
> 무슨말로 노래하라 하십니까?
>
> 노래하기에는 너무도 슬픈 사실이외다.
> 백일홍(百日紅)같이 붉게붉게 피지도 못하는 꽃을,
> 국화같이 오래오래 피지도 못하는 꽃을,
> 모진 비바람 만나 흩어지는 가엾은 꽃을,
> 노래하느니 차라리 부뜰고 울것이외다.
>
> 친구께서도 이미 그꽃을 보셨으리다.
> 화려한 꽃들이 하나도 피기도 전에

---

14) 박영희, 「문학상공공리적가치여하」, 위의 책, 49쪽.

찬바람 오고가는 산허리에 쓸쓸하게 피어있는
봄의 선구자(先驅者)! 연분홍 진달래 꽃을 보셨으리라.

진달래꽃은 봄의 선구자(先驅者)외다.
그는 봄의 소식(消息)을 먼저 전(傳)하는 예언자(豫言者)이며
봄의 모양을 먼저 그리는 선구자(先驅者)외다.
비바람에 속절없이 지는 그 엷은 꽃닢은
선구자(先驅者)의 불행(不幸)한 수난(受難)이외다.

어찌하야 이 가난한 시인(詩人)이
이같이도 이꽃을 부뜰고 우는지 아십니까?
그것은 우리의 선구자(先驅者)들 수난(受難)의 모양이
너무도 많이 나의 머리속에 있는 까닭이외다.

노래하기에는 너무도 슬픈 사실이외다.
백일홍(百日紅)같이 붉게붉게 피지도 못하는 꽃을
국화같이 오래오래 피지도 못하는 꽃을,
모진 비바람 만나 흩어지는 가엾은 꽃을,
노래하느니 차라리 부뜰고 울것이외다.

그러나 진달래꽃은 오랴는 봄의 모양을 그 머리속에 그리면서
찬바람 오고가는 산허리에서 오히려 웃으며 말할 것이외다.
「오래오래 피는것이 꽃이 아니라, 봄철을 먼저 아는 것이 정말 꽃
이라」고―

　　　　　　　　　　　　　　　　　　　　　―「너무도 슬픈 사실」

　「봄의 선구자 진달래를 노래함」이라는 부제가 붙어 있는 이 작품은 박팔
양의 대표작이라고 할 수 있다. 그만큼 현실인식과 예술의식이 탄력 있는 조
화를 성취하고 있는 것으로 여겨지기 때문이다. 먼저 이 시에서 문제가 되는
것은 진달래의 상징성이라고 할 것이다. 진달래꽃이 상징하는 것은 봄이라

하겠지만, 그 속에 역사의 봄을 찾기 위해 투쟁하다가 사라져간 이 땅의 수많은 선구자 또는 의인, 열사들의 모습을 암시한다는 점에서 특징이 있다. 다시 말해서 이 시는 이 땅의 이름 모를 산야에서 철 이르게 피고 지는 진달래꽃의 모습을 표층 정서로 하면서 그 속에 이 땅의 독립과 자유를 위해 분투하다가 수난 끝에 남모르게 사라져가는 민족적 선구자[15]들의 모습을 심층의미로 담고 있는 것이다.

이 시의 성공적인 요인은 우선 문체의 호소력에서 기인한다고 하겠다. '~하라하십니까?'와 같은 의문형 종지와 '~꽃을'이라는 명사형 종지, 그리고 '~이외다/~으리다'라는 의고체 서술 종지형의 거듭된 교차는 하소연의 효과를 유발하면서 서정적인 설득력을 제고해 준다. 하소연과 생략형, 그리고 고백체가 반복, 교차하면서 의미와 감정상의 긴장과 이완을 유연화하고 의미 내용을 탄력 있게 조절해 주기 때문이다. 특히 어조에서의 경어체와 소박한 시어는 겸손미와 진실미를 돋우어주는 힘으로 작용한다고 하겠다. 또한 '못하는/없이' 등의 부정시어와 '가냘픈/떨어지는/가엾은 흩어지는/불행한/지는' 등의 하강시어, 그리고 '비바람/산골째기/산허리/찬바람' 등의 쓸쓸한 심상어의 다양한 결합은 서정적인 울림을 빚어내기에 충분하다. 무엇보다도 이 시가 성공적인 것은 진달래꽃을 제재로써 사용한 점이다. 진달래꽃은 우리 민족의 오랜 역사 속에서 배고픔과 원한, 또는 수난의 표상성을 지녀 왔다고 할 것이다. 이 점은 이미 김소월의 「진달래꽃」에서 성공적인 한 전범을 보아왔다고 하겠다. 이러한 진달래꽃의 비극성의 이미지를 바탕으로 하여 당대 일제강점하에서 민족해방과 민중해방을 위해 분투하다가 산화해 간 이름 모를 선구자 또는 수많은 투사들의 모습을 절묘하게 접합한 데서 이 시의 성공 포인트가 드러나는 것이다. 그만큼 서정적인 애상성을 기본으로 하면서도 그것이 민족운동이라는 공적 차원으로 상승됨으로써 이 시가 시적 보편성과 경건

---

15) 『조선문학사』에서는 이 선구자를 '사회주의 투사'로 파악한다. 앞의 책, 215쪽.

한 비장미를 획득하게 되었다는 말이다. 이러한 진달래꽃의 이중적 표상성은 4연과 5연에서 집중적으로 제시된다. "진달래꽃은 봄의 선구자외다/그는 봄의 소식을 먼저 전하는 예언자이며/봄의 모양을 먼저 그리는 선구자외다/비바람에 속절없이 지는 그 엷은 꽃잎은/선구자의 불행한 수난이외다"라고 하는 4연에는 이처럼 '진달래꽃=선구자', '진달래꽃 지는 모습=선구자의 불행한 수난'이라고 하는 등가작용이 일어나는 것이다. 그러므로 5연에서는 이러한 등가화가 구체적으로 나타난다. "어찌하야 이 가난한 시인이/이같이도 이 꽃을 부뜰고 우는지 아십니까?/그것은 우리의 선구자들 수난의 모양이/너무도 많이 나의 머리속에 있는 까닭이외다"와 같이 '속절없이 지는 진달래꽃잎'과 '선구자들의 수난의 모습이' 선명하게 대조를 이룸으로써 비장미를 심화하게 되는 것이다. 따라서 우리는 여기에서 진달래꽃의 모습을 더 자세히 살펴볼 필요가 있다고 하겠다. 이 시에서 진달래꽃은 "적막하고도 가냘핀 꽃/산골째기에소문도없이피엇다가/하루아침에 비바람에 속절없이 떨어지는 꽃/백일홍같이 붉게붉게 피지도 못하는 꽃/국화같이 오래오래 피지도 못하는 꽃/모진 비바람 만나 흩어지는 가엾은 꽃//찬바람 오고가는 산허리에 쓸쓸하게 피어있는 연분홍 꽃/찬바람 오고가는 산허리에서 오히려 웃는 꽃" 등과 같이 다양하게 그 모습이 묘사되어 있다. 그런데 그러한 것들은 예외 없이 비관적인 색채를 지니면서도 그 비극성을 이겨내려는 안간힘을 담고 있는 것으로 이해된다. 바로 마지막 연이 그것이다. "그러나 진달래꽃은 오랴는 봄의 모양을 그 머리속에 그리면서/찬바람 오고가는 산허리에서 오히려 웃으며 말할것이외다/ '오래오래 피는것이 꽃이 아니라, 봄철을 먼저 아는 것이 정말 꽃이라'고—"라는 구절 속에는 비관적인 것을 일거에 극복하고 낙관적인 전망을 성취하게 되는 극적 전환의 모티프가 담겨 있다고 하겠다. 민족적 선구자들의 불행했던 삶, 수난의 과정을 통해서 마침내 역사의 봄이 다가오리라는 예언과 확신이 미래적 전망을 획득하게 될 수 있는 것이다. 바로 이 점이 이 시로 하여금 비애미를 바탕으로 하면서도 그것이 단순한 애상에 떨어지지 않고 비장미를 심화할 수 있었던 요인이 된 것으로 판단된다. 선구자들의 수난과 비극은 이 땅에 머지않아 역사의 새봄을 불러오리라는 것을 예감하고 확신케 해주는 예언적 지성의 발현이라고 할 수 있기 때문이다. "오래오래 피는것이 꽃이 아니라, 봄철을 먼저 아는 것이 정말 꽃이라고" 하는 결구 속에는 실천적 지성으로서의 선구자들의 희생이 예언자적 지성의 차원으로 이끌어 올려짐으로써 이 시로 하여금 높은 사상예술성을 확고하게 하는 힘이 담겨 있다고 할 것이다. 이 점에서 이 시는 당대의 일반적인 프로시들과 구별되는 점이 있다고 하겠다. 프로시들의 일반적 결점이라 할 애상성이나 전투적 생경성이 상당 수준까지 극복되고 있는 것이다. 의로운 투쟁 끝에 산화해 간 선구적인 민족운동가들에 대한 애석의 정을 통해서 당대 일제강점기의 폭압정치를 상대적으로 고발하고, 머지않아 역사의 새봄이 다가오리라는 예감과 확신을 형상화한 점에서 이 시의 우수성이 드러남은 물론이다.

실상 이러한 선구자의식은 박팔양의 시를 지속적으로 관류하는 중요한 형질로서 작용한다. 그의 시는 실천적인 투쟁성을 강조하거나 투쟁의 전면에 나서는 모습을 보여주지는 않는다. 오히려 그의 시는 험난한 역사의 소용돌이에 처하여 그러한 억압과 질곡을 벗어나려 노력하면서 씨앗을 뿌리는 선구자의식[16] 쪽에 기대어 있다고 하겠다.

나아가는 곳에 광명이 있나니
젊은 그대여 나아가자!
오직 앞으로 앞으로 또 앞으로
가시덤불 길을 뚫고—

---

[16] 이 점은 박팔양의 시가 이육사의 「광야」 등 '선구자의식'의 시와 연결되는 것으로 풀이된다.

비록 모든사람들이 주저할지라도
젊은 그대여 나아가자!
용기는 젊은이만의 자랑스런 보배
어찌 욕되게 뒤로 숨어들랴.

진실로 나아가는 곳에 광명이 있나니
비록 나아가다가 거꾸러질지라도
명예로운 그대, 젊은 선구자여
물러슴없이 오직 나아가자!

— 「선구자(先驅者)」

이 시의 핵심은 선구자적 열정과 낙관적 전진사상이라 할 수 있다. '가시덤 불'로서의 모순된 현실이 강요하는 온갖 질곡과 고통을 뚫고 새빛을 향해 나아가고자 하는 젊음의 정신 또는 일종의 혁명사상이 이 시에 작용하고 있는 것이다. '가시덤불길'로서의 절망적 시대 상황과 그것을 타개하고자 하는 안타까운 분투가 이 시 속에 담겨 있다고 하겠다. 실상 이러한 현실타개를 향한 분투의 길, 형극의 길이야말로 당대 젊은이들에게 부하된 시대적 사명이기도 하리라. 바로 이 점에서 이 시에는 젊은 세대들에 대한 소망과 기대가 표출되고 있다. "비록 모든사람들이 주저할지라도/젊은 그대여 나아가자//진실로 나아가는 곳에 광명이 있나니/비록 나아가다가 거꾸러질지라도/명예로운 그대, 젊은 선구자여/물러슴없이 오직 나아가자!"라는 구절 속에는 선구자로서의 젊은 세대들에 대한 가없는 신뢰와 기대가 담겨 있는 것이다. 그것은 당대의 모순과 불합리에 대한 분노이며, 욕됨과 물러섬에 대한 저항이다. 일제강점 하의 온갖 모순과 불의에 맞서 싸워 끝내 역사의 새아침으로서의 광명을 회복하고자 하는 선구자의식과 미래지향의 역사의식이 분출되는 것이다. 따라서 이 시에는 어둠과 절망을 뚫고 조국광복의 길, 인간해방의 길로 나아가고자 하는 의지와 열정이 피력되어 있다고 하겠다. 특히 '~할지라도 ~하자!'라는 구문의 반복을 통해서 그러한 진취적 열정과 확신이 시적 설득력과 함께 형상성을 획득함으로써 구조적 안정감을 확보하는 점이 돋보인다고 하겠다. 정제된 형식 속에 다소 구호적이긴 하지만 크게 흥분하지 않으면서 적절하게 현실의식을 조절해서 수용할 수 있었다는 점이 시적 건강성을 지니게 된 요인이라 할 것이다.

이처럼 박팔양의 시는 현실투쟁의 전면에 나서지 않으면서도 현실의식을 적절히 여과해서 수용하고, 그것을 선구자의식과 미래지향성으로 이끌어 올린 데서 의미가 놓인다고 할 수 있다.

5. 생명사상과 대지사상

박팔양의 시에는 생명에 대한 옹호 또는 대지에 대한 사랑이 나타나고 있는 것도 특징이다. 그의 시는 조그마한 풀 한 포기에 관심을 기울이는 것과 더불어 그 생명의 터전으로 서의 대지에 대한 긍정과 외경심을 담고 있다.

① 친구께서는 길을 가시다가
　길가의 한포기 조그마한 풀을
　보신일이 있으실것이외다
　짓밟히며, 짓밟히면서도
　푸른하늘로 적은 손을 내어저으며
　기어이기어이 살아보겠다는
　길가의 한포기 조그마한 풀을
　목숨은 하늘이 주신것이외다
　누가 감히 이를 어찌하리까?
　푸른하늘에는 새떼가 날르고
　고요한 바다에 고기떼 뛰놀때,
　그대와 나는 목숨을 위하야

따우에 딩굴고 또 딩굴것이외다

—「목숨」

② 내가 흙을 사랑함은,
　　그가 모든 조화의 어머니인 까닭이외다
　　그대는 보셨으리다, 여름 저녁에
　　곱게 곱게 피는 어여쁜 분꽃을!
　　진실로 기적(奇籍)이외다. 그 검은 흙 속에서
　　어떻게 그렇게 고은 빛갈들이 나오는가,
　　그것은 아무도 모르는 우주(宇宙)의 비밀(秘密)이외다

　　내가 흙을 사랑함은,
　　그가 모든 조화의 어머니인 까닭이외다
　　그대는 보셨으리다, 숲 욱어진 동산우에
　　먹음직스럽게 열리는 과실들을!
　　진실로 기적(奇籍)이외다. 그 검은 흙속에서
　　어떻게 그렇게 맛있는 실과들이 나오는가,
　　그것은 아무도 모르는 우주(宇宙)의 비밀(秘密)이외다.

—「내가 흙을」

이 두 편의 시에는 박팔양의 생명사상 또는 대지사상이 단적으로 드러나 있다. 먼저 두 연으로 구성된 시 ①은 박팔양이 지니고 있는 생명사상을 엿볼 수 있게 해준다. 여기에서의 핵심은 길가의 한 포기 풀에 놓인다. 그것은 생명의 표상이다. 얼핏 보기에는 초라한 풀 한 포기에 불과하지만, 그것이 생명을 지니고 있기에 그 속에는 하나의 우주가 들어있다고 할 것이다. 흔히 이 풀은 민초라는 말이 있듯이 힘없는 서민의 모습을 비유하기도 한다. 덧없이 보이는 이 한 포기의 풀은 지나가는 행인에게 쉽게 짓밟히기 쉽다. 그렇지만 풀은 쉽게 죽지 않는 끈질긴 생명력을 지니고 있다. "짓밟히며, 짓밟히면서도/푸른 하늘로 적은 손을 내어 저으며/기어이기어이 살아보겠다는" 생명력과 생명의지를 가진 것이다. 바로 이 점에서 풀은 일제강점하의 이 땅 민중들의 삶을 표상할 수 있게 된다. 앞의 구절 속에는 풀로 비유된 이 땅 민중들의 고난에 찬 삶이 아로새겨져 있는 것이다. 그러면서도 그러한 당대의 온갖 억압과 수난을 벗어나서 참된 생명 또는 자유에 이르고자 하는 눈물겨운 목숨의 분투가 담겨 있다고 하겠다. 아울러 여기에 평등사상과 평화사상이 드러나게 된다. "목숨은 하늘이 주신 것이외다/누가 감히 이를 어찌하리까?"라는 구절 속에는 목숨이 하늘로부터 주어진 천부적인 것이며, 따라서 지상 위의 목숨 있는 모든 것들은 모두 서로 평등하며, 평등해야만 한다는 생각이 담겨 있다. 한 포기 풀의 목숨을 소중하게 생각하는 데서 다른 생명들의 상대적인 소중함을 긍정할 수밖에 없게 된다. 한 포기 풀의 목숨을 아끼고 사랑하는 정신, 그것이 바로 모든 인간에게 있어 자유와 평등에 기초를 둔 목숨을 아끼는 생명사상으로 연결되는 것이다. 따라서 생명사상이란 바로 인권존중사상에 해당된다. 바로 여기에서 풀이 상징하는 생명사상은 민중사상으로 연결되며, 인간존중사상으로 귀결된다고 하겠다. 그렇지만 이 시의 민중사상은 그것이 투쟁적인 의미에서의 계급의식이 아니라 일반적인 의미의 휴머니즘사상에 뿌리를 두고 있는 것으로 보인다. 앞에서 시「너무도 슬픈 사실」의 경우처럼 이 시는 풀이라는 식물 심상을 제재로 하여 서정성을 환기하고 그 속에 휴머니즘으로서의 민중의식을 형상화함으로써 시적 성공을 거두고 있다. 다시 말해서 당파성을 강조하는 볼셰비키적 입장에서 계급의식과 계급투쟁을 주장하는 것이 아니라, 소박한 휴머니즘의 입장에서 생명의 소중함 또는 민중적 생명력의 의미를 강조하고 있는 것으로 판단되기 때문이다. 실제로 이러한 해석은 박팔양의 생명사상 또는 민중의식이 현실적인 계급투쟁으로 연결되지 않고 대지적 삶과 그 이법을 존중하는 방향, 즉 모성적인 대지사상으로 확대된다는 점에서 소박성을 감지할 수 있다. 시 ②가 바로 그 한 예가 된다. 이 시의 핵심은 생명의 터전으로서의 흙, 즉 대지의 위대성에 대한 영탄이고 외경심에 놓인다. 생명과 대지의 친화력 속에서 만물이 태어나고 성장하며, 마침내 사라져가는 데 대한 외경심을 드러내고 있는 것이다. 그래서 흙은, 대지는 '모든 조화의 어머니'로서, '검은 흙 속에서 고운 꽃'과 '맛있는 실과'들을 빚어내는 위대한 힘이며, 우주의 비밀에 속할 수밖에 없다. 실상 이러한 대지에 대한 찬탄과 외경심의 발현은 생명 그 자체와 그것을 탄생시키는 대자연의 위대한 힘에 대한 것이 분명하다. 아울러 이러한 대지사상의 근저에는 역시 대자연의 이법과 순환원리에 대한 믿음이 담겨 있을 것이 분명하다.

> 친구여! 그대는 아직도 기억(記憶)하리라
> '겨울의 포위(暴威)가' 왼 세상을 완전(完全)히 정복(征服)하였을때
> 모든 생령(生靈)이 숨을 죽이고 그 포위(暴威)밑에 전율(戰慄)할때
> 그대는 절망(絶望)의 심연(深淵)에서 소리쳐 통곡(痛哭)하였다.
> 하늘을 우러러 절멸(絶滅)되려는 목숨들을 부뜰고 한없이 통곡(痛哭)하였었다.
> ……<중략>……
> 그러나 자연(自然)의 힘은 마침내 어느틈엔지
> 천만년(千萬年)이나 지속(持續)할것같던 겨울의 포위(暴威)를 쫓고
> 우리도 모를 사이에 산(山)과 언덕과 드을에
> 생명(生命)의 소생(蘇生)을 재촉하는 다정(多情)한 봄바람을 보내며
> '일어나라 일어나라! 봄이 왔다!' 깨워 일으킨다.
>
> 아아 크나큰 자연(自然)의 힘이여!
>   ―「승리(勝利)의 봄」

이 시가 표면적으로 말하고자 하는 것은 겨울이 가면 봄이 온다는 대자연의 섭리이자 우주의 이치이다. 그러기에 이 시에는 겨울과 봄이 서로 대척적인 각도에서 파악된다. 겨울은 '눈보라/비바람/어둠/추위/먹구름' 등과 같은 하강적인 시어들이 연결되어 하나의 비관적인 상징체계를 형성한다. 그러나

이 겨울은 '봄바람/꽃/새소리' 등과 같이 봄이 오는 것으로 해서 사라져가는 일시적인 것, 한시적인 것일 뿐이다. 겨울은 당장에는 어둠과 추위로 만물을 덮어 누르며 위세를 떨치지만, 언젠가는 봄에 의해 쫓겨갈 수밖에 없는 운명에 놓인다. 바로 그것이 확실한 우주의 섭리이며 대자연의 이법인 것이다. 따라서 이 시의 함의가 드러난다. 이러한 대자연의 이법은 그대로 역사의 법칙에도 적용되는 것이다. 당대 조선의 현실이 일제의 강점으로 인해서 하나의 겨울 상황 또는 동토인 것 같지만, 대자연에서 계 울이 가면 봄이 오듯이 머지 않아서 이 동토의 현실에도 봄이 오고야 말 것이라는 확신과 기대[17]가 내포되어 있다는 말이다. 그것은 대자연의 섭리이자 원리인 것처럼 역사의 법칙이고 당위에 해당한다. 바로 이 점에서 이 시는 일제강점하의 동토의식에서 벗어나 역사의 봄, 즉 광복을 소망하고 기다리는 확신이 표출된 시라고 할 수 있다.

이렇게 볼 때 박팔양에 있어서 생명존중사상은 대지사상과 민중사상으로 연결되지만 그것은 근본적인 면에서 소박한 의미의 휴머니즘사상에 뿌리를 두고 있다고 하겠다. 그는 비록 프로시인들의 계보에 속해 있었다고 하더라도 성장환경이나 기질적인 면에서 인생파 또는 서정시인적인 범주를 크게 벗어나기 어려웠던 것이 사실이다. 실상 그의 시에 프로시인으로서는 적극 배제해야 할 감상주의 또는 연애 시, 그리고 모더니즘 풍의 시가 많이 있다는 사실이 그 한 예증이 될 것이다.

---

17) 이 점에서 이 시는 이상화의 시 「빼앗긴 들에도 봄은 오는가」와 연결된다고 할 수 있다. 실상 박팔양이 카프파의 볼셰비키파 등장과 때를 같이하여 서정시로 기우는 것은 이상화가, 카프에 가담했으나 곧 방향전환하여 대구로 낙향하는 것과 무관치 않다고 하겠다.

6. 낭만성과 주지성, 갈등과 방황

박팔양의 시 세계는 기본적으로 다양성을 지닌다고 하겠다. 특히 1930년대 이후에는 주로 연애시와 모더니즘 풍의 도시취향시, 그리고 자아 성찰의 시를 발표함으로써 그의 인간주의적 성향 또는 자유주의자적 면모를 보여준다.

① 육로(陸路)도 천리(千里), 수로(水路)도 천리(千里), 천리(千里)길에 막혀서
　그리운 그대를 그리기만 하올때
　하현(下弦)달 어리운 새벽들창 밑
　꾸고 또 꾸는 꿈조차 희미하외다

　내 그대를 붉은 등(燈)불 밑에서 만나
　꿈속같은 마음, 짧은 여름밤을 탄식(嘆息)하올때
　물끄럼이 보기만 하는,그대 눈동자 속에서
　속깊이 간직한 그대의 '참된 사랑'을 보았사외다

　가난보다 더 큰 웬수가 없사외다
　가난한 탓에, 얼키고 못푸는 인연의 실마리
　세상에 시악씨되어 사나이를 갖거든
　아이예 가난한 사나이 가질것이 아니외다.

　지절대는 시냇물이 여름밤 다리밑으로
　다리위의 사나이를 울리고 갈 때
　호수(湖水)내음새 높은 남방(南邦)의 해변(海邊)
　그대 계신, 저하늘 저 산 넘어가 그립소이다

　눈나리는 겨울밤, 등(燈)불조차 고독(孤獨)에 울 때
　어렴풋한 꿈속에서 그대 얼굴 몇 번을보고
　늦인봄 밤하늘을 달리는 바람소리에

내 몇번을 소스라쳐 깨었사오리까

아아 잊지 못하겠사외다
내 잊으려 애썼으되 못하였사외다
가슴에 뭉킨 물건 병(病)이 되어서
자리에 누었으되 잊을길 바이없사외다

　　　　　　　　　　　　　　— 「님을 그리움」

② 도회(都會)는 강렬(强烈)한 음향(音響)과 색채(色彩)의 세계(世界),
　나는 그것을 얼마나 사랑하는지 모른다
　불규칙(不規則)한 직선(直線)의 이열(羅列), 곡선(曲線)의 배회(徘徊),
　아아 표현파(表現派)의 그림같은 도회(都會)의 기분(氣分)이여!

　가로(街路)에는 군악대(軍樂隊)의 행렬(行列)이 있다
　둥, 둥, 두리둥둥, 북소리와 북소리의 전투(戰鬪),
　재금과 날라리의 괴로운 음향(音響)은
　바람에 퍼덕거리는 기(旗)밑에서 난조(亂調)로 교차(交叉)된다.
　……<중략>……
　직선(直線)과 사선(斜線), 반원(半圓)과 원(圓)의 선(線)과선(線),
　도회(都會)의건물(建物)들은 아래에서 위로 불규칙(不規則)하게 발
　전(發展)한다
　육층(六層) 꼭대기방에 앉은 타이피스트는
　가냘핀 손으로 턱을 고이고 한 숨 쉬이고 있다.
　……<중략>……
　그러나 비오는 저녁의 고요한 거리에는
　비스듬한 장명등(長明燈)이 높은 전신주(電信住) 밑에서 조을고,
　환악(歡樂)을 구(求)하는 친구들이 모다 방(房)안에 들었을때
　거리에는 애스팔트 인도(人道)우에 가느다란 비가 나린다.
　외로워서 외로워서 우는 것같이
　그것은 히스테리환자(患者), 눈물 흘리는 것 같아서
　짜긋하고 가슴빠근한 엷은 비애(悲哀)를 느끼게 한다.

그것도 역시(亦是) 사랑할 도시(都市)의 일순간(一瞬間)이 아니냐?
(「도회정조(都會情調)」에서)

③ 길손―그는 한 코스모포리탄
　아무도 그의 고국(故國)을 아는 이 없다.
　대공(大空)을 날르는 새의 자유(自由)로운 마음
　그의 발길은 아무데나 거칠것이 없다.

　길손―그는 한 니힐리스트
　그의 슬픈 옷자락이 바람에 나부낀다
　쓰디쓴 과거(過去)여 탐탁할 것 없는 현재(現在)여
　그는 장래(將來)의 꿈마저 물우에 떠보낸다.

　길손―그는 한 낙천주의자(樂天主義者)
　더 잃을 것은 없고, 얻을것만이 있는그다.
　고향과 안해와 명예와 안락은
　그가 버림으로서 다시 얻을 재산이리라.

　길손―그대는 쓰디쓴 입맛을 다신다.
　길손―그대는 슬픈 대공(大空)의 자유(自由)로운새다.
　　　　　　　　　　　　　　　　　　　　　　― 「길손」

　　이 세 편의 시는 각기 박팔양 시가 지닌 또 다른 특징을 보여준다. 시 ①은 연애 시로서 박팔양의 낭만적 측면을, ②는 주지시로서 모더니즘적 측면을, 그리고 ③은 박팔양 자신의 자화상적인 의미를 지닌다고 하겠다.
　　먼저 시 ①은 곡진한 애모의 마음을 노래하고 있다. 멀리 떨어져 있는 연인을 향한 애절한 그리움과 회한, 그리고 안타까운 기다림의 심정이 표출된 것이다. 여기서 주요소재는 달과 등불, 시냇물과 바람 소리이다. 이러한 소재들은 철 따라 시의 화자에게 고독과 그리움을 불러일으키는 촉매로 작용한다.

아울러 꿈은 님과 나의 거리를 해소시켜 환상적인 만남을 이루게 해주는 환상의 가교가 된다. 그만큼 연인을 그리워하는 마음이 절실하고 깊은 것이라 하겠다. 그런데 여기에서 중요한 것은 그러한 헤어져 있음의 원인이 '가난'으로 제시되어 있다는 점이다. 실상 이러한 가난의 문제는 "님께서 진실로 불행하시외다/가난사리십년에 또 가난한 사나이 만나셨으니/가난이 없는 세상이 없사오리까?/죄없는 사람 울리는 웬수의 가난이외다"(「또 다시 님을 그리움」에서)이라는 구절에서 확인할 수 있듯이 그의 연애시에 지속적으로 작용하고 있는 중요한 요인에 해당한다. 아울러 그의 콩트 『오후여섯시』[18]나 장편소설 『정열의 도시』[19] 등의 작품에서도 가난의 문제가 중요한 모티프가 되는 것이 사실이다. 그러기에 가난은 사랑하는 사람들을 헤어지게 만들고 그들로 하여금 좌절과 방황에 휩싸이게 만드는 것이다. 시집 『여수시초』에 「청춘·사랑」의 장에 묶여 있는 많은 시들이 대부분 이러한 사랑을 노래하면서도 이별의 애상에 젖어 있는 까닭은 바로 이처럼 사랑 자체의 비관적 속성과 함께 가난이라고 하는 시대고가 연결되어 있기 때문이라고 하겠다. 연애시가 환기하는 애상의 정서와 그것의 주요 원인으로서의 가난의 모티프는 박팔양의 초기 시에서부터 후기 시까지 지속되는 기본형질의 하나이다.

시 ②의 경우는 모더니즘시의 한 모습을 보여준다. 이 시에는 '가로/군악대/직선/곡선/전신주/애스팔트/타이피스트/히스테리 환자' 등 수많은 도시 문명적인 소재 들이 등장한다. 박팔양의 일반적인 경향과는 달리 도시 문명과 인공미, 그리고 감각성이 두드러지게 나타나는 것이다. 이른바 모더니즘의 방법과 색채가 짙게 깔려 있다고 하겠다. 실상 그의 많은 시편, 즉 『여수시초』의 「도회」 항목이 대부분 이러한 모더니즘풍의 시로써 짜여 있는데, 이것은 박팔양의 1930년대 중반의 동인회 '구인회'에 관여한 사실과 무관하지 않은

18) 『조선지광』 80호, 1928. 9.
19) 『조선중앙일보』, 1934. 1. 11~5. 6.

것으로 이해된다. 정지용과 김기림 등이 주요 멤버이던 이 '구인회'[20]에 박팔양은 박태원, 이상 등과 합류하게 된 것이다. 실상 이 시기는 카프의 볼셰비키파들이 주도권을 장악하는 제2차 방향전환기 및 해체기에 해당한다. 게다가 투쟁적인 계급의식보다는 휴머니즘적인 경향이 농후했던 그로서는 자연스럽게 카프로부터 떨어져 나와 '구인회'의 예술 지향성에 합류하게 되었던 것으로 이해된다. 그러나 박팔양의 모더니즘시는 성공적인 것이라고 할 수 없다. 그의 시가 모더니즘의 일반원리인 도시 문명과 인공미의 추구나 감각성의 구사는 이루고 있는 듯하지만, 그것들이 지나치게 피상적일 뿐 아니라 '외로움/한숨/눈물/비애' 등과 같이 짙은 애상성을 지니고 있다는 점에서 실패한 것으로 판단된다는 말이다. 모더니즘적인 징후가 있을 뿐 그 본질에는 깊이 있게 육박하고 있지 못하기 때문이다.

시 ③은 시인의 자화상 격인 시라고 할 수 있을 듯하다. 이 시에서 길손이란 바로 시인 자신을 지칭하는 것으로 해석된다는 점에서 그러하다. 이 길손은 무국적인 코스모폴리탄이며, 현실에 아무것도 기대하거나 신뢰할 수 없는 니힐리스트이다. 아마도 이러한 두 가지 모습은 일제강점하에서 조국을 상실하고 아무것도 기대할 수 없는 암담한 현실에서부터 역설적으로 유로된 것이라 하겠다. 코스모폴리탄이나 니힐리스트란 그것이 현실의 제반 압력과 구속에서부터 자유로워지고자 하는 안간힘을 역설적으로 표현한 것에 지나지 않기 때문이다. 따라서 길손은 낙천주의자로 표현된다. 잃을 것이 없고 얻을 것만 있다는 아이러니한 표현 속에는 암담한 상실의 시대, 절망의 시대에 애써 삶에 의미를 부여함으로써 어떻게든지 일어서보려는 안간힘이 담겨 있다고 하겠다. 그것은 일종의 자기모순 혹은 갈등의 위악적 포즈라고 해석할 수도 있을 것이다. 그만큼 시인이 절망의 시대에 이념의 곧은 꽃대를 세우지 못하고 흔들리며 살아가고 있는 자신의 모습을 고백적으로 드러냈다는 점에서

---

20) 김학동, 「구인회와 반카프적 입장」, 『정지용연구』, 민음사, 1987, 140~141쪽 참조.

「길손」은 시로 쓴 자화상에 해당한다고 하겠다. 이처럼 박팔양의 시는 1930년대에 들어서서 특히 서정성과 예술성을 추구하는 데 힘을 기울였던 것으로 보인다. 이 점이 그의 시로 하여금 포괄성과 다양성을 지닐 수 있게 만들어 주었다고 할 것이다. 아울러 그만큼 그가 투철한 계급의식으로 무장된 본격파 프로시인은 아니었다는 점을 알 수 있게 해준다.

7. 맺음말

이렇게 볼 때 박팔양의 시 세계는 기본적으로 인간에 대한 관심과 예술적 탐구를 양축으로 해서 전개되었음을 알 수 있다. 그는 카프의 초기 맹원으로서 문학의 사회성, 계급성에 관심을 갖고 시를 쓰기 시작했지만 근원적인 면에서 전투적인 계급의식의 시인이 되기에는 어려웠음이 분명하다. 그가 원래 길가의 풀 한 포기에도 애정 어린 눈길을 줄 정도로 다정다감한 성품을 지녔고, 김팔봉과 박영희라고 하는 프로문학의 초기 맹주들이 동창생이었다는 환경적 요인이 있었으며, 나아가서 당대가 일제강점하의 볼모적 시대 상황이었음에 비추어 그가 프로문학에 경사될 수밖에 없었음은 당연한 일이라 할 것이다. 그러나 그는 경성법전 출신의 엘리트로서 기질적인 면에서는 도시적 자유주의자의 면모를 지니고 있었고, 징후적으로는 계급의식에 물든 생래적 서정시인이었기 때문에 그러한 경색된 계급주의 문학에 깊이 빠져들기는 어려웠을 것[21]이 자명하다. 그러기에 그는 머리는 계급의식 쪽에 향해 있으면서도 가슴은 예술의식 쪽으로 기울어질 수밖에 없었다고 하겠다. 실상 그가 해방 후에 다시 프로 예맹에 적극 가담하고 마침내 북향하게 된 것도 이러한

---

21) 박팔양에 관한 유일한 평문인 「휴머니즘의 역사적 전개」에서 이청원은 "여수의 문학은 사회주의 이론에서 출발한 것이 아니라 사회주의이론이 그에게 접근해 온 것"이라고 주장한 바 있다. 이청원, 「휴머니즘의 역사적 전개」, 『문학사상』, 1988. 8.

투철하지 못했던 문학의식에 기인한 갈등과 방황의 한 결과일는지도 모른다.

그의 시는 계급의식을 강조하는 입장에서 볼 때 사상성이 약하고 실천적인 투쟁성이 부족한 것이 사실이라 하겠다. 그러나 그의 시는 「밤차」나 「너무도 슬픈 사실」, 「목숨」 등 그의 대표작들에서 볼 수 있듯이 사상성과 예술성의 탄력 있는 조화를 성취하고 있다는 점에서 오히려 바람직한 면모를 지닌 것으로 이해된다. 계급의식에 경도되어 예술성을 결여하고 있는 것도 문제이지만 예술성에 함몰되어 현실성을 사상해 버리는 것은 더욱 문제이기 때문이다. 결과적으로 그가 월북 후에 북한문단에서 살아남기 위해서 현실추수적인 행동과 작품을 보였다는 것은 아마도 그의 인간적, 예술적 본령과는 거리가 있는 것임에 확실하다. 앞에서 살펴본 것처럼 그의 문학은 사상성과 예술성을 탄력 있게 조화시켜 나아가려 하는 데서 그 본성과 우수성이 드러나는 것이기 때문이다. 실상 바로 이 점에서 새삼 분단이 남과 북에서 인간과 문학에 얼마나 불행한 영향을 끼쳤는가 하는 점을 확인할 수 있음은 물론이다. 그것은 바로 분단이란 이 땅에서의 삶과 문학에 있어서의 불구성과 파행성의 근본 동력으로 작용한다는 것을 의미한다(『한국문학』, 1989년 4월호).

동반자 프로시인, 김해강

1. 머리말

일제하의 폭압적인 상황을 '도살장'으로 비유하여 날카롭게 현실을 비판하던 시인 김해강(본명 김대준, 1903~1988), 그는 1920년대 카프 전성기에 우수한 프로시들을 다수 남겼음에도 불구하고 문학사적으로 실종상태를 벗어나지 못하고 있는 주요시인의 한 사람이다.[1]

그는 분단 후 남쪽 문단에서 1980년대 말까지 생존했던 최고 원로시인의 한 사람으로서 주목할 만한 1920년대 프로시인의 한 사람이었다. 그는 전주에서 출생하여 향리에서 소학교를 마치고는 고모부인 최린이 교장이던 서울 보성학교에 진학한다.[2] 그러나 3·1운동으로 인해 낙향하여 전주사범을 졸업하고, 1923년부터 진안국교교사를 시발로 하여 전주고교 등, 작고하기까지 전북 도내의 초중고교 교원으로 평생을 보냈다. 그의 문단 등장은 1925년 『조선문단』에 「달나라」, 「흙」이 입선하여 시작되었으며, 1926년 『동아일보』

---

1) 김팔봉에 따르면 그는 카프의 동반자적 경향시인으로 분류된다. 「조선문학의 현재의 수준」, 『신동아』27호, 1934. 1.
2) 이하 연보는 전주의 문예동인지『표현』특집「김해강 시인 인간과 시세계」, 1986 참조.

신춘문예에 박아지 등과 공동당선하면서 본격화한다. 그의 문단 활동은 당시 『조선일보』 학예부장이던 동향 출신 프로파 소설가 이익상의 영향과 도움을 많이 받으면서 전개된 것으로 보인다. 그가 카프에 가입한 것3)이나 조선일보에 경향시를 집중적으로 발표할 수 있었던 것이 바로 이익상의 도움에서 비롯된 것이기 때문이다. 그는 1930년대 초까지 프로시를 집중적으로 발표하였으나, 친구 김남인의 도움으로 전주에서 1935년 『시건설』을 간행할 무렵부터는 서정시를 주로 쓰게 된다. 1940년 김남인과 2인 시집 『청색마』(명성출판사)를 간행했으며, 일제 말기에는 친일시를 몇 편 발표했던 것으로 기록되어 있다.4)

분단 후에도 그는 계속 전주에서 틈틈이 시작을 발표하면서 1968년에 정년 퇴임기념 시집 『동방서곡』(교육평론사, 1968) 및 『기도하는 마음으로』(전주합동인쇄소, 1984)를 발간한 바 있다. 그는 남쪽 문단에서 최근까지 생존했던 고참 원로시인이면서도 비교적 중앙문단으로부터 소외된 채로, 오랜 가난과 불우 속에서 생활하다가 쓸쓸하게 작고한 프로파 실종시인5)이라 할 수 있는 것이다.

2. 죽음과 수탈의 현실 상징

김해강의 프로시들에서 두드러지게 나타나는 특징 중의 하나는 날카로운 현실비판이 제기되면서도 그것이 상징성을 지니고 있다는 점이다. '일제에 대한 불기둥처럼 솟는 분노와 피압박민족만이 갖는 울분'6)을 노래하면서도 예

---

3) 김팔봉, 「카프문학─측면으로 본 문단측면사·1」, 『김팔봉전집·Ⅱ』, 문학과지성사, 1988, 314쪽; 경봉산인, 「조선프로예술운동소사)」, 『예술운동』 창간호, 1945; 조연서, 『한국현대문학사』, 성문각, 1969, 303쪽.
4) 임종국, 『친일문학론』, 평화출판사, 1966, 473쪽.
5) 그에 관한 본격적인 논문은 별반 찾아볼 수 없는 실정이다.

술성을 획득하려고 노력하고 있는 점에서 그의 시는 시적 탄력성이 드러난다.

① 나는보앗지요
　죽엄을향(向)하야도수장(屠獸場)으로
　끌려가는소들을!

　엇던놈은
　제가죽으려가는줄을
　미리알엇는지
　'엄마~'를연호(連呼)합디다
　비오(悲鳴)의그소리로!

　낙원(樂園)에차저가는드시
　발을가볍게떼여노흐며
　줄줄따러가는
　순량(順良)한놈도잇습니다

　그러나그러나
　비오(悲鳴)하든놈도
　순량(順良)하게따라가든놈도
　마츰내는
　모질고무지한도끼등에마저
　무참(無慘)히도쓰러져죽고맙디다

　아! 무지(無智)한무리들이여!
　힘업는약자(弱者)들이여!
　죽엄이박두(迫頭)함을비오(悲鳴)하는가?
　천민(天民)의마음을복종(服從)하는가?
　아! 때로깃밟히고시달리는

6) 김해강, 「나의 문학 60년」, 『표현』 11호, 1986.

그대들의 '생'을보고나는운다

이땅! 이땅은벌서
모진가시손이뻐더잇거니
버티고슬힘조차업서진
아! 고달픈생령(生靈)들이여!
그래도뜨거운염통에는
붉은피가뛰고잇나니
염통에불을질러
가시손이뻐더잇는이땅!
이도수장(屠獸場)을불살으라
태워버려라이도수장(屠獸場)을!

오! 그곳그때에야
시들든녀들은다시
활기(活氣)에날개를떨며춤출것이며
비로소광명(光明)한새생로(生路)가
열려잇스리라
두활개를크게펼치고!

— 「도수장(屠獸場)」[7]

② 어두어가는석양(夕陽)에
거미는쉬지안코
여기저기 줄을느려놋는다.

오! 제의생명(生命)을연장(延長)하라는
악착한녀의 계책(計策)이여!
약(弱)한벌레의생명(生命)을빼아서
너의생명(生命)을이으려는악마(惡魔)여!

7)『조선일보』, 1926. 1. 22.

독충(毒蟲)이여!
언제까지너는
그잔인성(殘忍性)을 소유(所有)하려느냐?

오! 강압(强壓)에눌리고
포악에몰리는약자(弱者)들이여!
배가주리고피가마른
비틀거리는너의다리로
오! 그갈곳이어데이냐?

여기저기벌려잇는
강자(强者)의지주강(蜘蛛綱)!
나는목매여운다
거기걸려죽은원혼(怨魂)이여!
거기걸려죽은신음(呻吟)하는자(者)여!
또버서나려고헐덕어리는자(者)!
오! 너희들은 다──가티
불상한약자(弱者)들의신세(身勢)로고나!

듯거라!나는부르짓는다
남의생명(生命)을앗는모이(餌)를면(免)하랴거든
맘과맘을한아로합치거라
단단히붓잡어맬기둥(柱)을세우라

오! 그러면너들의혼(魂)들은
다시살어
예리(銳利)한 칼날도!?
뜨거운화염(火焰)도되여
너희들의혼(魂)을얽어맨
괴악한지주(蜘蛛)의 강(綱)을
단번에끈을수도잇스리라

소멸(消滅)을식힐수도잇스리라

지주강(蜘蛛綱)에걸려든잠자리!
다시대기(大氣)를호흡(呼吸)하며
대공(大空)을날게될때
오! 그깃붐이엇더하리!

— 「지주강(知蛛綱)」8)

김해강의 시에는 당대 현실을 불모의 상황으로 파악하는 부정적 현실인식이 짙게 깔린 것이 특징이다. 인용시에는 이러한 불모의 현실인식이 잘 드러나 있다.

먼저 시 ①에서는 당대 현실이 하나의 '도수장'으로 표상되어 있어서 관심을 끈다. 당대 조선의 절망적 상황이 소를 잡는 도살장의 모습으로 묘사된 것이다. 여기에서 민족의 모습은 "죽엄을향하야도수장으로/끌려가는 소들"로 나타난다. 그리고 침탈자로서 일제의 모습은 '모질고 무서운 도끼'와 같이 포악한 도살자로 표상된다. 실상 이러한 대립적인 세계인식 속에는 일제의 조선강점과 무자비한 폭압 및 수탈에 대한 분노와 적개심이 담겨 있음이 분명하다. 그것은 '무지하고 힘없는 자'로서 당대 조선 민중의 처참한 현실인식으로부터 연유한다고 할 것이다. '모질고 무서운 도끼등에 맞아 무참히 쓰러져 죽고마는' 우매한 모습의 소들로서 비유하여 민족운명에 대한 비탄과 함께 일제강점자들에 대한 울분을 표출하는 것이다. 바로 여기에서 "이땅! 이땅은 벌서/모진가시손이뻐더잇거니"와 같이 절망적인 현실인식이 제시되며, 아울러 "그래도뜨거운염통에는붉은피가뛰고잇나니"라고 하는 저항의지가 드러나게 된다. "가시손이뻐더잇는이땅!/이도수장을불살으라/태워버려라이도수장을!"이라는 구절 속에는 도살장으로서의 당대 현실에 대한 뜨거운 적개심

---

8)『조선일보』, 1926. 2. 11.

과 저항의식이 담겨 있다고 하겠다. 따라서 이러한 저항의식과 현실에 대한 능동적인 타개 의지가 "오! 그곳그때에야/시들든녁들은다시/활기에날개를 떨며춤출것이며/비로소광명한새생로가/열려잇스리라/두활개를 크게 펼치고!"처럼 낙관적인 전망을 열어가게 되는 것이다. 이렇게 보면 이 시는 당대의 비참한 상황을 '도수장'과 같이 극한 상황 또는 불모의 죽음 상황으로 인식하면서 그에 대한 저항과 타개의지를 형상화했다는 점에서 의미가 드러난다고 하겠다.

시 ②는 일제의 억압과 수탈을 '지주망', 즉 거미와 거미줄로 묘사하여 관심을 끈다. 온갖 무자비한 수탈구조와 감시체계로 뒤덮여 있던 폭압하의 당대 현실이 "여기저기벌려잇는/강자의지주강"으로 제시되어 있는 것이다. 그러기에 일제는 "약한벌레의생명을빼아서/너의생명을이으려는 악마여!/독충이여!"처럼 '악마', 또는 '독충'으로 비유된다. 아울러 당대 조선민중은 "강압에눌리고/포악에몰리는약자들이여!/배가주리고피가마른/비틀거리는" 모습으로 파악되는 것이다. 실상 이러한 수탈과 포악, 억압과 감시에 시달리던 당대 상황은 '3·1운동 이전인 1918년 무단통치기에 경찰관서가 751개소였으나 소위 문화정치기인 1920년에는 2,716개소로 무려 3배 이상 불어난[9] 사실 하나만으로도 단적인 예증이 된다고 하겠다. 이 무렵에는 경찰 인원만 하더라도 약 1만 8천 4백여 명에 달했으며, 1군 1경찰서 1면 1주재소 제도가 확립되고 특고형사와 사복형사 및 밀정들에 의한 감시망이 전 국토에 거미줄처럼 깔리게 된 것이다. 또한 토지조사사업에 따른 농지약탈과 농산물수탈, 그리고 '조선광업령'에 따른 자원약탈 및 인권유린 등 각양 각종의 식민지수탈체제가 삼천리 방방곡곡을 짓누르게 됨으로써 이 땅은 일본의 식량 및 자원공급지로 전락하고 만 것이다. 그러므로 이러한 일제의 수탈체제 및 감시구조 아래서 이 땅의 민중들은 "여기저기벌려잇는/강자의지주망!?/거기걸려죽은

---

9) 강만길, 「식민통치의 실상」, 『한국현대사』, 창작과비평사, 1984, 26쪽.

원혼이여!/방금걸려신음하는자여/또 버서나려고헐떡어리는자"의 모습일 수밖에 없다. 그만큼 수탈자 일제의 잔인성에 대한 분노와 함께 저항의식이 담겨 있는 것이다. 그러기에 "예리한칼날도!?/뜨거운 화염도 되여/너희들의혼을얽어맨/괴악한지주의 망을/단번에끈을수도잇스리라"처럼 착취되어 수탈의 거미줄을 끊어버리려고 하는 열망이 표출된다. 그렇게 본다면 이 시는 일제의 강점 및 수탈체제와 그 속에서 시달리는 조선 민중의 모습을 거미줄, 거미와 그에 걸려든 벌레, 잠자리로 묘파한 점에서 형상적인 우수성을 지닌다고 하겠다.

이 두 편의 시들이 일제강점하의 당대 현실을 '도수장'으로 파악하고 그 수탈과 감시체제를 '지주망', 즉 거미줄로 비유한 것은 개성적인 일이 아닐 수 없다. 여기에는 당대 식민지현실의 열악한 상황에 대한 날카로운 비판의식과 함께 그 타개의지가 적절하게 예술적 표현성을 획득하고 있는 것으로 판단되기 때문이다. 이 무렵 카프파 시가 지니고 있던 일반적 결점이라 할 거친 표현과 전투적 생경성에 비추어 볼 때[10] 이 시들은 비교적 치열한 현실인식을 지니고 있으면서도 그것이 예리한 상징성을 확보함으로써 시적인 성공을 거둔 점에서 의미가 드러나는 것이다.

3. 빈궁문학 또는 프로적 세계관

김해강의 프로시에서 일관되게 나타나고 있는 주제 중의 하나는 궁핍한 생활상이다. 그의 시에는 노동력을 팔지 않고서는 살아갈 수 없는 빈한한 계층

---

10) 이 점에서 김해강의 시는 같은 '전주시회'의 멤버이며 당대 프로시단에서 맹렬파에 속했던 김창술의 시와 좋은 비교가 된다고 하겠다. 『한국문학』(2월호, 1989) 참조. 그런데 윤기정은 김해강의 시가 계급의식에 투철하지 못하다는 점에서 김창술의 시보다 뒤떨어진다고 주장한 바 있다. 「1927년 문단의 총결산」, 『조선지광』 75호, 1928. 1, 105쪽.

의 사람들과 삶의 모습이 리얼하게 제시되고 있으며, 이 점에서 계급의식의
성향을 분출하게 된다.

> 침끗가튼 바람이 새여들어
> 추워잘수업다고
> 추위타는 나의안해는
> 날거빠진 신문지쪽을오려
> 다떨어진 문구멍을
> 언손으로 바릅니다.
> 젓안나면 어린 것이
> 배곱하 보챈다고
> 두어덩이 찬비지를
> 어더다가끄립니다.
>
> 날은저물어 바람은찬데
> 버리도못하고 들어와서
> "사는자미가 무어냐?"고 성을내면
> "뒷날에 즐거움이 도라오지요
> 이애보시오 압바라고 빙긋거리요"
> 안해는 이러케 말을하며
> 피리한얼골에 우슴짓고
> 아이를 더듬어 얼웁니다
>
> 그러면 나는 힘을어더
> 다시 버리를 나가지요
>
> — 「빈처(貧妻)」[11]

> 살을에이는듯한바람은

---

11) 『조선일보』, 1926. 12. 26.

도시(都市)의 밤거리에헤매이는
불상한무리를위협하는데
서편한울에기우러진
이지러진겨울달은
눈물을먹음은듯
찬빗은 떠는령우에
고요히 흐르고잇서라

거리의한모퉁이 약한숫불에
어린군밤장사의떨리는 가는목소리―
골목골목에도라다니는
만두장사의웨치는소리―
오! 목숨의착함이여!

늙은어머니 어린동생은
친구들에 주림을안고
떨고잇나니 이제나저제나기다리며―

바람찬거리우를걷는
안마장이의쇠피리소리―
두터운벽돌담밑에 쪼구리고안저
「추어라」! 덜덜떠는 거지의울음소리―
아! 얼마나 구슬픈소리이냐?
겨울달아래 도시(都市)의모양은
저쓸쓸한묘지(墓地)보다더하여라

오! 겨울밤도시(都市)의 참혹한광경(光景)이여!
긴밤이다―새이도록
오즉흐르는찬달빗알에
고닯흔그싀흔소리만이
밤한울공기를 흔드러노흘뿐이로구나!

　　　　　　　　　　　― 「도시(都市)의 겨울달)[12]

김해강의 시에서 그 기저를 이루는 것은 가난의 문제라고 할 수 있다. 그의 시에는 가난과 추위 등 궁핍의 문제가 지속적으로 제시되고 있기 때문이다. 실상 1920년대 한국문학에 있어서 궁핍상을 다루고 있는 것은 비단 김해강 뿐이 아니다. 이러한 가난의 문제에 대한 인식은 1920년대의 문학 전반, 특히 프로문학 계열에서 작품세계의 공통분모를 이루고 있다.13) 그만큼 가난은 일부 친일군상들을 제외한 모든 조선 민중을 압박한 전반적인 사회현상으로 나타난 것이 사실이라 하겠다.

인용한 시에도 궁핍의 문제가 선명히 제기되어 있다. 먼저 「빈처」에서는 궁핍상이 가난과 추위로서 제시된다. 즉 '두어덩이 찬비지'로 표상되는 곤궁한 생활과 '침끗가튼 바람'이 상징하는 수난의 현실이 그것이다. 그런데도 생존을 위한 일거리나 벌이는 제대로 찾을 수 없는 실정이다. 이렇게 보면 여기에서 가난은 게으름이라든가 하는 개인적인 원인에서 비롯되는 것이라기보다도 일제강점과 수탈에 의한 사회경제적인 모순구조에 기인하는 것임을 알수 있다. 시 「도시의 겨울달」에서도 이러한 가난과 추위에 관한 인식이 선명히 드러나 있다. 이 시에는 「빈처」의 화자인 막노동자보다도 더 힘들게 살아가는 '어린 군밤장수/안마장이/거지'의 빈궁한 모습이 묘사되어 있어서 관심을 끈다. 그야말로 가난밖에는 가진 것이 없는 최하층 도시 빈민의 삶이 사실적으로 제시된 것이다. 여기에 등장하는 사람들은 특히 겨울밤에 삶의 고통스러운 실체가 선명하게 부각되는 소외계층이라 할 수 있다. 겨울밤 거리의한 모퉁이 약한 숯불에 떠는 어린 군밤장수 소년이며 만두장수, 쇠피리부는 봉사안 마장이, 덜덜 떠는 거지의 모습들이 바로 그것이다. 특히 '찬 구들에 주림을 안고 떨고 있는 늙은 어머니, 어린 동생'에 대한 부담까지 지고 있다는 점에서 어린 군밤장수 소년 가장의 삶은 곤궁의 한 절정이라고 할 것이다. 따

12)『조선일보』, 1926. 11. 28.
13) 이 시기의 소설에 관해서는 이재수, 「궁핍한 시대와 가난의 생태학」, 『한국현대소설사』, 홍성사, 1979 참조.

라서 이러한 빈궁한 삶, 소외계층의 민중들에게 "겨울달아래 도시의모양은/ 저쓸쓸한묘지보다도더할" 수밖에 없을 것이 분명하다. 도시의 '겨울달'은 바로 이들 소외계층의 빈궁한 삶의 모습을 비추어 주는 하나의 객관적 상관물이라 할 수 있기 때문이다. 그러므로 빈궁에 대한 인식은 계급적 관점으로 이행된다.

① 오늘은 '설'이란다 '설'이란다
　사람들은 새옷 새음식을 작만하여노코
　이날이 오기를 얼마나 기달렷던가

　그러나 주린자에겐 '설'도 업는가보다
　밤새도록 찬구들에 떨고난 몸엔
　아츰 끌일것이나 어데잇는가?

　병든안해는 찬구들에 누어잇고
　어린 것은 담밋 양지쪽에 쪽으리고안저
　햇ㅅ빗츨 밧고잇다 햇ㅅ빗츨 밧고잇다

　주림과추위에떠는 이몸에겐
　'설'이라고 차저와 세배할 사람은 누구이냐?
　차저가 세배를 들일곳도업지안혼가?

　"놈아 떨고잇서 무엇하느냐?
　산에 나가서 솔ㅅ방울이나주어다가
　너의어미 다숩게 불이나 피워주라"

　"나는 나가 거리로 일ㅅ거리나 차저보런다
　설이라고 남들은 즐거이들 쉬는데
　일거리나 잇슬가 십지도 안코나!"

오! 주린자에겐 '설'도 업다
'설'은 잇는자의 '설'
업는자에겐 돌이여 모진날이다
보라 어제저녁의 참혹한광경을
'설'이라고 옷가지나 전당하여온것을
그리고 애탄갈탄 한푼두푼 모하둔것을

저무서운빗장이령감이 와서
억지로빼아서가지 안햇느냐?
그때에 병든안해의 바르르떨든 파리한 얼굴……
오! 주린자에겐 '설'도업다
돌이어 이날은 모진날이다
거리로 나스려니 가슴은 더욱터지려는구나!

해ㅅ빗도 보기실타 해ㅅ빗도 보기 실타
터지려는 이가슴을 어이할거나
오! 이가슴이 터질때 그때그때……

오! 이땅에 '설'을 마지하야 우는자 얼마이냐?
터지려는 가슴을안고 거리로나오라
그리하야 주린자의 명절날을 하나 지여노차
'설'을마지며 우는동무에게

　　　　　　　　　　　　— 「주린자(者)의 '설'노래」[14]

② 땡, 땡, 땡, 땡, 땡……
　안식일(安息日)의종(鍾)소리는 울려온다
　새벽의공기를 고요히 울리며
　땡, 땡 종(鍾)소리는 울려온다

---

14) 『조선일보』, 1927. 3. 16.

그러나 종(鍾)소리는 나에게 안식(安息)을 주는가?
찬밥을 싸가지고 공장(工場)을 향하는 자(者)!
몬지가 자욱한 어둠침침한 공장(工場)속에 무처
기계(機械)를 돌릴 나에겐 종(鍾)소리도 거짓이다

기름무든 웃자락에 기계와 싸우지 안흐면
나에겐 빵이 돌아오지안는다. 배는곱흐다.
"이날은 하나님이 주신날이니 편히 쉬이라"
그러나 일을 안하면 굶게되나니 하나님말슴도 거짓이다

고ㅅ간이 가득한 그네들은 큰소리한다
하나님말슴은 진리(眞理)라고
그러나 배곱흔자에겐 미들수업는 말—
하나님말을 전하는자는 우리를 꼬이는 마법사(魔法師)이다

핑핑돌아가는기계ㅅ소리
땡땡땡울리는종(鍾)소리
보다 어느소리가 참이냐?
쿵컹뚝딱 쿵컹쿵컹뚝딱딱
땡땡땡땡땡땡땡

높히소슨 검정굴뚝을 툭! 부러뜨리고
김나는 붉은몸둥이 그리고 쏘다져 튀어나올때
그리하야 아우성치며 ××의길로 내다를때
오! 울리라 뚜다려라 그때 그때에~

— 「직공(職工)의 노래15)

인용한 이 두 편의 시에는 김해강의 세계인식의 태도가 잘 드러나 있다. 그
것은 빈궁과 노동을 가치 축으로 하는 계급의식의 한 반영이라고 하겠다. 이

15)『조선일보』, 1927. 2. 6.

들 시에서 가난은 삶의 한 보편적 양상으로 받아들여지고 있는 것이 아니라 일제의 구조적인 식민 착취에서 비롯되는 계급적 소외현상으로서 파악되고 있다. 다시 말해서 압박받고 착취당하는 당대 조선의 노동계급의 빈궁한 생활을 다루면서 그에 대한 해방의식을 드러내고 있다고 하겠다.

먼저 시 ①은 제목에서부터 이러한 계급적 색채가 선명히 드러난다. "주린 자의 설노래"라는 제목은 세계인식의 기본 태도가 대립적인 관점에 기초하고 있음을 잘 말해준다. 주린 자, 못 가진 자에게 있어서 그 궁핍상이 가장 첨예하게 드러나는 것은 바로 명절 때이기 때문이다. "그러나 주린자에겐 '설'도 업는가보다/밤새도록 친구들에 떨고난 몸엔/아츰 끌일 것이나 어데 잇는가?"라는 구절 속에는 빈궁 속에서 맞이하는 명절이 더욱 고통스러운 것으로서 다가옴을 제시하는 뜻이 담겨져 있다. 이처럼 모든 사람이 즐겁게 맞이하고 보내야 할 설날이 이 궁핍한 가족에게는 오히려 쓰라린 아픔으로 다가오는 것이다. 병든 아내와 어린 자식에게는 오직 주림과 추위가 설빔일 뿐이라 하겠다. 그러기에 시의 화자는 어린 아들에게 산에 가서 솔방울이나 주워오라고 하면서 자신도 일거리를 찾아 나서려고 하는 것이다. 바로 이 지점에서 계급의식이 분출하게 된다. "오! 주린 자에겐 '설'도 업다/'설'은 잇는자의 '설'/업는 자에겐 돌이여 모진날이다"라고 하는 대립적인 세계인식이 바로 그것이다. 있는 자로서의 지배계급 또는 착취계급과 빼앗긴 자로서의 억압받는 소외계급이 서로 대립하는 것이다. 실상 이들 가족이 이처럼 더욱 곤궁한 설을 쇠게 될 수밖에 없었던 것은 바로 가진 자의 착취 때문이었다고 하겠다. "'설'이라고 옷가지나 전당하여온것을/그리고 애탄갈탄 한푼두푼 모하둔것을/저무서운빗장이령감이 와서/억지로빼아서가지 안햇느냐?/그때에 병든안해의 바르르떨든 파리한 얼굴……"에서 볼 수 있듯이 가진 자로서 빚쟁이 영감의 수탈이 바로 이들로 하여금 더욱 고통스러운 설날을 맞게 한 보다 직접적인 원인이 되었기 때문이다. 그러기에 가진 자로서의 부르주아 세계에 대한 증오 또는 적대감이 분출하게 된다. "해ㅅ빗도 보기실타 해ㅅ빗도 보기실타/터지려는 이가슴을 어이할거나/오! 이 가슴이 터질때 그때 그때……"와 같이 착취제도와 착취계급에 대한 증오와 적대감이 드러나는 것이다. 그러기에 이 시는 "오! 이땅에 '설'을 마지하야 우는자 얼마이냐?/터지려는 가슴을안고 거리로나오라/그리하야 주린자의 명절날을 하나 지여노차/'설'을 마지며우는동무에게"라는 결구처럼 계급의식이 선명히 자리 잡게 되는 것이다. 일제강점하의 고통스럽고 빈궁한 현실 속에서 압박받는 근로계급으로서 시의 화자는 그의 생활을 억압하고 유린하는 착취제도와 착취계급을 증오하면서 새로운 사회제도를 만들어나가고 싶다는 사상과 감정, 즉 계급의식[16]을 확보하게 되는 것이다. 그렇지만 이 시에서 계급의식은 제국주의와 착취계급, 지주, 자본가계급에 대한 불타는 증오심과 비타협적인 투쟁정신으로 일관하는 치열한 계급혁명단계까지 발전하고 있지는 않은 것이 특징이다.

시 ②에서 계급의식은 더욱 선명하게 표출된다. 이 시에서 시의 화자는 공장노동자이다. 그는 "찬밥을 싸가지고 공장을 향하는 자!/몬지가 자옥한 어둠침침한 공장속에 무쳐/기계를 돌릴 나"이다. 그를 둘러싼 근로 환경은 열악하기 짝이 없으며, 임금 또한 최저생계비에도 미치지 못하는 수준이었다.[17] 아울러 그의 생활은 "그러나 일을 안하면 굼게되나니 하나님말슴도 거짓이다"라는 구절처럼 그나마도 하루라도 일을 하지 않게 되면 전혀 보장이 없는 비참한 실정인 것이다. 바로 여기에서 계급의식이 발생한다. "고ㅅ간이 가득한 그네들은 큰소리한다/하나님 말슴은 진리라고/그러나 배곱흔자에겐 미들수업는말"이라는 구절이 바로 그것이다. 반부르주아적인 프롤레타리아트 계급의식이 발현되고 있다고 하겠다. 이러한 대립적인 계급의식은 "핑핑핑 돌아가는 기계소리"와 "땡땡땡울리는종소리"의 대조 속에 선명히 반영된 것으로

---

16) 북한 사회과학원 철학연구소 편, 『철학사전』, 도서출판 힘.
17) 이러한 근로자 빈민들의 비참한 생활상은 강만길의 『일제시대빈민생활사연구』, 창작사, 1987에서 자세히 다루었다.

풀이된다. 그러므로 결구에서 투쟁적인 계급의식이 표출된다. "놉히소슨 검정굴뚝을 뚝! 부러뜨리고/감나는 붉은몸둥이 그리고 쏘다져 튀어나올때/그리하야 아우성치며 ××의 길로 내다를때/오! 울리라 뚜다려라 그때 그때에~"라는 구절이 그것이다. 이 부분에서는 전투적인 프로시들이 지니고 있는 일반적인 전형성을 그대로 보여주고 있다고 하겠다. 이처럼 이「직공의 노래」는 노동자의 시점에서 부정과 저항으로서의 프롤레타리아 세계관을 드러내고 있는 것이다.

이렇게 본다면 김해강의 일련의 시들은 프로문학적 세계관에 입각하여 계급해방과 사회개조를 주창하고 있는 프로 시의 한 전형을 보여 준 것으로 이해된다.

4. 봉건비판과 사회개조의지

김해강의 시에는 반계급 민중해방의식과 함께 반봉건 사회해방의식도 표출되고 있어서 관심을 끈다. 그의 시에는 낡은 시대의 봉건잔재를 일소하고, 사회개조를 이루고자 하는 열망이 용광로의 상징으로 형상화되고 있는 것이다.

1
풀이 무성한 청기와ㅅ장우엔 나는새가 깃을들이고
단청(丹靑)이 가시어가는 아름드리기둥미텐
좀이 긁어먹은가루가 다북히 싸히지안햇나?
―집은다―기울어가거늘
―집은다―기울어가거늘
귀돗치고 탕건쓴 천년(千年)묵은 구렁이는
그래도 넷껍질만 쓰고안저
밤나무 둥걸만 끌어안ㅅ고 잇고나

2

썩어버린 조상의 뼉다구를 팔어
때낀망건에 옥(玉)관자를 부치면 무슨영광(榮光)이냐?
땅에무친 질그릇조각을 차저내며
몬지가 길로안즌 책장을 뒤적인들
쫓기는 막단골목에 자랑될것이 무엇일것이냐?

3

차라리복덕방(福德房)도령님이 될지언정—
너무나노(櫓)를 거슬러 저어올라가기에
피는말러 신경(神經)은 구더짐이냐?
동자(瞳子)에착각(錯覺)이 생겨
둥근것은 모나게봄이냐?
오— 빗두러짐도분수(分數)가잇지
귀먹은사괄(四八)눈들이여!

4

비틀거리는 걸음에
뒤ㅅ걸음질을 칠것은 무엇인가?
눈은 압흐로 박혔나니
살ㅅ길은 압헤서 차즈라
구미호(九尾狐)의작란은
이날의 종로(鍾路)에서 벌서멀어젓나니
오! 거리로 뛰어나와
새벽바람을 마시라
그리고 땀내나는 묵어온 곰팡일랑
모조리 떨어 버려라

5

오! 이사람들아! 그대들은
지금 칼날을 밟고섯나니

기울어져가는 집일랑
쾌히 불살으라!
뚜드려부스라!
—벌서부터 용광로(鎔鑛爐)엔
붉은쇠ㅅ물이 끌코잇나니
—뚜다려
—부시어
용광로(鎔鑛爐)에 부서너흐라
오! 새벽ㅅ바람에
용광로(鎔鑛爐)의불ㅅ길은 더욱맹렬(猛烈)하여진다.

6
바위인들 안녹으랴?
물인들 끌 수 잇스랴?
용광로(鎔鑛爐)에 이는 불ㅅ길은
아모것도 두려워함이 업다
오! 이불ㅅ길은
새로운우주(宇宙)를창조(創造)할힘이다
— 날이여!
— 날의얼골이여!
— 마음이여!
썩 물러가라
휘돌으는 칼날은
털억까지도용납(容納)치안는다

— 「명확(銘擴)」[18]

　김해강 프로시의 또 한 가지 특징은 그의 시에 반봉건 혁신사상이 지속적
으로 작용하고 있다는 점이다. 그의 시에는 당대 사회에 남아있는 각양각색
의 봉건유제들에 대한 강력한 부정정신과 비판정신이 발현되고 있는 것이다.

---

18) 『조선일보』, 1927. 6. 2.

실상 일제강점하의 당대 현실은 여러 가지 면에서 봉건적인 모순과 부조리를 겪고 있었던 것이 사실이다. 봉건왕조체제에서 갑자기 식민지 사회로 떨어져버린 조선사회는 아직도 전제적이며 계급적이고 인습적인 제반 봉건적 성격을 지니고 있었다는 점에서 반봉건적 사회로 볼 수 있는 면이 없지 않다. 일제의 토지수탈정책이 강화되면서 지주적 토지소유와 봉건적 소작제, 지주에 의한 농민의 신분적 예속이라는 전근대적 봉건성이 그대로 잔존하고 있었기 때문이다.

인용시 「용광로」에는 이러한 반봉건 비판의식과 함께 새로운 개조에의 의지가 힘차게 분출되고 있어서 주목을 환기한다. 이 시가 비판하고 있는 것은 이 땅의 각종 봉건적인 자취라 할 수 있다. "귀돗치고 탕건쓴 천년묵은 구렁이는/그래도 넷껍질만 쓰고 안저/밤나무 등걸만 끌어안ㅅ고 잇고나//썩어버린 조상의 뼉다구를 팔어/때낀망건에 옥관자를 부치면 무슨영광이냐?"라고 하는 구절이 그 단적인 예가 된다. 낡은 것, 흘러간 옛날의 자취에만 연연하여 올바로 현실을 직시하지 못하고 있는 봉건적인 삶의 태도에 대한 전면적인 부정을 퍼붓고 있다. "비틀거리는 걸음에/뒤ㅅ걸음질을 칠것은 무엇인가?/눈은 압흐로 박혔나니/살ㅅ길은 압해서 차즈라"라는 구절이 바로 그 내용이다. 그러기에 시의 화자는 "그리고 땀내나는 묵어온 곰팡일랑/모조리 떨어버려라//기울어져가는 집일랑/쾌히 불살으라!/뚜드려부스라!"라고 하는 현실타파의 사자후를 외치게 된다. 그것은 낡은 봉건유제들을 과감히 청산하고 새 세계를 창조해 가려는 능동적인 열정의 표출이다. 따라서 '용광로' 상징이 등장하게 된다. "―벌서부터 용광로엔/붉은 쇠ㅅ물이 끌코잇나니/―뚜다려/―부시어/용광로에 부서너흐라"와 같이 이 땅의 각종 봉건성을 타파하고자 하는 뜨거운 열망을 분출하고 있다. 이러한 용광로의 불길은 바로 "연기에 끄실린 굴둑속가티/갑갑증에 걸려 질식하려는/심장의고동이 약하여가는/오늘의조선/조선의 땅"(「조선의 거리」에서)19)을 온갖 외세의 침략과 반봉건성으로부터 벗어나게 해서 새로운 모습으로 거듭 태어나게 하고자 하는 "새로운 우주를 창조할 힘"의 상징인 것이다. 이렇게 본다면 이 시는 '용광로'의 상징을 통해서 민족의 거듭나기와 민중의 해방을 열망하는 뜻을 효과적으로 형상화하고 있다고 하겠다. 반제·반봉건 인간해방정신이 용광로의 불길로 형상화된 점에서 세계개조에의 의지를 선명히 제시한 것이다.

5. 노동사상의 의미

아울러 김해강의 시를 관류하고 있는 것은 자연에 대한 신뢰이며 노동에의 의지라고 할 수 있다. 그의 시는 인간이 발을 붙이고 살아가고 있는 현장으로서의 대자연과 현실 생활을 가능하게 해주는 힘으로서의 노동에 대한 지속적인 관심을 보여 준다.

> 아츰날!
> 한울엔아직도두어낫별이
> 조올고잇는일흔새벽에
> 팔것고 다리것고 억개에 광이메고
> 풀꿋헤잠자는이슬방울을차며
> 들로나가한손에광이를집고
> 놉흔언덕에가슴을헤치고서서
> 타오르는듯새벽놀이붉어오는
> 동녘한울향(向)하야
> 길게아츰날대기(大氣)를마실때
> 아!신선(新鮮)한기운에화끈거리는
> 나의얼굴
> 터지는듯상쾌한나의가슴

19)『조선일보』, 1926. 5. 30.

아름다운희망(希望)에타는
뭉클한나의두눈동자(童子)
아! 누가알랴! 누가알랴!
넘치는깃븜의형동(衡動)을
타오르는희망(希望)의불꽃을

가벼운몸에맨발로
기운차게버티고서서
첫광이를번쩍들어올릴때
그때그광이에빗나는태양(太陽)의금(金)빗
팍!하고흙덩이를깨뜨릴때
붉은얼골로부터굴러떠러지는
해담긴땀방울!
광이를들엇다노았다들었다할때
태양(太陽)의금(金)화살은내전신(全身)을쏘나니
오— 내붉은몸뚱이에서떠오르는뜨거운김—
내전신(全身)을고속도로다름박질하야콸콸도는피!
얼마나아름다우냐거룩하냐? 신성(神聖)하냐?
불덩어리가티뜨거운
흙투성이의몸둥이로
콸콸소사올르는샘물을차자
깨여진박쪼가리로갓득떠
한목음마시고나서
배를어루만지며
햇빗새롭게빗나는
아츰들을바라보면서
깊이또대기(大氣)를마실때
오!산속깁흔쪽에서
우러나오는산새의노래소리!
우수수나무닙을스치고
지나가는한떨기서늘한바람!

아! 대자연(大自然)의깃븜!

대자연(大自然)의노래!

누가아니아츰날대자연(大自然)을찬미(讚美)하랴!

아!나의거룩한아츰날깃븜이여!

나는아츰날의찬미자(讚美者)로다

— 「아츰날의 찬미자(讚美者)」[20]

　한편 김해강의 시에는 건강한 노동사상 또는 자연 예찬이 담겨져 있어 관심을 끈다. 그의 시가 기본적인 면에서 프로 문학적인 세계인식을 바탕으로 하고 있기 때문에 그의 시에 노동사상이 드러나리라는 것은 자명한 이치이다. 실상 그의 시 「아츰날」, 「첫여름」, 「첫여름의 들빗」등 수많은 작품에서는 이러한 노동에의 찬미와 자연의 생명력에 대한 찬탄이 드러나고 있음을 볼 수 있다. 노동이란 무엇인가? 그것은 사람들에게 있어서 자주적이며 창조적이고 의식적인 활동으로서 인간의 생존과 발전의 기본방식에 해당한다.[21] 사람들은 노동에 의하여 자연을 사람들의 지향과 요구대로 변모시키며 세계의 주인으로서 자신을 고양시킬 수 있게 된다. 노동은 사람들이 자연과 관계를 맺고 자연을 개조하고 변혁하는 수단이며 동시에 사회발전을 촉진시키는 중요한 수단인 것이다. 나아가서 노동은 인간과 사회를 개조시킬 수 있는 힘으로서 작용하기도 한다고 할 것이다. 이러한 노동의 가치와 의미를 소중하게 인식하고 실천적인 노동행위를 수행함으로써 자신의 삶을 향상시키고 자연을 변화시켜 나아가려는 생각을 우리는 노동사상이라고 불러볼 수도 있으리라. 그런 점에서 이 시 「아츰날의 찬미자」의 의미가 선명이 떠오른다. 이 시는 건강한 노동사상을 담고 있으면서도 신선한 표현 미학을 성취함으로써 바람직한 노동시의 한 가능성을 열어준 것으로 이해된다. 이 시가 강조하고

---

20) 『조선일보』, 1926. 8. 30.

21) 『철학사전』, 125~126쪽 참조.

있는 것은 노동행위의 신성함이며 대자연의 무한한 생명력이라고 할 수 있다. 모두 세 연으로 짜인 이 시는 먼저 첫 연에서 새벽별 빛나는 이른 아침에 괭이를 메고 일터로 나서는 건강한 농민의 모습이 신선하게 제시된다. '새벽별/풀/이슬방울/언덕/새벽놀/동녘하늘'과 그에 대조되는 '가슴/얼굴/눈동자/깃븜의 충동/희망의 불꽃', 즉 자연과 인간이 노동상징으로서의 괭이를 촉매로 하여 신선하게 연결된 것이다.

둘째 연에는 실제 노동하는 모습이 제시되어 있다. "가벼운몸에맨발로/기운차게버티고서서/첫광이를번쩍들어올릴때/그때그광이에빗나는태양의금빗"이 그것이다. 그런데 여기에서 특히 관심을 끄는 것은 노동행위가 '태양의 금빛'과 등가관계를 형성하고 있다는 점이다. 그것을 단순히 수사적 표현이라고만 볼 수는 없다. 노동행위는 '해빗담긴땀방울/뜨거운 김/콸콸도는 피'와 상징적 전이를 이루면서 마침내 "얼마나아름다우냐거룩하냐?신성하냐?"라는 구절처럼 아름답고 거룩한 신성성을 획득해 가고 있기 때문이다. 그러므로 노동행위는 지상에서 가장 소중하고 아름다운 가치 덕목으로 상승하게 되는 것이다.

따라서 셋째 연에서는 인간과 자연이 노동을 매개고리로 해서 하나로 합일되는 모습을 보여 준다. 비록 노동한 후의 모습은 "불덩어리가티뜨거운/흙투성이의몸동이"이지만, 그 노동의 보람을 통해서 대자연과 행복한 화해와 합일을 성취하게 되는 것이다. 대자연의 의미는 인간의 노동행위를 통해서 비로소 가치를 부여받게 된다는 노동사상이 확고하게 뿌리내리는 것이다. "아!대자연의깃븜!/대자연의노래!/아!나의거룩한아츰날깃븜이여"라는 결구는 바로 이러한 노동사상이 생명사상으로 고양되는 모습을 보여 준다고 하겠다. 바로 이 점에서 이 시의 의미가 선명히 드러난다. 그것은 노동하는 삶의 아름다움이며, 그 숭고함이라 할 수 있다. 무엇보다도 이 시는 투철한 노동사상이 아름다운 표현 미학을 획득함으로써 높은 사상예술성을 확보한 한 예가 된다는 점에서 당대 프로시의 또 다른 가능성을 시사해 준 것이라고 할 수 있다.

6. 예언적 지성, 해의 상상력

김해강의 시에는 초기시부터 후기시까지 '님'에 대한 그리움 또는 '새날'에 대한 동경이 일관되게 나타나고 있다. 그것은 물론 상징적인 면에서 민족의 독립이며 조국의 광복이라 할 것이다. 이러한 민족의식은 역사의 새아침을 맞으려는 미래지향성을 띠게 된다.

북을 울려라
둥 두리 둥둥둥……
북을 울려라
둥 두리 둥둥둥……

가슴과 가슴. 희망(希望)과 경륜(經綸)에 뛰는 우리 젊은이의 붉은
가슴.
팔과 팔. 부시고 세울 굵은 핏대 일어선 무쇠의 팔.

나아가라. 큰 발자욱으로 젓벅젓벅 땅을 굴으며
더운 모래우를 장창(長槍)들고 내닷는 아푸리카 검둥이 젊은 용사
(勇士)들처럼
소리쳐라. 동방(東方)이 터지는구나!
창날 바람에 휩쓸리는 잠묻는 꿈조각들.
밤은 멀리 숨을 죽이고 쫓겨가지 않느냐?

우렁차게 소리쳐라!
동방(東方)은 터진다!
한울을 찢어 탄생(誕生)하는 새날 아드님을 두손 벌려 받들기 위하야
행여 이 터에 군림(君臨)하올 새날 아드님을 아시울세라.

팔 겨뤄
발 맞춰
나아가라. 나아가라!
우렁찬 소리로. 우렁찬 소리로

눈동자(童子) 번개불 몇해를 쳤더냐?
우뢰를 삼킨 젊은 가슴 두근거리지 않느냐?

나아가는 앞길엔 거더채는 태산(泰山)도 한알 조약돌이라.
뫼뿌리 천만(千萬) 칼날이란들 거칠것이 무엇이랴?

팔 겨뤄
발 맞춰
나아가라. 나아가라. 것벅것벅……
우렁찬 소리로. 우렁찬 소리로. 찌르렁. 찌르렁……

울려라. 북을 쇠북을
동방(東方)이 갓가워 온다.
울려라. 북을, 쇠북을
동방(東方)이 갓가워 온다

— 「동방서곡(東方曙曲)」[22]

여보소들! 해는 한울 올으네.
둥실 둥실 둥실 둥실……
어— 젊은 가슴에도 해가 올으네.
둥실 둥실 둥실 둥실…….

바다는 춤추네, 금빛을 실고,

---

22) 『조선지광』 82호, 1929. 1. 이 작품은 시집 『동방서곡』(교육평론사, 1968)에 다시
   수록되었으나 크게 손질된 모습이다.

추울렁─출렁 추울렁─출렁……

어─ 내 젊은 가슴에도 금 물결 니─네 추울렁 ─출렁 추울렁─출

렁……

바다ㅅ바람에 아츰 해ㅅ발을 쪼각쪼각 번득이며, 돗대우에 놉히

매달린 깃발은 펄럭인다 퍼얼럭─펄럭 퍼얼럭─펄럭……

바다라도 육지(陸地)라도 드쉬려는 큰 숨 쉬는 젊은 가슴들에,

불덩어리 활활거린다, 해ㅅ덩어리 녹아구을른다.

오 젊은이를 그득 실은 배는 떠난다 육지(陸地)를 떠난다.

북소리─ 둥 둥 북소리─ 둥둥 배는 떠난다.

바다를 두 쪽에 내갈르며

새 날을 가져올 젊은이를 그득 실은 배는 떠난다.

육지(陸地)에 남은 수만흔 사람의 축복(祝福)하는 소리를 마시며,

물 붓는 얼골에 구리 북채를 들어 북을 둥둥 울리며 배는 떠난다.

─「출범(出帆)의 노래」23)

　김해강의 시 중에서 이 두 편은 상징적인 의미를 지니는 작품이라 할 수 있다. 주로 『조선일보』에 발표되던 그의 프로시들과 달리 이 작품들은 사회주의 진영의 기관지라고 할 수 있는 『조선지광』에 실려 있는 것부터가 시사적이다.24) 그리고 이들 작품을 한 전기로 해서 김해강의 시는 차츰 계급의식이 엷어지는 것이 특징이라고 할 것이다.25) 그렇지만 이들 시에는 김해강 시의 중요한 원형질이 담겨 있어서 관심을 끈다. 그것을 우리는 예언자적 지성 또는 해의 상상력이라고 불러볼 수도 있으리라.

　먼저 「동방서곡」에는 새날을 맞이하기 위해서 힘차게 나아가고자 하는 전

---

23) 『조선지광』 76호, 1928. 2. 이 작품도 수정되어 시집 『동방서곡』에 수록되어 있다.

24) 이 시기에 『조선지광』에는 주로 김대준이란 본명으로 작품을 발표하고 있는데 「대도상으로」 85호, 「귀로」 87호, 「폭치시대」 88호, 「광명을 캐는 무리」 89호 등이 그 주요작품이다.

25) 이 점은 이 시기 『조선지광』을 무대로 임화의 「네거리의 순이」(1929. 1) 「우리 옵바와 화로」(1929. 2) 「우산 받은 요꼬하마의 부두」(1929. 9) 등이 발표되는 사실과 무관치 않은 것으로 보인다.

진의 사상이 예언적 지성의 모습으로 고양되어 있다. 그것은 힘찬 북소리로 서 울려온다. 이 북소리는 '뛰는 젊은이의 붉은 가슴'과 '핏대일어선 무쇠의 팔'을 앞으로 나아가게 하는 힘의 자극제가 된다. 그러기에 저벅저벅 힘차게 땅을 구르며 새날을 열라고 소리칠 수 있게 되는 것이다. 어두운 밤을 몰아내고 동방이 터져 오는 것, 즉 역사의 새아침을 고대할 수 있게 되는 것이다. 따라서 이 시에는 현실타개의 능동적인 열정이 "팔겨뭐/발맞춰/나아가라. 나아가라/우렁찬 소리로. 우렁찬 소리로"와 같이 공동체 의식과 연결되어 힘찬 울림을 형성하게 된다. 바로 이 지점에서 "울려라, 북을 쇠북을/동방이 갓가워 온다/울려라, 북을 쇠북을/동방이 갓가워 온다"라고 하는 예언자적 미래전망을 획득하게 되는 것이다. 여기에서 '동방'이란 바로 해가 상징하는 새역사의 아침, 광복의 그날을 의미한다고 할 수 있으리라. 실상 이것은 그의 『동아일보』 데뷔작 「새날의 기원」에 담긴 시 세계의 자연스러운 연장일 수도 있을 것이다.

새 「출범의 노래」에는 이러한 새역사의 아침을 향해 나아가려는 힘찬 의지가 보다 구체적으로 표출되어 있다. 이 시에서도 북소리는 바닷물 출렁이는 소리와 어울려 힘찬 전진의 기상을 북돋워 준다. 또한 젊은 가슴은 희망과 전진의 표상이 된다. 무엇보다도 이 시의 핵심은 해와 바다, 그리고 배의 상징성에서 드러난다. 바다와 배는 무한한 힘과 전진의 상징으로서 미래지향성과 열림지향성을 표상한다. 특히 해는 김해강의 시에서 지속적으로 작용해 온 하나의 핵심 상징이라는 점에서 의미를 지닌다. 그것은 지상의 어둠과 악을 몰아내는 정의와 광명의 표상이면서, 동시에 지상의 모든 생명에게 목숨을 불어넣어 주는 생명력의 상징이라고 할 수 있다. 해가 '빛'과 '열'의 이미지를 동시에 포괄하고 있다는 점이 이를 반영한다. 실상 일제강점하의 당대 식민지 현실이란 밤의 세계가 아닐 수 없을 것이다. 따라서 밤과 어둠을 몰아내 준 '해'에 대한 갈망은 신앙적으로 작용하지 않을 수 없을 것이 자명하다. 해는 바로 밝음지향성의 표상이자 상승지향성의 상징이며, 역사의 새아침이 도래하는 것을 의미하기 때문이다. 그러므로 이 시는 역사의 새아침을 향해 힘차게 나아가고자 하는 '해의 상상력'의 시라고 할 수 있을 것이다. 이 두 편의 시는 이러한 예언자적 지성과 해의 상상력[26]을 구상화하고 있다는 점에서 뚜렷한 상징성을 지닌다고 하겠다. 이러한 밝고 힘찬 예언자적 지성과 해의 상상력은 일반적인 당대 프로시에서는 쉽게 발견하기 어려운 것이라는 점에서 소중한 의미가 드러나기 때문이다. 그의 시가 이후 1930년대 들어서서, 특히 1935년『시건설』을 주재하면서부터 서정시로 변모하는 단초[27]가 바로 이들 시편에서 발견된다고 하겠다.

7. 맺음말

이렇게 본다면 김해강의 프로시들은 일제강점하 이 땅의 궁핍한 상황을 날카롭게 묘파하면서도 예술성을 견지하고 있다는 점에서 1920년대 프로시의 시적 가능성을 열어주었다고 할 것이다. 물론 그의 시는 다분히 영탄적인 표현이나 웅변조의 사설에 떨어져서 시적 긴장과 탄력성을 결여한 경우도 없지 않았다. 그렇지만 1920년대 프로시에 국한해서 본다면 그의 시만큼 상징성과 표현 미학에 관심을 기울임으로써 시다운 시로서 자리한 프로시는 그리 많지 않았던 것이 사실이다. 그의 프로시는 계급적인 목적의식 일변도에 치우쳐서 생경하고 전투적인 구호시에 떨어져 있던 당대의 많은 프로시들과는 달리, 현실적인 응전력을 강하게 지니면서도 예술적인 형상성을 어느 정도 확보함으로써 당대 프로시가 예술성을 획득하는 데 이바지한 것으로, 판단된다.

---

26) 백철은 김해강의 시집『동방서곡』서문에서 "예언의 시인", "태양의 시인"이라고 간단히 언급한 바 있다.

27) 1931년 그는 전북 진안에서 전주 제2보통학교로 직장을 옮기면서 작품창작이 현격히 줄어들고 또 내용 또한 서정시로 변모하게 된다. 김해강,「나의 문학 60년」,『표현』11호, 1986 참조.

그렇지만 그의 시는 문학사적인 면이나 문단사에 있어서 실종상태에 놓여 온 것이 사실이다. 송영이나 김팔봉이 그의 이름을 기억하여 카프 맹원으로 명기해 놓은 것을 제외한다면, 문학사에서조차 그는 이상하리만큼 철저하게 소외되어 있는 실정이다. 그렇다면 앞에서 살펴본 것처럼 1920년대 프로 시단에서 의미 있는 작품들을 다수 창작하였음에도 불구하고 그가 실종상태에 놓이게 된 이유는 과연 무엇일까? 아마도 이 문제는 우리 문단의 잘못된 관습에도 기인하지만, 분단 이래 겪어온 이 땅 문학사 전개의 불구성과도 무관치 않을 것이 분명하다. 먼저 그의 시는 1920년대 프로 시단에서 급진적 과격성이나 전투성이 약화된 탓으로 인해 자연히 프로파 평론가들로부터 소외될 수밖에 없었던 사실에 연유한다. 그는 그 누구와 더불어 조직 활동을 열심히 하지 않았음은 물론이고, 지방에만 머물렀던 탓으로 중앙문단 또는 문단 핵심권과 항상 동떨어져 있을 수밖에 없었던 때문인 것으로 추측된다. 또한 분단 이래로 오랫동안 레드콤플렉스에 사로잡혀 있던 이 땅의 상황에서 그가 프로문학에 참여했던 사실 자체가 불온시 될 수밖에 없었던 사정[28]에도 기인한다고 할 것이다. 아울러 그 자신이 자기를 잘 내세우지 않는 소극적 생활 태도를 지녔던 사실도 작용했을 것이다. 무엇보다도 중앙문단 중심의 권위주의적·보수적인 문단풍토에서 그가 데뷔 이래 작고하기까지 줄곧 지방에서 생활함으로써 그가 지도적인 문단원로로서 중요하게 대접받기는 어려웠을 것이 분명하다. 이 점에서 그와 그의 시는 이 땅의 파행적인 역사 전개와 잘못된 문단풍토에 하나의 반성을 요구하는지도 모른다.

　비록 그의 생애는 불우 속에 사라져 갔지만 그가 남긴 문학은 우리에게 삶과 역사의 진실이 무엇이며, 문학과 문학사의 진실이 어떠한 것이고 또 어떠해야 하는가를 조용히 일깨워 준다는 점에서 소중한 의미를 지닌다고 하겠다 (『한국문학』, 1989년 5월호).

---

28) 이 점은 시인 자신이 시전집이라 할 『동방서곡』을 간행하면서 자신의 1920년대 프로시들을 거의 수록하지 않았던 사실로도 유추된다.

낭만파 프로시인, 임화

1. 머리말

일찍이 조선의 발렌티노라는 애칭으로 불리면서 1920년대 종로 네거리에서 누이동생 순이를 외쳐 부르던 시인 임화, 그리고 끝내는 1950년대 북한의 자강도 깊은 산골에서 "귀밑머리 땋기 수집어 얼굴 붉히던 딸 혜란"을 찾아 "너 어느 곳에 있느냐"고 목메다가 처형되어 사라져 간 풍운아 임화는 과연 지금 어디에 있는가?

시인 임화(본명 임인식, 필명 청로, 쌍수대인, 성아(星兒) 임다다, 임화, 김철우)(1908. 10. 19.~1953. 8. 6)는 일제강점하에서 뛰어난 프로시인의 한 사람이자 탁월한 비평가이면서 선구적인 문학사가로서 뚜렷한 자취를 남긴 인물이다. 동시에 그는 카프의 서기장으로서 이 땅 프로문학을 주도하였으며, 해방 후에는 문학운동가이자 문화 정치가로서 폭넓은 활동을 전개한 사람이다. 임화는 1908년 서울 가회동에서 태어나[1] 보성고보를 중퇴하고는 다다풍의 습작 시기를 거쳐 1920년대 후반부터 프로시인과 비평가로서 본격적인 문

---

1) 서대숙, 『김일성』, 청계연구소, 1989, 316쪽에는 강원도 출생, 서울 성장으로 기록되어 있음.

단 활동을 전개하여 1929년 가을 도일하여 수학하다가 1931년 귀국해서는 카프의 서기장을 역임하면서 이 땅의 프로문학운동을 실질적으로 주도하였다. 그러나 1935년 카프해산 무렵부터는 순문학 쪽으로 기울어서 시집 『현해탄』(동광당서점, 1938)과 비평집 『문학의 논리』(학예사, 1940)를 간행하고 『조선문학사』를 집필하는 등 문학의 길을 걷게 된다. 또한 이 무렵에는 출판사 '학예사'를 경영해 보고 영화관계 일을 하기도 하면서 친일단체인 조선문인보국회에 가담하기도 한다. 해방 후에는 '조선문학건설본부'(1945. 8. 18)를 만들어 그 서기장을 지내고 '조선문학가동맹'(1947. 4)에 참여하는 등 남로당 노선을 걸으며 문화운동을 전개한다. 그러다가 1946년 공산당이 불법화된 후 1947년 4월경 이른바 제2차 월북파로 입북하여, 북한에서 문화선전성 부장, 조·소문화협회 부위원장을 역임하고 6·25에 종군하다가 1953년 8월 6일 '미제 스파이' 혐의로 사형에 처해진 비극의 주인공이다.

분단 이래 임화에 대한 연구는 북에서도 남에서도 실종상태에 놓여 왔던 것이 사실이었다. 지도적 프로시인이자 비평가이고 카프의 중심인물이었음에도 불구하고 북에서 숙청당했기 때문에 북의 문학사에서도 완전히 제거되어버린 것이다. 그러던 것이 김윤식의 끈질긴 노력과 열성으로 1970년 『임화연구』가 이루어지면서 비평사적 관점에서 본격적인 연구작업[2]이 전개되었다. 그렇지만 시에 관해서는 김윤식의 부분적인 작업 이외에는 아직 이렇다 할 집중적인 탐구가 이루어지지 못하고 있는 실정이다. 그만큼 임화의 생애가 포괄적인 무게를 지님으로써 심리적인 중압감을 던져 주기 때문일 것[3]이

---

2) 김윤식은 그간 『한국근대문예비평사연구』, 일지사, 1973 이래 『현해탄과 품천역의 사상』, 한길사, 1984; 「임화를 위한 변론」, 『실천문학』 복간호, 1988; 「신문학사론 비판」, 『문학사상』, 1988. 8; 「임화와 박영희」·「임화와 이북만」, 『문학사상』, 1988. 10~12; 「임화와 김팔봉」, 『외국문학』, 1988 겨울; 「임화와 백철」, 『한국문학』, 1989. 3~5 등 임화에 관해 집중적인 연구를 진행해 왔다. 필자의 이 글은 김윤식의 여러 글에 특히 힘입은 바 크다.
3) 기타 『현해탄』 이외에 임화의 시집으로는 공동 시화집 『카프시인집』, 집단사, 1931;

다. 그러면 그의 시에 관해서 집중적으로 살펴보기로 한다.

2. '네거리', 방황과 퇴행의 공간

임화의 시에는 '네거리'라고 하는 상징적인 공간이 등장하여 관심을 끈다. 그것은 밀실이나 병실 등 폐쇄공간이 주류를 이루던 초기 시단의 분위기와는 달리 열린 공간으로서의 상징성을 지닌다는 점에서 관심을 환기한다.

> 네가 지금 간다면 어디를 간단말이냐
> 그러면 네 사랑하는 젊은 동모
> 너 내사랑하는 오즉한아뿐인 동생순이(順伊) 너의 사랑하는 그귀
> 중(貴重)한아이희—
> 근로(勤勞)하는 모—든여자(女子)의연인(戀人)……
> 그청년(靑年)인 용감(勇敢)한산아희가 어디서온단말이냐
>
> 눈바람찬 불상한도시(都市) 종로(鍾路)복판의순이(順伊)야
> 너와 나는 지내간 꽃피는봄에 사랑하는 한어머니를 눈물나는가난
> 속에서 여의엿지
> 그리하야 너는 이믓지못할 얼골하얀 옵바를염려하고 옵바는너를
> 근심하는 가난한그날속에서도. 순이(順伊)야— 너는 네 마음을 둘미
> 덤성잇는 이나라청년(靑年)을 가젓섯고
> 내 사랑하는 동모는……
> 청년(靑年)의연인(戀人) 근로(勤勞)하는여자(女子) 너를가젓섯다

『찬가』(백양당, 1947)와 재수록 선시집 『회상시집』(건설출판사, 1947)이 있다. 간략한 임화 시론으로 정재찬의 「시인, 임화론」, 『임화선집·1』(세계사, 1988)이 발견된다. 한편 분단 이전의 그에 대한 평가는 '눈물을 흘릴 정도로 좋은' 작품(김팔봉)이라는 극찬에서부터 '분장한 복건의 시인'(임긍재, 「임화론」, 백민 14호, 1948. 4)이라는 인신공격적인 야유에 이르기까지 많은 편차를 지니고 있었다.

그리하야—

찬눈보라가 유리창(窓)을 때리는 그날에도 기계(機械)소리에 지워지는 우리들의 참새 너의 콧노래와,

눈ㅅ길을 밟는 발소리와함께 가슴으로 기여드는 청년(靑年)과너의 귓속에서 우리들의 젊은날은 흘러갓스며

또 언밤이가난을울니는 그날에도

우리는 바람과갓치 거리에서만나 거리에서헤며

골목뒤에서 의론하고 공장(工場)에서 ××하는 그때가

그중 즐거운 젊은날의 행진(行進)이엇다.

그러나 이가장귀중(貴重)한 너 나의사이에서 한아 우리들 동모를 잡어간×은 누구며 그일은 웬일이냐

순이(順伊)야— 이것은……

너도잘알고 나도잘아는 멀정한 사실(事實)이아니냐

보아라— 어니 ×이 도××인가

이 눈물나는 가난한젊은날의가진 이불상한 즐거움을 노리는×하구

그 조그만 풍선(風船)보단딴 꿈을 안깨치려는간지런마음하구말하여보아라 이나라에 가득찬 고마운젊은이들아—

순이(順伊)야 누이야

근로(勤勞)하는청년(靑年) 용감(勇敢)한산아희의연인(戀人)아……

생각해보아라 오늘은 네귀중(貴重)한청년(靑年)인용감(勇敢)한산아희가

젊은날을 싸홈에보내든 그손으로

지금은 젊은피로 벽돌담에 달력(歷)을 그리겠구나

그리고 이 추운밤 가느다란 그다리가 피아노줄갓치떨니겠구나

또 이봐라 어서

이산아희도 네크다란웁바를……

남은것이라고는 때무든 넥타이 한아뿐이아니냐

오오 눈보라는 도라꾸처럼 길거리를 다라나는구나

자 좃타 바루 종로(鍾路)네거리가아니냐—

어서 너와나는 번개갓치 손을잡고 또다음일 계획(計劃)하러 또남
은동모와함께 거문골목으로 드러가자

네산아회를찾고 또근로(勤勞)하는 모든여자(女子)의연인(戀人)인
용감(勇敢)한청년(靑年)을차즈러……

그리하야 끄니지 안는 새롭은용의(用意)와 계획으로젊은날을 보내라
— 「네거리(街里)의 순이(順伊)」4)

임화는 1927년에 프롤레타리아 국제주의를 주창한 시「담, 1927」을 쓴 바
있었다. 아울러「지구와 박테리아」 등 다다이즘풍의5) 실험시를 창작하기도 하
였다. 그렇지만 임화의 프로시인으로서의 본모습은 바로 이「네거리의 순이」
에서 출발한다고 해도 과언이 아닐 정도로 이 작품은 주요한 의미를 지닌다. 이
작품은 실상 그의 프로시 중에서 거의 유일하게 시집『현해탄』에 재수록될 만
큼 임화 자신에게 있어서 비중을 차지하고 있음이 분명하다.6) 실제적인 면에
서 이 시의 한 핵심이라 할 수 있는 '네거리'의 이미지는 이후 1930년대의「다
시 네거리에서」(1935. 7)와 1940년대의「구월십이일」, 1945년「또다시 네거
리에서」(1945. 9)로 변주7)됨으로써 임화 시의 한 중요한 내면 공간 상징으로

---

4)『조선지광』82호, 1929. 1.
5) 이에 관해서는 "처녀작 5, 6년 전에 따데이즘에 열중하였슬 때 처음 자기로서 아름
   답다는 시를 쓰고 조와한일이 이섯스나 지금 생각하면 얼골이 벌게집니다"라는 임
   화 자신의 술회가 있다. 임화,「자화상」,『조선문학』2권 1호, 1934. 1.
6) 이 시는 원래『조선지광』에 발표될 당시는 9연 39행이었는데, 이보다 10년 후에 간
   행된 시집『현해탄』에는 7연 53행으로 개작되어 있다. 시의 행갈이를 고르게 하고,
   '공장', '행진', '싸홈', '피' 등의 프로시의 전형적인 끄리셰와 ××표시가 없어진 것이
   특징이다. 이것은 1935년 카프 해산 이후 시대적 분위기의 변화에 따른 임화 자신의
   시적 태도 변화에 기인한 결과라 하겠다.
7) 김윤식은 이 변모 과정에 관심을 갖고 간략히 살펴보았다. 여기에서 김윤식은「네거
   리의 순수」가 임화의 원점회귀단위라고 설명한다. 김윤식,「임화연구」,『한국근대
   문화사연구』, 일지사, 1976, 561쪽.

자리 잡게 된다. 따라서 이 네거리의 상징적 의미 변화는 그대로 임화의 현실인 식이 변모되는 과정을 엿볼 수 있게 하는 하나의 단서를 제공한다.

먼저 인용시를 살펴보면 이 시는 하나의 이야기를 내포하고 있다는 점에서 '이야기시'로서의 성격을 지닌다고 하겠다. 이 점에서 이 시는 크게 보면 서사시의 범주에 들 수도 있다.[8] 그렇지만 이 시는 일정한 성격을 지닌 인물이 실제로 등장하거나 일정한 질서를 지닌 사건이 구체적으로 전개되지는 않는다는 점에서 서사시라기보다는 이야기를 담은 서정시, 즉 이야기 시로 부르는 것이 온당하리라고 본다. 이 시에서 실제로 일어나는 사건 진행은 "오오 눈보라는 도라꾸처럼 길거리를 다라나는구나"라는 단 한 행뿐인 것이 그 한 예증이 된다.

이 시의 화자는 오빠로서 나타난다. 오빠가 종로 네거리에서 방황하고 있는 누이동생 순이에게 하소연하는[9] 내용인 것이다. 그리고 순이가 방황하는 까닭은 사랑하는 청년을 감옥으로 떠나보냈기 때문이다. 그러고 보면 이 시는 화자를 매개로 하여 누이동생과 청년이 겪고 있는 수난과 고통을 다루고 있음을 알 수 있다. 먼저 오빠는 "이밋지못할 얼골하얀 옵바"처럼 행동하지는 못하고 내적인 갈등만을 되풀이하면서 누이와 청년을 부르고 있을 뿐인 무기력한 모습으로 제시된다. 누이는 집에서 돌아가신 어머니를 대신하여 살림을 꾸려가면서도 공장에서 일하는 근로자이다. 그러면서 "눈바람찬 불상한도시 종로복판"에 서서 감옥에 있는 청년을 그리워하며 방황하는 여인이기도 하다. 한편 청년은 명시적으로 드러나 있지는 않지만, 공장에서 파업투쟁을 전개하다가 잡혀가서 "젊은날을 싸홈에보내든 그손으로/지금은 젊은피로 벽돌

---

8) Preminger ed., *Princeton Encyclopedia of Poetry &Poetics*, Princeton Univ. Press, 1974, 542쪽.
9) 이러한 독백과 하소연체는 이상화의 「나의 침실로」의 그것과 연관된다고 하겠다. 뒤에서 언급하겠지만 임화는 이상화의 시에서 많은 자극과 영향을 받았던 것으로 추측된다.

담에 달력을 그리겠구나"처럼 수형생활 중에 있는 근로자이다. 따라서 이 시에는 일련의 전개 모티브가 지속적으로 작용하고 있음을 알 수 있다. 그것은 가난과 노동, 투쟁과 사랑의 맞물림이라고 하겠다. 아울러 이별 또는 죽음이 그 매개고리로서 작용하고 있는 것이다. 그리고 그 배경은 눈보라 치는 겨울로 되어 있다. 따라서 전반적으로 비극적인 삶의 모습이 반영되어 있다는 점에서 계급심리를 기초로 하고 있음을 알 수 있다. 이 시의 이야기에 등장하는 세 사람은 모두가 가난한 사람으로서 근로하는 노동자라는 공통점을 지닌다. 그리고 화자와 순이는 오누이라는 가족관계로 이어지며, 화자와 청년은 친구, 청년과 순이는 연인관계로 이어짐으로써 일종의 욕망의 삼각 구조를 형성하고 있는 것으로 보인다. 이들 오누이가 노동할 수밖에 없는 까닭은 가난 때문이며, 그것은 원천적인 면에서 어머니마저도 여윈 고아상태에서 기인한다. 따라서 고아의식[10]이 이 시에 작용하고 있다고 할 수 있다. "너와 나는 지내간 꽃피는봄에 사랑하는 한어머니를 눈물나는가난속에서 여의엿지"라는 구절이 그에 해당한다. 그래서 공장에서 기계를 돌리며 근로하게 되고, 여기에서 감옥에 간 그 청년을 만나 함께 노동하는 동지가 된 것이다. 그리고 순이와 청년은 "눈길을 밟는 발소리와함께 가슴으로 기여드는 청년과너의귓속에서 우리들의 젊은날은 흘러갓스며"와 같이 일종의 연인관계를 맺고 있다.

그러나 여기에서 그 청년이 일제 관헌에게 잡혀가게 되는 불행이 일어난다. 그 피체의 원인은 다만 "골목뒤에서 의론하고 공장에서 ××하는 그때"와 "젊은날을 싸흠에보내든"이라는 구절 속에 암시되어 있다. 아마도 파업투쟁을 지칭하는 것이리라. 바로 여기에서 이 시의 한 핵심이 드러난다. 이른바 계급 심리가 분출되고 있는 것이다. "보아라— 어니×(놈: 인용자)이 도××(적놈: 인용자)인가/이 눈물나는 가난한젊은날의가진 이불상한 즐거움을 노리는

---

10) 임화의 이러한 '부모 없음'의 인식, 즉 고아의식은 조국 상실의식에서 기인하는 것으로 풀이된다. 그것은 만해와 소월에서 '집과 땅 없음', '님 잃음', 그리고 지용에서 '고향상실' 등과 조응된다고 하겠다.

×하구/그 조그만 풍선 보단딴(엷은: 인용자) 꿈을 안깨치려는간지런마음하구"라는 구절 속에는 계급적 지배와 예속 또는 사회적 불평등에 대한 분노와 저항이라는 공통된 지향성과 이해관계에 대한 자각이 담겨 있는 것이다. 특히 "보아라— 어느×이 도××(도적놈: 인용자)인가"라는 구절에는 자주적이며 창조적인 삶을 유린하는 착취제도와 착취자들에 대한 저항의식으로서의 계급의식이 반영되어 있다고 할 수 있다. 그렇지만 여기에서 주목할 것은 이러한 계급의식이 프로시로서 갖추어야 할 구체적 현장성이나 실천적 운동성을 갖추고 있지 못하다는 점에서 한계점을 지닌다는 점이다. 이 시에서 화자는 근로자로서 계급심리를 지니고 있는 것이 사실이지만, 그는 다만 '얼골하얀 옵바', 즉 무기력한 사나이에 불과하다. 실천적인 투쟁은 다만 감옥에 가있는 청년의 몫일 뿐이다. 화자와 청년과의 사이에 사고와 실천의 간극이 놓여 있는 것이다. 프로시에서 필요로 하는 이상과 실천의 변증법적 통일 또는 화자의 실천적 관계와 내용과의 통일[11]이 달성되고 있지 못한 것이다. 이 점에서 이 시는 계급 심리를 드러내고 있기는 하지만 이것이 확고한 계급의식으로 상승되어 있지는 못하다고 하겠다. 착취계급을 미워하고 그것을 때려부숨으로써 새사회를 건설하려는 계급의식[12]에는 크게 못 미치고 있기 때문이다. 화자는 다만 "자 좃타, 바루 종로네거리가아니냐—/어서 너와나는 번개갓치 손을잡고 또다음일 계획하러 또남은 동모와함께 거문골목으로드러가자"와 같이 내일을 예비하는 포즈를 취할 뿐이다. 이렇게 볼 때 이 시는 다만 계급의식 또는 투쟁의 징후만 드러나 있을 뿐 구체적인 현장성이나 실천적인 운동성이 거의 발견되지 않는다는 점에서 한계를 지니는 것이다. 특히 애정관계를 드러낸 것도 그것이 혁명적인 로맨티시즘으로 연결되지 않고 애상적인 분위기만을 돋군다는 점에서 투쟁성을 회석시킬 뿐이다. 투쟁과 연애라고

---

11) 킬포틴, 「창작방법의 확립을 위하여」, 『창작방법론』 문경사, 1949, 162~166쪽.
12) 『철학사전』, 도서출판힘, 1988, 41쪽.

하는 그럴듯한 결합 속에는 일종의 지식인적 감상주의 또는 허위의식이 엿보인다고 하겠다. '네거리'라고 하는 광장지향성, 또는 가투의 현장지향성에도 불구하고 오히려 "거문골목으로드러가자"라고 결구를 처리함으로써 폐쇄지향성 또는 현실도피적인 양상을 보여 준 것이다. '방황, 우울, 봄, 사랑' 등의 젊음의 분위기와 '근로, 공장, 투쟁, 감옥' 등과 같은 투쟁적 분위기를 결합하여 하나의 관념적, 징후적 프로시13)를 산출한 것이다. 다만 '네거리'라는 광장 지향성의 공간과 '골목'이라고 하는 미래지향의 공간을 예비하고 희망을 내포하고 있다는 점이 주목할 만하다고 하겠다.

한편 「다시 네거리」에서는 순이에게 초점이 맞추어져서 그 비극성이 강조된다. 그 네거리는 '붉고 푸른 예전 깃발' 대신에 '문명의 신식기계'가 분주히 돌아다니는 낯선 거리로 바뀌어 있다.

① 오오, 그리운 내 고향(故鄕)의 거리여! 여기는 종로(鍾路) 네거리
　나는 왔다, 멀리 낙산(駱山) 및 오막사리를 나와 오직 네가 네가
　보고싶은 마음에……
　넓은 길이여, 단정한 집들이여!
　높은 하늘 그밑을 오고가는 허구한 내 행인(行人)들이여!
　다 잘 있었는가?
　오, 나는 이 가슴 그득찬 반가움을 어찌 다 내토를 할가?
　나는 손을 들어 몇번을 인사했고 모든것에게 웃어보였다
　번화로운 네거리여! 내 고향(故鄕)의 종로(鍾路)여!
　웬일인가? 너는 죽었는가? 모르는 사람에게 팔녔는가?
　그렇지 않으면 다 잊었는가?

---

13) 이에 관해서는 "다만 흥분된 감정으로 ××를 노래하야보고 공장이나 신문의 3면에다 눈물을 쏘다본 적 박게 없었다. 불행히도 우리는 조희우에서 흥분하엿스며 머릿속에서 노동자를 만들고 철필을 쥐고 ××의 심리를 분석하였슬뿐이다"라고 하는 임화 자신의 신랄한 자기비판이 있다. 임화, 「일보 전진하라」, 『조선지광』 91호, 1930. 6.

나를! 일찌기 뛰는 가슴으로 너를 노래하던 사나이를

그리고 네 가슴이 메어지도록 이길을 흘러가던 청년(靑年)들의 거
센물결을

그때 내 불쌍한 순이(順伊)는 이곳에 엎더져 울었었다

그리운 거리여! 그뒤로는 누구하나 네위에서 청년(靑年)을 ××긴
원한에 울지도 않고

낯익은 행인(行人)은 하나도 지내지 않던가?

오늘 밤에도 예전같이 네 섬돌 뒤엔 인생(人生)의 비극(悲劇)이 잠
자겠지!

내일(來日) 그들은 네 바닥 위에 티끌을 주으며……

그리고 갈 곳도 일할 곳도 모르는 무거운 발들이

고개를 숙이고 타박타박 네 위를 걷겠지

그러나 너는 이제 모두를 잊고

단지 피로(疲勞)와 슬픔과 거먼 절망(絶望)만을 그들에게 안겨보내
지는 설마 않으리라

비록 잠잠하고 회미하나마 내일(來日)에의 커다란 노래를

그들은 가만히 듣고 멀리 문(門)밖으로 돌아가겠지

……<중략>……

원(願)컨대 거리여! 그들 모두에게 전(傳)하여다오!

잘 있거라! 고향(故鄕)의 거리여!

그리고 그들 청년(靑年)에게 은혜(恩惠)로우라

지금 돌아가 내 다시 일어나지를 못한채 죽어가도

불상한 도시(都市)! 종로(鍾路)네거리여! 사랑하는 내 순이(順伊)야

나는 뉘우침도 부탁(付託)도 아무것도 유언장(遺言狀) 위에 적지 않
으리라.

— 「다시 네거리」에서

② 조선근로자(朝鮮勤勞者)의

　위대(偉大)한 수령(首領)의 연설(演說)이

유행가(流行歌)처럼 흘러나오는
마이크를 높이 달고
부끄러운
나의 생애(生涯)의
쓰라린 기억(記憶)이
포석(鋪石)마다 널린
서울ㅅ거리는
비에 젖어

아득한 산(山)도
가차운 들창(窓)도
현기(眩氣)로워 바라볼 수 없는
종로(鍾路)ㅅ거리

저 사람의 이름 부르며
위대(偉大)한 수령(首領)의 만세(萬歲)를 부르며
개아미마냥
몽여드는
천만(千萬)의 사람

어데선가
외로이 죽은
나의 누이의 얼골
찬 옥방(獄房)에 숨지운
그리운 동무의 모습
모두 다 사라 오는 날

그밑에 전사(戰死)하리라
노래부르는 기(旗)ㅅ발
작구만 바라 보며

자랑도 재물(財物)도 없는
두 아이와
가난한 안해여

가을 비 차거운
길가에 노래처럼

죽는 생애(生涯)의
마지막을 그리워
눈물짓는
한사람을 위하여

원(願)컨대 용기(勇氣)이어라.
　　　　　　　─「구월십이일(九月十二日)또다시 네거리에서」

　이 두 편의 시는 1929년 「네거리의 순이」의 연장선상에 놓여진다. 먼저 시
①은 1930년대 중반의 종로 네거리 풍경이면서 동시에 시인의 내면 풍경을
반영한다. 1930년대 종로 네거리는 어느새 문명의 번화로움을 자랑하고 있
는 것이다. 그렇지만 이 네거리는 "번화로운 네거리여! 내고향의 종로여?/웬
일인가? 너는 죽었는가? 모르는 사람에게 팔녔는가?/그렇지 않으면 다 잊었
는가?/나를? 일찍이 뛰는 가슴으로 너를 노래하던 사나이를/그리고 네 가슴
이 메어지도록 이길을 흘러가던 청년들의 거센 물결을/그때 내 불쌍한 순이
는 이곳에 엎더져 울었었다"와 같이 젊은 날의 열기가 식어가는, 혹은 열정이
사라져 버린 상태가 되어 버린 것이다. 그곳은 삶의 현장, 치열할 가투의 현장
으로서의 네거리가 아니라 이미 잊혀 버린 추억의 장소에 불과할 뿐이다. 지
난날 청년을 빼앗긴 원한에 울며 방황하던 순이도 이미 어디론가 사라져 버
리고 말았다. 그리고는 "갈곳도 일할 곳도 모르는 무거운 발들이/고개를 숙이
고 타박타박 네 위를 걷겠지"처럼 비관적인 현실인식만이 자리잡고 있는 것

이다. 특히 여기에서 "장꾼같이 웅성대며, 확불처럼 흩어지는 네 옛 친구들도 /아마 대부분은 멀리 가버렸을지도 모를 것이다. 그리고 순이의 어린 딸이 죽어간 것처럼 쓰러져 갔을지도 모른다"라는 구절에는 심화된 비극성이 드러난다. 「네거리의 순이」에서 어머니의 죽음이 여기에서는 딸의 죽음으로 연결됨으로써 절망감을 불러일으키는 것이다. 그러기에 "불상한 도시! 종로네거리여! 사랑하는 내 순이야!/나는 뉘우침도 부탁도 아무것도 유언장 위에 적지 않으리라"라는 결구처럼 세계에 대한 절망과 강한 거부를 드러내게 되는 것이다. 그렇다면 청년과 순이는 어디로 가버렸는가? 그 해답은 시 ②에 제시되어 있다. "외로이 죽은/나의 누이의 얼골/찬 옥방에 숨지운/그리운 동무의 모습"에서 보듯이 누이도 감옥에 갇혀 있는 것으로 암시된 것이다. 이처럼 깊은 상실감과 그에 따른 절망감 이 시 ①에 드러나 있다고 하겠다. 실상 이러한 절망과 상실감이란 1930년대 중반 임화의 고통스러운 내면 풍경을 반영한 것으로 이해된다.

> <전략>……'카프' 기관지(機關紙) 집단(集團)의 편집책임(編輯責任)을 맡아 맹렬(猛烈)한 활동(活動)을 하다가 병상(病床)에 누어버리고 말았었다. 이때(1930년대 중반: 인용자)야말로 임화(林和)의 개인생활(個人生活)에 있어서는 다시 없는 고뇌(苦惱)의 계절(季節)이었으리라 세칭 신건설사건(新建設事件)(1934. 9)으로 동무를 여의고 병상에 누워있게 되자 처군(妻君)(전처 이귀례(李貴禮), 이북만(李北滿)의 누이동생: 인용자)이 또한 빗두른 길을 것게 되면서 '카프'를 자기(自己)손으로 해산케되어 탑(塔)골승방(僧房)에 누워……<하략>[14]

이 인용문에서 보듯이 1934~1935년 무렵은 임화에게 있어 잇따른 상실과 그로 인한 절망의 시절이었음이 분명하다. 그 자신이 서기장으로 이끌어

---

14) 민병휘, 「젊은 문화인임화군」, 『청색지』 3호, 1938. 12.

오던 카프의 해산계를 스스로 제출하고 개인적으로 아내와 헤어지게 된 데다가 설상가상으로 폐병까지 발병하는 등 외우내환에 시달리게 된 것이다. 바로 이러한 절망적인 시인의 내면 풍경이 오히려 번화로워진 종로 네거리가 부재의 공간으로 느껴지게 되고, 순이도 아무도 찾아볼 수 없는 상실의 거리, 퇴행의 공간으로 다가오게 된 것이라고 하겠다.

시 ②에는 다시 절망으로부터 일어서려는 안간힘이 담겨 있다. 해방 직후인 1945년 9월의 작품이니까, 「다시 네거리에서」 이후 꼭 10년 만에 그의 내면 풍경이 제시된 것이다. 여기에서 네거리는 "조선근로자의/위대한 수령의 연설이/유행가처럼 흘러나오는" 해방된 서울의 한복판이다. 그러기에 "현기로워 바라볼 수 없는/종로거리"인 것이다. 그렇지만 이미 함께해야 할 순이와 청년은 감옥에서 죽어버렸기 때문에 "가을 비 차거운/길가에 노래처럼" 깊은 공허감에 사로잡히게 된다. 이미 1930년대 후반 및 1940년대 전반의 고통스러운 절망과 훼절의 시간을 겪어온 시인에게 해방은 그다지 감격스러울 수만은 없었을 것이 자명하다. "그밑에 전사하리라/노래부르는 깃발/작구만 바라보며"처럼 공허한 시선과 목소리 속에는 힘찬 울림이 거의 사라져 버리고 만 것이다. 다만 "원컨대 용기이어라"라는 결구에서 보듯이 외발적이며 그러기에 공허한 새출발의 영탄과 의지만이 피력되어 있을 뿐이라고 하겠다.

이렇게 본다면 이 '네거리'의 변화과정은 그대로 시인 자신의 내면 풍경의 변모과정을 반영하고 있음을 알 수 있게 해준다. 혈연 및 근로하는 동지관계로서의 화자와 순이 그리고 청년의 삼각구조는 한 번도 구체적이고 실천적인 힘의 결집으로 나아가지 못하고 있는 것이다. 근로하는 동지, 투쟁하는 동지로서 관념적인 조우관계만이 서로 단절된 채 지속되다가 사라져 갈 뿐이다. 화자와 순이 및 청년은 모두가 근로하는 무산자로 부각되어 있지만, 항상 과거적인 상상력에 지배될 뿐이다. 특히 화자는 지식인 특유의 관념적 주장 혹은 웅변적인 발성만을 되풀이하는 무기력한 모습을 보여 준다는 점에서 그 한계가 드러난다. 따라서 이러한 '네거리'의 변화과정은 갈등과 방황 속에서 점차로 퇴행해 가는 시인 자신의 정신적 변모과정과 하나의 상동성을 지닌다고 하겠다. 항일운동과 노동운동이라는 두 가치 축을 바탕으로 하면서도 그 구체적 현장성과 실천적 운동성을 결여한 채 관념화하고 추상화함으로써 프로시의 알맹이를 획득하는 것과는 거리가 있게 된 것으로 판단된다.

3. '화로', 그 무명화와 정녀의 의미

임화의 시에서 '네거리'가 하나의 열림지향성의 의미를 지닌다고 한다면 '화로'는 내면 공간성을 상징한다고 하겠다. 시 「우리옵바와 화로」가 그것이다. 이 시에서 오빠는 「네거리의 순이」에서 순이에 대응하고, '네거리'는 '화로'와 대응된다는 점에서 이 두 작품은 서로 짝을 이룬다.

> 사랑하는 우리옵바 어적게 그만그렷케 위하시든옵바의 거북문(紋)이 질화로(火爐)가 깨여졌서요
> 언제나 옵바가 우리들의 '피오니ㄹ' 조그만 기수(旗手)라부르는 영남(永男)이가
> 지구(地球)에해가비친 하로의모―든시간(時間)을 담배의독기(毒氣)속에다
> 어린몸을잠그고 사온 그거북문(紋)이 화로(火爐)가 깨여졌서요.
>
> 그리하야 지금은 화(火)적가락만이 불상한 영남(永男)이하구 저하구처럼
> 똑 우리사랑하는 옵바를일흔 남매(男妹)와갓치 외롭게벽(壁)에가 나란히걸렸서요
>
> 옵바……

저는요 저는요 잘알었서요

왜— 그날 옵바가 우리두동생을 떠나 그리로드러가신그날밤에

연겁허 말는권연(卷煙)을세개식이나 피우고게섯는지

저는요 잘아럿세요 옵바

언제나 철업는제가 옵바가 공장(工場)에서 도라와서 고단한저녁을
잡수실때 옵바몸에서 신문지(新聞紙)냄새가 난다고하면

옵바는 파란 얼골에 피곤한우슴을 우스시며 ……네몸에선 누에똥
냄새가 나지안니— 하시든 세상(世上)에위대(偉大)하고 용감(勇敢)한
우리옵바가 왜그날만

말한마디업시 담배연기(煙氣)로 방(房)속을미워버리시는 우리 우
리 용감한옵바의 마음을 저는 잘알었세요

천정(天井)을향(向)하야 기여올라가든 외줄기담배연기속에서옵바
의강철(鋼鐵)가슴속에 백힌 위대(偉大)한결정(決定)과성(聖)스러운각
오(覺悟)를 저는 분명(分明)히보앗세요

그리하야 제가영남(永男)이에 버선한아도 채못기웠을동안에 문
(門)지방을때리는쇠ㅅ소리 바루르밟는거치른구두소리와함께— 가버
리지안으셨서요

그러면서도 사랑하는우리위대(偉大)한옵바는 불상한저의남매(男
妹)근심을 담배연기(煙氣)에 싸두고 가지안으셨서요

옵바— 그래서 저도 영남(永男)이도

옵바와 또가장위대한용감한 옵바친고들의 이야기가 세상을 뒤줍
을 때

저는 복사기(複絲機)를떠나서 백(百)장의일전(一錢)짜리 봉통(封筒)
에 손톱을뚜러뜨리고

영남(永男)이도 담배냄새구렁을내쫓겨 봉통(封筒)꽁문이를뭅니다

지금(只今)— 만국지도(萬國地圖)갓흔 누덕이밋헤서 코를고을고잇
습니다

옵바— 그러나 염려는마세요

저는 용감(勇敢)한이나라청년(靑年)인 우리옵바와 핏줄갓치한 게
집애이고

영남(永男)이도 옵바도 늘 칭찬하는 쇠갓흔 거북문(紋)이화로(火爐)를 사온 동생이 아니에요

그리로 참 옵바 악가 그젊은남어지옵바의친구들이왓다갓습니다

눈물나는 우리옵바동모의소식(消息)을 전(傳)해주고갓세요

사랑스런용감한청년(靑年)들이엇습니다

세상(世上)에 가장위대(偉大)한 청년(靑年)들이엇습니다

화로(火爐)는 깨어저도 화(火)적갈은 기(旗)ㅅ대처럼 남지안엇세요

우리옵바는 가섯서도 귀(貴)여운 '피오니ㄹ' 영남(永男)이가잇고

그리고 모—든 어린 '피오니ㄹ'의 따뜻한 누이품 제가슴이 아즉도 더웁습니다

그리고 옵바……

저뿐이 사랑하는옵바를일코 영남(永男)이뿐이긋세인형(兄)님을 보낸것이겟습니가

슬지도 안코 외롭지도 안습니다

세상에 고마운청년(靑年) 옵바의무한(無限)한위대(偉大)한 친구가 잇고 옵바와형(兄)님을 일흔 수(數)업는계집아희와동생 저희들의 귀(貴)한동모가잇습니다

그리하야 그다음일은 지금(只今)심심한 분(憤)한사건(事件)을안고 잇는 우리 동무손에서 싸워질것입니다

오바 오늘밤을 새여 이만(二萬)장을붓치면 사흘뒤엔 새솜옷이 옵바의떨니는몸에 입혀질것입니다

이럿케 세상(世上)의 누이동생과아오는 건강(健康)히 오늘날마다를 싸홈에서 보냅니다

영남(永男)이는 엿해잡니다 밤이느젓세요— 누이동생

　　　　　　　　　　　　　—「우리옵바와 화로(火爐)」15)

---

15)『조선지광』83호, 1929. 2.

이 시는 대략 8연 42행으로 짜여진 이야기시라고 할 수 있다. 그런데 김기진은 이 시를 '단편서사시'로 규정하여 이 단편서사시 양식이 프로시의 대중화에 대한 활로를 타개할 수 있는 유효한 양식이라는 점을 강조한 바 있다.

> 나를 울린 것은 임화군(林和君)의 시(詩) '우리옵바와화로(火爐)'라는 것이다. ……<중략>…… 전체로 현실, 분위기, 감정의 파악이 객관적, 구체적으로 되였고 그리고 그것은 한 개의 통일된 정서를 전파하는 동시에 감격으로 가득찬 한 개의 생생한 소설적 사건을 안전에 전개하고 있다. 이것은 우리들의 시가 어찌하여서 단편 서사시의 형식으로 접근하지 아니하면 안되겠다는 나의 여상(如上)의 이론을 중거하는 실례가 될 것이다. 프로레타리아의 의식, 프로레타리아의 생활로써 실제 재료를 삼는 것이 최선의 방법이면 그리함에 있어서는 실제적 구체적 사건의 제시 혹은 암시의 방법을 취하는 것이 또한 적당한 항로(向路)일 것이다. 우리들의 시가 단편서사시의 길로— 혹은 프로레타리아주제시의 길로— 제군의 길은 타개되어 있다(표기고침: 인용자).16)

여기에서 김기진은 이 「우리옵바와 화로」가 소설처럼 현실적, 객관적, 실제적, 구체적 사건을 제시하고 있기 때문에 단편 서사시로 볼 수 있으며, 바로 이 형식이 프롤레타리아 주제를 대중에게 쉽게 전달할 수 있는 양식이라는 점을 강조한 것이다. 그렇지만 김기진의 이러한 단편서사시라는 규정은 올바른 것이라고 하기는 어렵다. 일반적으로 서사시란 서사적 구조를 지니는 것이 원칙이다. 다시 말해서 서사적 구조란 ① 일정한 성격을 지닌 인물과 ② 일정한 질서를 지닌 사건을 갖춘 ③ 있을 수 있는 이야기를 바탕으로 하는 시의 장치17)이다. 아울러 서사시는 ① 서사적 구조를 지니고 있을 것, ② 역사적

---

16) 김기진, 「단편서사시의 길로」, 『조선문예』 창간호, 1929. 5.
17) 조동일, 『서사민요연구』, 계명대학교 출판부, 1983, 43쪽.

사실과 연관 대응될 것, ③ 사회적 기능을 가질 것, ④ 집단의식을 바탕으로 할 것, ⑤ 당대 현실과 암유적 관계를 지닐 것, ⑥ 노래체의 율문으로 짜일 것, ⑦ 길이가 비교적 길어야 할 것18) 등을 조건으로 한다. 이 점에 비추어 볼 때 「우리옵바와 화로」는 이야기를 지니고 있긴 하지만 그것이 일정한 서사적, 플롯을 형성하고 있지 못하다는 점에서 서사시로서의 기본요건을 충족시키지 못하고 있다. 이 작품은 기본적으로 서정시에 속하는 것으로서 관념적인 몇 가지의 화소를 지닌 이야기 시(narrative poem)19)에 해당하는 것이다. 김기진은 이 작품이 하나의 줄거리를 지닌 이야기를 내포하고 있다는 점에서 서사시적 구조로 이해하여 '단편서사시라고 우기고 카프문학의 대중화의 초대의 성과라고 흥분'20)하고 있었다고 하겠다. 그렇다고 하더라도 이 작품은 그것이 하나의 이야기를 내재하고 있는 새로운 양식을 시도한다는 점에서 당대의 관심을 끌기에 충분한 요인을 지닌다. 특히 누이라는 여성 시점과 서간체의 서술 방법은 명령형, 감탄형 등 주로 웅변조의 시가 범람하던 당대 프로시에 하나의 신선한 자극을 던져 주었을 것이 분명하다는 점에서 그러하다.

이 시는 전체적으로 하나의 줄거리를 지니는바, 이것은 몇 개의 화소로 요약된다.

① 인쇄공장에 다니는 오빠와 연초공장에 다니는 영남이라는 동생을 둔 화자, 즉, 제사공장 여직공인 누이동생 등 셋사람 함께 가난하게 살아간다.

18) 김재홍, 「한국근대서사시와 역사적 대응력」, 『현대시와 역사의식』, 인하대학교 출판부, 1988, 43쪽.
19) H. Read. "*Collected Essays in Literary Criticism*," London, Faber & Faber, 1950, 57~58쪽.
20) 김윤식, 「임화와 김팔봉」, 『외국문학』 17호, 열음사, 1988 겨울호. 제대로 된 단편서사시는 김지하의 「오적」에 이르러서 하나의 전범을 보인다. 김재홍, 앞의 책, 29~41쪽.

② 하루는 오빠가 공장에서 뒤늦게 돌아와서 말없이 권련만 연거푸 피우다가, 별안간 문지방을 치는 쇳소리와 구둣발소리가 나던 끝에 어디론가 잡혀가고 만다.

③ 그뒤 용감한 오빠와 그 친구들의 이야기가 세상을 시끌벅적하게 만들 때 누이와 영남이는 공장에서 쫓겨나 봉투붙이는 일로 연명해간다.

④ 그러던 중 영남이가 담배의 독기를 맡으며 사온 거북무늬 질화로, 감옥에 간 오빠가 그렇게 아끼고 위하던 그 화로가 깨어져서 누이와 동생이 크게 상심한다.

⑤ 화젓가락처럼 오두마니 남은 두 동생은 감옥의 오빠에게 새 솜옷을 차입하기 위해 백 장에 일전씩 하는 봉투를 열심히 붙이면서 오빠를 찬미하고 힘차게 살아갈 새로운 결심을 한다.

여기에서 이 화소들은 구체적인 사건 전개, 즉 극적 플롯으로 전개되는 것이 아니라 화자의 이야기로 전개되는 특징을 지닌다. 또한 이 작품에는 「네거리의 순이」처럼 오빠와 누이 및 동생 등 세 사람이 삼각구조를 이룬다. 시점 또한 화자가 오빠에서 누이로 바뀐 것이 특이하다. 그렇지만 등장인물이 모두 노동하는 사람이라는 점과 그중 한 사람이 감옥에 간다는 공통점을 그대로 지닌다. 다시 말해서 노동 사상과 투쟁의식을 두 가치 축[21]으로 한다는 점이다. 그 매개고리가 바로 투쟁하다 감옥에 간 오빠라 할 수 있다. 여기에서 오빠는 "신문지 냄새가 난다/파란 얼골에 피곤한 우슴을 웃는다/강철 가슴 속에 위대한 결정과 성스러운 각오를 갖고 있다/위대하고 용감한 우리 오빠"처

---

21) 이 점에서 임화 시는 '사회주의적 관념'과 '근로자에 대한 공감'을 페이소스로 처리한다는 점에서 계급주의 리얼리즘에 바탕을 두고 있다고 하겠다. 임화 시의 풍부성은 바로 이러한 노동계급의 투쟁성과 혁명사상에 기초하는 것으로 이해되기 때문이다. 킬포틴, 앞의 책, 135~136쪽.

럼 노동으로 지친 모습과 함께 투쟁의지를 드러내고 있다. 노동하는 삶에 대한 예찬과 함께 투쟁하는 삶에 대한 흠모의 정이 드러나고 있는 것이다. 온갖 수탈과 질곡으로 가득 찬 일제강점하의 현실 속에서 노동계급의 저항의식이 노동사상과 저항의식으로 구체화된 것이라고 하겠다. 아울러 "세상에 고마운청년 옵바의무한한위대한 친구가잇고 옵바와형님을 일혼 수업는계집아희와동생 저희들의 귀한 동모가잇습니다"와 같이 투쟁정신이 연대감 또는 동지의식을 확보하게 되는 것이다.

그렇다면 이 작품이 말하고자 하는 핵심은 과연 무엇이라고 할 것인가? 노동사상이 뜻하는 계급의식과 투쟁의식이 뜻하는 저항정신의 표출이 그 전부라고 할 것인가? 물론 이 시가 이 두 가지 이념으로 그 뼈대를 구성하고 있는 것은 사실이다. 그렇지만 한 걸음 더 나아가서 이 시는 민족의식을 강조한다는 점에서 중요한 의미를 지닌다고 하겠다. 바로 '화로'가 그 상징이 된다. 거북무늬 질화로는 삶의 둥지를 표상하는 동시에 그 안에 불씨를 간직한다는 점에서 주권 또는 국가라는 틀의 한 상징이 될 수 있다. 민족적 주권 또는 조국의식의 표상이 바로 거북무늬 화로와 그 속에 담긴 불씨인 것이다. 이 시에 담긴 불과 피의 이미저리가 바로 이러한 민족적 생명력 또는 민족의식의 표상이 된다고 할 수 있기 때문이다. 따라서 이 화로를 오빠가 그토록 칭찬하면서 아끼던 까닭이 놓인다. 이 점에서 거북무늬 화로가 깨어진다는 것의 예리한 상징성이 드러난다. 그것은 바로 공적인 차원에서 민족적 주권 또는 국권 상실을 의미한다. 그러기에 화로가 깨어진 사실이 부모를 잃고 노동으로 살아가는 이 세 남매에게 그토록 큰 충격과 아픔으로 다가오는 것이다. 아울러 개인적인 의미에서는 가정적인 생활질서의 파탄 또는 생존권의 박상됨을 의미한다고도 하겠다. 그런 점에서 화로가 깨어진다고 하는 것은 부모를 잃은 고아의식과도 연결된다. 그렇지만 한편 여기에서 화젓가락이 그대로 남아있다는 것은 중요한 상징성을 지닌다. "화로는 깨어져도 화적갈은 기ㅅ대처럼 남지안었세요"라는 구절은 바로 우리가 비록 국권을 상실했다고 하더라도 민족은 그대로 살아남아 있다는 사실을 의미한다는 뜻에서 민족의식 또는 민족혼의 한 상징이 되는 것이다. 실상 "옵바— 그러나 염려는 마세요/저는 용감한이나라청년인 우리옵바와 핏줄갓치한 계집애이고/영남이도 옵바도 늘 칭찬하는 쇠갓흔 거북무늬화로를 사온 옵바의 동생이 아니에요"라는 구절에서처럼 혈연의 의미를 강조하고 있는 것도 실상은 이러한 민족의식을 부각시키고자 한 시도라고 하겠다. 비록 화로는 깨어졌지만, 깃대처럼 남아 있는 화젓가락을 통해서 민족의식을 확인하고 그것을 지키기 위해 지속적으로 투쟁하겠다는 뜻을 강조한 것이다. 실상 이 시가 화자로서 누이동생을 등장시킨 사실도 누이에게 이러한 일제강점하의 어둠 속에서 꺼져 가는 민족혼의 '무명화'를 지키는 '정녀'의 의미[22]를 부여하고자 한 의도적 결과라고 하겠다. 어린 누이는 민족의 무명화를 지키는 하나의 정녀로서 의미를 지니는 동시에 만해의 여성 화자에서처럼[23] 일제라는 지배적 폭력에 대응하는 저항과 극복의지의 한 상징성을 띠고 있기 때문이다. 여성 화자가 불러일으키는 호소력과 하소연의 서간체가 불러일으키는 애틋함의 정서, 그리고 거북무늬 화로가 지닌 상징성이 이 시의 예술성을 제고해주고 있는 것이다. 비록 이 시가 프로시의 입장에서 필요한 혁명적인 계급의식으로 무장되거나 구체적인 실천성이 현저히 결여되어 있다고 할지라도, "뼉다귀만의 '슬로간' 시에 비하여 몇 배나 더 강렬한 힘"[24]을 지니고 있다는 점에서 사상성과 예술성이 조화를 이루고 있는 1920년대 프로시의 한 성과라고 할 수 있을 것이 분명하다. 결국 '운동으로서의 프로문학'이 '작품으로서의 문학'으로 어느 정도 형상성을 확

---

22) 김윤식, 「한국시의 여성적 편향」, 『근대한국문학연구』, 일지사, 1973, 453쪽에서 '무명화'와 '정녀' 개념을 이끌어왔다.
23) 김재홍, 『한용운문학연구』, 일지사, 1982, 98쪽.
24) 김남천, 「임화에 관하야」, 『조선일보』, 1933. 7. 22. 또한 이러한 이야기 시의 모습은 1930년대에 백석이나 이용악의 이야기 시로 연결된다는 점에서도 한국 서정시의 내면공간 확보라는 소중한 의미를 지닌다.

보한 한 예가 되었다는 점에서 이 작품의 의미가 높인다고 하겠다.

4. 비내리는 요코하마, '우산'의미

임화의 시가 종로 네거리와 거북무늬 화로를 거쳐 도달한 시적 공간은 일본의 항구 요코하마 부두이다. 박영희의 그늘 아래에서 '한 병졸로서 몸을 던졌던 임화'[25]는 제1차 방향전환 및 그에 이어지는 동경의 제3전선파들과의 만남으로 인하여 새로운 전환을 이루게 된 것이다. 카프의 예술운동이 정치투쟁을 위한 혁명투쟁의 무기로서 방향전환을 감행하고, 동경의 이북만 등 볼셰비키 제3전선파들이 그 중심세력으로 강력히 부상하는 가운데 임화는 서서히 박영희로부터 이북만쪽으로 옮겨가게 된 것[26]이다. 1929년 가을 임화의 동경행이 그 한 결과라고 하겠다.

> 항구(港口)의 계집애야! 이국(異國)의 계집애야!
> '독크'를뛰어오지마러라 '독크'는 비에저젓고
> 내가슴은 떠나가는서러움과 내어쫓기는분함에
> 불이타는데
> 오오 사랑하는 항구(港口)'요꼬하마'의계집애야!
> '독크'를뛰어오지마라 란간은비에저저잇다
> '그남아도 천기(天氣)가 조흔날이엇드라면?'……
> 아니다 아니다 그것은 소용(所用)업는 너만에 불상한말이다
> 네의나라는 비가와서 이 '독크'가떠나가거나
> 불상한네가 울고울어서 좁드란목이미여지거나
> 이국(異國)의반역청년(靑年)인 나를 머물러두지안으리라

---

25) 김윤식, 「임화와 박영희」, 『문학사상』, 1988. 11.

26) 실상 임화가 동경에서 귀국 1931년 카프의 제2차 방향전환 이후 카프의 서기장으로 군림하는 것도 카프문인 중 거의 유일하게 공산당원이자 이론 투쟁가였던 이북만의 지원이 있었기 때문이다. 김윤식, 앞의 글 참조.

불상한항구(港口)의계집애야— 울지도 말어라

추방(追放)이란 표(標)를등에다지고 크나큰이 부두(埠頭)를 나오는 네의산아희도모르지는 안는다

네가지금 이길노도라가면

용감(勇敢)한 산아희들의우슴과 아지못할정열(情熱)속에서그날마다를 보내이든 조그만 그집이

인제는 구두발이들어나간 흙자죽박게는 아무것도너를마즐것이업는 것을

나는 누구보다도잘알고 생각하고잇다.

그러나 항구(港口)의 계집애야!— 너 모르진안으리라

지금은 '새장속'에 자는 그사람들이 다— 네의 나라의 사랑속에사랏든것도안이엿스며

귀여운 네의 마음속에사럿든것도안이엇다

그럿치만—

그리고 그사람들은 너를위(爲)하고너는 그사람들을위(爲)하야

엇재서 목숨을 맹서하엿스며

엇재서 눈오는밤을 멧번이나가리(街里)에 새엇든가

거기에는 아모까닭도업섯스며

우리는 아무인연(因緣)도업섯다

더구나 너는이국(異國)의계집애 나는 식민지(植民地)의 산아희

더구나— 오즉 한가지 이유(理由)는

너와나— 우리들은 한낫근로(勤勞)하는형제(兄弟)이엇든 때문이다

그리하야 우리는 다만 한일을위(爲)하야

두개다른나라의목숨이 한가지밥을먹엇든것이며

너와나는 사랑에사라왔든것이다

……<중략>……

내야 쫓기어나가지만은 그젊은용감한녀석들은

땀에저즌옷을입고 쇠창살밋헤 안저잇지를 안을게며

네가잇는공장(工場)에 어머니누나가 그리워우는 북륙(北陸)의유년

공(幼年工)이 잇지안느냐

너는 그녀석들의옷을빠러야하고

너는 그어린것들을 네가슴에안아주어야하지를안켓느냐—

'가요'야! '가요'야 너는 드러가야한다

벌서 '사이렌'은 세번이나 울고

검정옷은 네손을 멧번이나 잡아다녓다

인제는 가야한다— 너도가야하고— 나도가야한다

이국(異國)의계집애야!

눈물을 흘리지말어라

가리(街里)를흘러가는 '데모'속에 내가업고 그녀석들이빠젓다고—

섭섭해하지도마러라

네가공장(工場)을나왓슬때 전주(電柱)뒤에기다리는 내가업다고—

거기엔 또다시젊은노동자(勞動者)들의물결노 네 마음을 굿세게할

것이잇슬것이며

사랑의주린 유년공(幼年工)들의 손이 너를 기다릴 것이다

그리고 다시 젊은사람들의 입으로하는 연설(演說)은

근로(勤勞)하는사람들의 거리에 불갓치쏘다질 것이다

……＜하략＞……

— 「우산(雨傘)받은 '요꼬하마'의 부두(埠頭)」[27]

이 시는 대략 임화가 동경에서 '우리 동무'계에 소속하면서 쓴 작품으로 알
려져 있다. 그만큼 세계를 보는 시각이 넓혀져 있다고 하겠다.

이 시는 모두 15연 95행이라는 긴 형식으로 짜여 있다. 일반적인 서정시로
서는 과다하다 싶을 만큼 긴 이러한 시형은 이야기를 담기 위해서는 불가피
한 구조라고 이해할 수도 있겠다. 1931년 『카프시인집』에 수록된 임화의 시,

---

27) 『조선지광』 87호, 1929. 9.

「다 없어졌는가」, 「네거리의 순이」, 「우리옵바와 화로」, 「제비」, 「양말속의 편지」28) 및 「우산 받은 요꼬하마의 부두」 등이 대부분 이처럼 이야기를 담은 긴 시 형식으로 짜여 있음은 물론이다.

　이 시의 이야기는 비교적 단순하다. 일본에서 모종의 사건으로 말미암아 쫓겨나게 된 한 조선인 노동자가 비 내리는 요코하마 부두에 마중 나온 일본 여인과 헤어지면서 울분과 서러움을 분출한다. 이 두 사람은 "너는이국의계 집애 나는식민지의 산아희/너와나 우리들은 한낫근로하는형제/사랑에 사라 왔든" 등과 같이 함께 노동하는 근로자이면서 서로 사랑하는 연인관계에 놓 여 있었다. 이 '가요'라고 불리는 일본여성은 특히 이역만리 북륙에서 떠나와 사랑에 굶주린 유년공들에게 민족의 울타리를 넘어서서 온정과 사정리 베푸 는 헌신적인 여성이었다. 그러던 차 가두투쟁으로 인해서 화자인 '내'가 쫓겨 나게 되고, 조선으로 어쩔 수 없이 추방되어 가지만 언젠가는 다시 돌아오겠 다는 다짐을 하며 요코하마를 떠난다는 내용이 그것이다. 말하자면 사랑하는 이국 프롤레타리아 남녀 동지가 겪은 항구에서의 쓰라린 이별체험이 펼쳐져 있다고 할 것이다. 그렇게 보면 이 시는 프롤레타리아로서 근로하는 사람들 의 국제적 연대감을 강조하는 것으로 이해된다. 여기에 이국 남녀 간의 사랑, 연애감정과 식민지 근로자의 민족적 울분을 교직하여 한 편의 상황적인 드라 마를 연출하고 있는 것이다. 대체로 임화 시의 한 정석은 이처럼 노동계급의 식과 연애감정을 함께 뒤섞어 낭만적 우울과 계급적 울분을 함께 드러내는 드라마틱한 이야기방식을 취해 왔던 것이 사실이다. 낭만적 프로시의 성향을 지닌다는 말이다. 그러므로 임화의 시는 "혁명성이 부족하지만 이전의 뼉다 귀 프로 시들이 지니지 못했던 부드럽고 맛있고 달콤한 풍부성"29)을 갖고 있

---

28) 임화의 시 중에서 이 「양말 속의 편지」가 프로시로서 비교적 현장성이 두드러진 다. "해고가 다 무에냐 끌려가는게 무에냐 그냥 그래도 황소 갓치 뺏대이고 나가자! 보아라! 이 치운날 이 바람부는 날! 비누꿰짝 집신짝을 신고/구루마를 끌고 나아가 는 저 어린 행상대의 소년을"이 그 한 예이다. 『카프시인집』, 집단사, 1931, 73쪽.

다는 긍정적인 평가를 받았던 것이고, 필자도 앞에서 임화 시를 낭만파 프로시 또는 징후적 프로시라고 규정한 적이 있다.

그런데 이 시는 그러한 임화 시의 정석으로서 낭만적 연애감정과 계급적 우울에 더하여 민족적 저항의식 그리고 나아가서 근로자의 국제적 연대성을 강조하는 뜻을 담고 있다는 점에서 관심을 끈다. 한 '식민지 사나이'와 '이국의 계집애'가 맺어진 것은 '근로하는 형제'로서 '다만 한 일을 위하여 한가지 밥을 먹었던' 사실로 인해 필연적으로 가까워지게 된 것이고 '사랑에 사라왔던 것'이라고 하겠다. 동지의식과 연인의식이 결합되어 한층 더 효과적으로 계급심리를 강조하는 데 기여하고 있다고 할 것이다. 여기에서 또한 일본여성 '가요'는 '나'뿐만 아니라 북륙에서 온 수많은 유년공들의 옷을 빨아주고 사랑을 베푸는 등 현실적인 지원자이며 정신적인 의지처 역할을 한다. '나'의 연인일 뿐만 아니라 식민지에서 온 수많은 소년공들[30]에게도 대리모 역할을 하는 것이다. 이 점에서 이국의 계집애 '가요'는 민족적 울타리를 벗어나 계급적 이익을 실현하기 위한 투쟁의식의 한 상징이면서 동시에 프롤레타리아의 국제적인 단결과 계급적 연대성을 강조하는 한 매개 고리의 적극적인 표상이라고 할 수 있다. 실상 이러한 프롤레타리아의 계급적 연대감은 임화가 1927년 8월에 썼던 시 「담, 1927」에서 이미 드러났던 바 있다.

> 그러나
> 인류(人類)의 범죄자(犯罪者)
> 역사(歷史)의 도살자(屠殺者)인

---

29) 김남천, 앞의 글, 1933. 7. 23.
30) 이 무렵 조선에서는 1920년대에 해마다 15만 명 이상의 이농이 발생했다고 한다. 1927년 봄의 경우만 하더라도 15만 명의 이농민 중 그중 17%인 25,000여 명이 일본 노동시장으로 흘러왔다고 한다. 강만길, 『일제시대 빈민생활연구소』, 창작사, 1987, 14쪽, 105쪽.

아메리카— 뿌르죠아의 정부(政府)는
사랑하는 우리의 동지(同志)
세계무산자(世界無産者)의 최대(最大)의 동모
작코 반제ㅅ티의 목숨을 빼어섰다
전기(電氣)로—
(푸로레타리아트의 발전(發電)하는 전기(電氣)로)
……<중략>……

그리고 우리들은 발전(發電)을 하자
우리의 전열(戰列)의 새로운 힘을 보내기 위하야
동모여 그놈들에게 생명(生命)을 도적마진 우리들의 사랑하는 전
위(前衛)여
조금도 염려는 마러라
뒤에는 무수(無數)한 우리가 잇지 안느냐
가장 위대(偉大)한 세계(世界)푸로레타리아—트의 조직(組織)이
오오 우리는 안다
작코 반제ㅅ티 군(君)이 죽지 않은 것을
위성(衛星)마다 가득한 그대들의 시체(屍體)를
태양(太陽)을 물드린 그대들의 핏방울

폭풍우(暴風雨)다 ××이다
우리들의 진격(進擊)하는 전열(戰列)을 향(向)하야 두 동지(同志)는
웨어치지 안느냐 세계(世界)의 동지(同志)야—
1917~ 리아
××에 대(對)하기를 ××으로
우리들은 동모와가치 용감(勇敢)하게 전장(戰場)에로 가자

「'작코'·'반제티'의 생명에」라는 부제가 붙은 이 시는 프롤레타리아트 세계
화운동의 일환으로 쓰여진 작품이다. 1927년 두 미국인 혁명전사의 죽음을
통해서 미국 자본주의에 대한 강한 적대감을 표출한 것이다. 특히 "푸로레타

리아트의 발전하는 전기로” 전기의자에 앉아 죽어간 “세계무산자의 최대의 동모” 작코와 반제티 죽음의 아이러니 속에는 노동계급을 탄압하고 착취하는 세력들에 대한 분노와 저항의식이 선명하게 제시되어 있다고 하겠다. 아울러 이 시에는 “세계의 동지야—/우리는 동모와가치 용감하게 전장에로 가자”라는 구절에서 보듯이 “전세계 프롤레타리아트는 단결하라”[31]고 하는 공산당선언의 구호가 변용되어 있는 것이다. 바로 이러한 「담, 1927」에서의 프롤레타리아 국제주의가 시 「우산 받은 요꼬하마 부두」에서는 보다 낭만적으로 부드럽게 형상화됨으로써 시로서의 환정성을 지니게 것이다. 그렇다면 시 「우산 받은 요꼬하마 부두」에 분출하고 있는 민족의식은 어떤 의미를 지니는 것일까? 프롤레타리아의 국제적 연대감을 강조하는 것과 서로 어긋나는 것은 아닐까 하는 말이다. 한낱 ‘근로하는 식민지 사나이’로서 추방되어 가는 서러움과 분함에 떨면서도 ’비에 젖어 독크를 뛰어오는 이국의 계집애’에게 쓰라린 연정과 함께 계속 투쟁할 것을 하소연하는 내용 속에는 민족적 열패감 및 울분이 솟구치는 것과 함께 프롤레타리아 동지로서의 연대감이 강하게 작용하고 있기 때문이다. 어쩌면 이것은 당시 “동경을 휩쓸던 계급사상, 그 투쟁 방법으로, 증오해 마지않는 일제에 보다 선명히 그리고 이념적으로 싸울 수 있다고 판단된 지식인의 관념성을 뜻하는 것”[32]인지도 모른다. 그렇지만 프롤레타리아 국제주의의 본질이 원래 사회주의적 애국주의 또는 민족주의와 밀접히 연관된 것이라는 점을 유의해 본다면 임화의 민족의식 분출과 프롤레타리아트 세계주의가 서로 괴리되는 것은 아니라는 사실을 알 수 있다. 프롤레타리아 세계주의는 자기 조국과 민족을 사랑하지 않고서는 충실하기 어려우며, 또 프롤레타리아 세계주의에 충실하지 않고서는 자기 민족과 조국에게 충실하기 어려운 것[33]일 수도 있기 때문이다. 바로 여기에서 이 시의 핵

31) 마르크스·엥겔스, 「공산당선언」, 남성일 옮김, 백산서당, 1989, 155쪽.
32) 김남천, 앞의 글, 247~248쪽 재인용.
33) 『철학사전』, 도서출판 힘, 1988, 758쪽. 사회주의국가에서 민족의 개념은 핏줄과

심이 드러난다. 그것은 비와 우산의 상징 속에 집약되어 제시된다. 이 시에서
우산은 모두 세 대목에 등장한다.

　* 요코하마의 새야.
　　너는쓸쓸하여서는 아니된다 바람이 불지를안느냐
　　한아뿐인 너의 조회우산이 부서지면 엇저느냐
　　어서드러가라

　* 비는 '독크'에나리우고 바람은 '댁기'에부디친다
　　雨傘이 부서진다
　　오늘쫓겨나는 이국(異國)의 청년(靑年)을 보내주던 그우산(雨傘)속
　　으로
　　내일(來日)은 내일(來日)은 나오는 그녀석들을마주러
　　'게다'소리높게 경빈가도를거러야지안켓느냐

　　* 비는 연한네등에 나리우고 바람은네우산(雨傘)에불고있다

　이렇게 보면 우산은 항상 '비/바람'과 연결되어 있음을 알 수 있다. 그런데
이 비와 바람은 이 시에서 '항구—비—서러움—눈물—울음—바다—바람' 등
과 같은 이미지 상관 속을 지니면서 전개된다. 이러한 '비—눈물—바다'의 이
미지는 대체로 모성, 여성이 상징하는 부드러움, 포용, 사랑을 의미하기도 하
지만[34] 동시에 수난, 시련, 이별, 죽음의 의미와도 연관되어 있는 것이 사실
이다. 이 점에서 이 시가 이러한 '비—눈물—바다', 즉 비 내리는 항구를 제재
겸 배경으로 택한 것은 적절하다. 그것은 여성 표상, 즉 사랑에의 갈망과 함께

　　언어, 영토와 문화의 공통성에 기초하여 역사적으로 형성된 사회생활 단위이며 사
　　람들의 공고한 집단, 또는 사회적 요인의 작용에 의해 역사적으로 형성된 공고한
　　공동체로 정의된다. 민족은 사회주의혁명과 건설의 기본단위이기 때문에 프롤레
　　타리아 국제주의와 서로 어긋나지 않는다는 것이 그들의 논리이다.
34) G. Bachelard, *L'eau et les Rêves*,, José Corti, 1978, 156쪽.

수난 표상, 즉 이별이나 수난의 현실인식을 함께 표출하는 데 적합한 상징이기 때문이다. 바로 이 점에서 '우산'의 의미가 드러난다. 그것은 하늘에서 내리는 자연현상으로서의 비를 피하기 위한 현실적인 도구를 뜻하지만 이 시에서는 추방당하는 조선청년의 마음에 내리는 서러움과 분노의 비를 막아주는 보호막이자 울타리 또는 대피처로서의 상징적 의미를 지니기 때문이다. 요코하마 계집애의 우산은 비를 피하게 해줄 뿐만 아니라 식민지 청년의 젖은 마음도 가려줌으로써 좌절과 시련을 이겨낼 수 있게 하는 한 구원의 표상이자 힘의 원천으로 작용하는 것이다. 어쩌면 이 우산 속은 상심한 이 청춘남녀들이 비정한 현실 속에서 "날마다 보내이던 조그만 그집"처럼 유일하게 사랑과 구원의 의미를 새로이 발견하고, 동지적 연대감을 다시금 확인할 수 있게 해주는 아늑한 내면 공간으로서의 상징성을 지닌다고 할 수도 있으리라. 그 우산은 조국이 서로 다른 두 남녀가 민족의식을 넘어서서 연애감정과 동지의식을 하나로 통일할 수 있게 만들어 주는 인간적, 사상적 매개고리로서의 의미를 지니는 것이다. 그러기에 이 시에 '물과 불, 계집과 사나이, 바다와 육지, 만남과 헤어짐, 북륙과 태평양' 등의 대립적 이미지들이 다수 등장하면서도 이들이 이 '우산'의 상징공간 속에 하나로 맺어지고 수렴될 수 있게 되는 것이다.

바로 이 점에서 이 시가 운동으로서의 문학을 지향하면서도 작품으로서의 문학으로서 자리할 수 있게 되는 포인트 드러난다. 「담, 1927」이 지녔던 웅변조의 생경성이 이 시에서는 사상성과 예술성 사이의 긴장력을 획득함으로써 보다 자리잡힌 사상예술성을 보여준 것으로 판단되기 때문이다. 다분히 감상적인 자기 과장성과 지적 허영심 및 단순한 맹목성이 드러나고, 실천성과 운동성이 부족함에도 불구하고 이 시는 어느 정도 의식과 표현을 입체적으로 교직하는 데 성공함으로써 시적 내면공간을 풍부하게 확보한 데서 그 의미가 드러나는 것이다.

5. 암흑의 정신, 부정과 비극의 정신

1930년대 들어서서 임화의 시는 하나의 중요한 변화를 겪게 된다. 앞에서 살펴본 것처럼 1931년 카프 1차 검거 시에 잠시 영어생활을 겪어보기도 하고, 카프 조직 내의 내분을 치르면서 그 서기장으로서 2차 검거에 휘말리다가, 마침내 1935년 그가 그토록 정신적 지주로 삼아 혼신의 열정을 바쳐오던 카프의 해산계를 제출하고 순문학 쪽으로 전향하게 되는 소용돌이를 맞이하게 되었던 것이다. 그러면서 개인적인 면에서도 첫 부인과 이혼하고 이현욱(필명 지하련 소설가: 인용자)과 재혼하는 과정에서 정신적 고초를 겪으며 오랫동안 지병인 폐병을 앓고 있는 등 정신적, 육체적 위기상황에 직면하게 되었던 것이 사실이다. 이러한 전환과 위기의 상황 속에서 그의 시는 더욱 깊은 어둠 속으로 떨어져 가게 된 것이다.

> 태양(太陽)과 같이 푸른 잎새를
> 그 젊은 수호졸(守護卒) 만산(滿山)의 초화(草花)를
> 돌바위 굳은 땅속에 파묻은 바람은
> 이제 고아(孤兒)인 벌거벗은 가지위에 소리치고 있다
> 청춘(靑春)에 빛나던 저 여름 저녁 하늘의 금(金)빛 별들도
> 유명(幽冥)의 하늘 저쪽에 흩어지고
> 손톱같이 여윈 단 한개의 초생달
> 그것조차 지금은 '레떼'(주: 망각의 강)의 물속에 신음(呻吟)하고 있
> 는가?
>
> 생명(生命)의 즐거움인 삼월(三月)의 꽃들이여
> 청년(靑年)의 정신(精神)인 무성한 풀숲이여
> 진리(眞理)의 의지(意志)인 아름드리 교목(喬木)이여
> 그리고 거인(巨人)인 삼림(森林)의 혼(魂)이여?

새 싹 위에 나붓기던 보드라운 바람
풍족(豊足)한 샘(泉), 빛나는 태양(太陽)
그리고 불멸(不滅)의 정신(精神)인 산악(山岳) 창공(蒼空)은
하늘에 떠도는 한 조각 시의(猜疑)의 구름과
사(死)의 암흑(暗黑) 멸망(滅亡)의 바람만 남기고
자취도 없이 터울도 없이 스러졌는가?

동(東) 서(西) 남(南) 북(北) 네곳에 어디를 둘러보아도
두 활개를 쩍 벌려 대공(大空)을 휘저어보아도
목청을 돋워 소리 높이 웨쳐보아도

오오, 오오
암흑(暗黑)의 끝없는 동혈(洞穴)
추위에 떠는 나뭇가지의 호립(號立)
뇌명(雷鳴)과 같은 폭풍(暴風), 거암(巨巖)을 뒤흔드는 노호(怒呼)

오오, 이제는 없는가? 암흑(暗黑)의 이외(以外)에!
오오, 드디어 폭풍(暴風)이 우주(宇宙)의 지배자(支配者)인가?
깊은 낙엽송(落葉松)의 밀림(密林)과 두터운 안개에 쌓인
저 험한 계곡(溪谷)아래
지금 이 여윈 창백(蒼白)한 새는 날개를 퍼덕이며
숨소리조차 죽은 미지근한 가슴 위에 두 손을 얹고
어둠의 공포(恐怖) 절망(絶望)의 탄식(嘆息)에 떨고 있다
—아무곳으로도 길이 열리지 않는 암흑(暗黑)의 계곡(溪谷)

우수수! 딱! 꽝! 우르르! 엄벽(嚴壁)이 무너지는 소리 천세(千歲)의
거수(巨樹)가 허리를 꺾고 넘어지는 소리
　사멸(死滅)의 하늘에 야수(野獸)가 전율(戰慄)하는 소리
　끝없는 어둠 침묵(沈默)한 암흑(暗黑)
　오오! 만유(萬有)로부터 질서(秩序)는 물러가는가?

이 무변(無邊)의 대공(大空)를 흐르는 운명(運命)의 강(江) 두짝 기슭
생(生)과 사(死), 전진(前進)과 퇴각(退却), 패배(敗北)와 승리(勝利)
화해(和解)할 수 없는 양(兩) 언덕에 너는 두 다리를 걸치고
회의(懷疑)의 흐득이는 심장(心臟)으로 말미암아 전신(全身)을 떨고
있지 않으냐

그러나 빈사(瀕死)의 새여! 낡은 심장(心臟)이여! 떨리는 사지(四肢)여
안보이는가 안 들리는가
그러치않으면 이제 아모것도 모르는가

불길은 바람의 멱살을 잡고
암흑(暗黑)인 하늘의 가슴을 한것 두드리고 잇지 않는가?
교목(喬木)들은 억개를 비비며 불길을 일으키고
시드른 풀숲은 불길에 그 몸을 던지며
나무가지는 하늘 높이 오색(五色)의 불꽃을 내뿜지 않는가
그리고 삼림(森林)은!
크다란 불길의 날개로 거인(巨人)의 산악(山嶽)을 그 품에 덤썩 끼고
믿음직한 근육(筋肉)인 토괴(土壤)과 철(鐵)의 골격(骨格)인 암석(巖
石)을 싯뻘겋게 달구면서
백척(百尺)의 장검(長劍)인 화(火)를 두르며, 고원(高遠)한 정신(精神)
의 뇌명(雷鳴)과 함께 암흑(暗黑)의 세계(世界)와 격투(格鬪)하고 있다
진실(眞實)로 영웅(英雄)인 작열(灼熱)한 전산(全山)을 그 가운데 태
우면서⋯⋯⋯

⋯⋯ <중략> ⋯⋯
오라! 어둠이여! 우러라! 폭풍(暴風)이여!
노호(怒呼)하라! 사(死)와 암흑(暗黑)의 '마르세이유'여!
그러치않은가!
누구가 대지(大地)로부터 솟여울으는 생명(生命)의 봄의 수액(樹液)을
누구가 청년(靑年)의 가슴속에 자라나는 영웅(英雄)의 정신(精神)을
죽엄으로써 막겠는가

암혹(暗黑)인가? 폭풍(暴風)인가? 뇌명(雷鳴)인가?
　　　　　　　　　　　　　　　　　　　ㅡ「암혹(暗黑)의 정신(精神)」

　1934년 10월에 발표된 이 작품에는 이 무렵 임화의 정신적 위기상황과 그에 대한 갈등 및 극복의지가 첨예하게 제시되어 있다. 그것을 우리는 시 제목 그대로 암혹의 정신 또는 비극의 정신이라고 불러볼 수 있으리라. 그만큼 이 무렵 일련의 시들에는 세계를 어둠으로 파악하고 그에 절망하는 비극적 세계인식과 함께 그에 맞서는 부정정신 또는 극복의 정신이 짙게 깔린 것이다.

　먼저 19연 82행으로 짜여진 이 시는 비교적 긴 시형이라는 점에서 임화 시의 한 전형에 해당한다. 그렇지만 이 시에서는 뚜렷한 사건으로서의 이야기가 제시되지 않은 것이 앞의 시편들과 다른 점이다. 스토리텔링의 이야기 시에서 내면표현의 상징시로 변모했다고 하겠다. 바꿔 말해서 계급주의 리얼리즘적인 시각에서 낭만정신으로의 전환이 엿보이는 작품으로서 상징성을 지니는 것이다. 그렇지만 이 시도 기본적으로 세계와 현실을 부정적, 비관적으로 바라보는 시각을 지니고 있다는 점에서는 앞의 시들과 하나의 근원적 공통성을 지닌다고 하겠다. 이 시의 전반적인 분위기는 암혹의 그것이다. 우선 시의 화자 자신이 암혹 속을 파닥이고 있는 한 마리 '빈사의 새'로 표상되어 있다는 점이 관심 끈다. 그리고 시 전체가 '암혹/호립/노호/폭풍/멸망/전율/엽의/공포/절망/탄식/전율/회의/무질서/작열/광란/고통/죽음' 등과 같이 어둡고 절망적인 관념들로 온통 들끓고 있다. 또한 이러한 관념들은 '굳은/피문은/떠는/뒤흔드는/여윈/창백한/죽은/험한/무너지는/넘어지는/시드른/검은' 등과 같은 하강적인 관형어가 덧붙여지고, 다시 덧붙여지고, 다시 '없는가/신음하고 있는가/아파하는가/안보인다/안들리다/못하겠는가' 등과 같이 부정종지로서 이어짐으로써 부정적이고 비관적 세계인식을 심화해 주는 것이다. 실상 이 무렵 그의 많은 시들에는 '비바람/눈보라/어둠/안개' 등 겨울과 밤의 이미지가 뒤덮여 있음을 볼 수 있다.

지금
우리들 청년(靑年)의 세대(世代)의 괴롭고 긴 역사(歷史)의 밤
검은 구름이 비바람 몰고 노(怒)한 물결은 산(山)더미 되어
비극(悲劇)의 검은 바다 위를 달리는 오늘

—「옛 책(冊)」에서

깊은밤 날씨는 언짢아 두터운 암흑(暗黑)이
그 위에 자욱이 누르고있다.
이미
자네는
부상(負傷)한채 사로잡히고, 나는 병(病)들어 누워
벌써 몇사람의 진실로 귀중한 목숨이
고행가(苦幸佳)에 찬 그 험한 길 위에 넘어졌는가?
이제 우리들의 긴 대오(隊伍)는 허물어지고 '전선'은 어지럽다.

—「나는 못 믿겠노라」에서

대체 어디를 가야 이 밤이 샐까?

—「야행차(夜行車) 속」에서

　　간략히 예거해 본 이들 시에도 밤과 어둠의 뿌리 깊게 깔려있음을 알 수 있다. 그리고 그것은 시대의 상황, 역사의 어둠과 무관하지 않다는 사실도 확인할 수 있다. 그만큼 이 무렵 임화의 정신은 암흑의 절망 속에 놓여 있음이 분명하다고 하겠다. 그렇지만 여기에서 중요한 것은 그의 시 정신이 이러한 시대적 암흑, 실존적 어둠에 짓눌려 있으면서도 그 속에 압사당하지 않으려는 정신적 격투를 펼치고 있다는 점이다. "어둠의 공포 절망의 탄식에 떨고 있으면서/철의 골격인 암석을 싯뻘겋게 달구면서/백척의 장검이 화재를 두르며, 고원한 정신의 뇌명과 함께 암흑의 세계와 격투하고 있다"처럼 광물적 상상력을 분출하고 있는 것이 그 주요 내용이다. "바로 우리 병들고 수척한 육신을 쥐어 뜯는/밤의 미운 초병단을 향하여/주검으로써 야격에 일어서라"(「나

는 못 믿겠노라」)라는 한 구절도 이러한 암흑의 절망으로부터 일어나려는 격렬한 싸움을 보여 주는 한 예가 된다. 그것은 죽음을 걸고서 싸우는 필사의 격투이기에 그만큼 그 비극성이 고조될 수밖에 없다. 부정의 정신이 또 다른 부정의 정신에 의해 그 비극성을 극복해 내고자 몸부림치고 있다. 실상 이러한 참담한 격투가 내면에서 펼쳐지고 있었기에 화자는 마침내 암흑 속에서 한 줄기 빛을 발견하게 된다.

> 하늘 땅 속속드리
> 먹 위에 먹을 갈아부었다
> 발뿌리조차 안 뵌다만, 나는 아직 외롭지 않다
> 별빛보다 희미한 들창이
> 그들에 역력한 고난을 비춘다
> 안개 끼인 밤에는
> 호롱불이 보름달 같으니라.
>
> ─「안개 속」에서

> 겨울이 오면 봄은 멀지 않았으니까……
>
> ─「가을바람」에서

> 저 열길 얼음속에서도 아직
> 산 것을 자랑하는 어린 물고기의 마음이
> 불길은 타서
> 그것은 일어날 새 불의 어머니 되나니
>
> ─「주리라 네 탐내는 모든 것을」에서

이처럼 그의 시에는 암흑의 절망으로부터 일어서고자 하는 끈질긴 소생의 지 또는 극복의 정신이 작용하고 있다. 암흑의 정신, 절망의 정신이 부정의 정신, 격투의 정신을 통해서 마침내 어둠 속에서 한줄기 빛을 발견해 냄으로써 자기 초극의 한 실마리를 마련하게 되는 것이다. 절망과 죽음을 건 참담한 내면의 격투를 통해서 끝내 희망을 발견해 내는 부정의 부정정신, 즉 비극 정신 또는 영웅의 정신이 발현되고 있다고 하겠다. 이 점에서 시 「암흑의 정신」은 절망의 정신, 부정의 정신의 한 반영이면서 비극의 정신, 극복의 정신을 보여주는 임화 전형기 시의 한 이정표가 될 수 있음이 분명하다. 일제강점하의 파쇼통치라는 시대적 암흑 속에서 역사적, 사회적인 온갖 수난과 개인적인 시련이 가져온 깊은 절망으로부터 일어서보려는 한 시인의 실존적 안간힘이 부정정신과 비극정신으로 형상화된 것이다. 따라서 이 '암흑의 정신'은 '암흑의 끝없는 동혈'이라는 부정과 생성의 내면 공간을 마련함으로써 임화가 1930년대 중반 온갖 정신적 파산으로부터 자신을 일으켜 세우게 되는, 비유컨대 이상화의 「부활의 동굴」35)에 해당한다고 하겠다. 카프 또는 프로문학이 정신적 기둥 또한 우상의 붕괴, 그리고 개인적인 시련에 따르는 좌절과 절망에 대한 하나의 문학적 응전방식인 것이다.

6. '현해탄' 또는 운명의 거울

1935년 카프가 해산되고 심신의 절망과 위기를 겪으면서 임화가 계급적 입장에서 벗어나 순문학 쪽으로 전향해 가게 되었음은 이미 살펴본 바 있다. 1935년 8월부터 1937년 9월경까지 처가인 마산에서 요양 생활을 하는 사이에 그는 정신적인 진공상태를 문학사 정리36)에 대한 관심으로 극복하고자 한

---

35) 실제로 임화는 이상화에게서 많은 자극과 영향을 받은 것이 사실이다. "어느해봄 그는 이상화라는 미목수려한 장발의시인을 만날 기회를 가졌습니다. 『백조』에 났던 「나의 침실」이란 그의 시에 못지않게 그사람은 좋았습니다. 그는(임화: 인용자) 그(이상화)에게 분명히 시인을 보았습니다"라는 임화 자신의 술회(임화, 「어떤 청년의 참회」, 『문장』 2월호, 1940)가 그 예중이다. 또 이상화가 「곡자사」, 「말세의 회탄」 등에서 보인 절망이 이 '암흑의 정신'과 연결된다. 무엇보다도 투쟁적인 계급의식과 낭만적인 예술의식이라는 두 축이 시의 전체적 뼈대를 이룬 것과 함께 하소연체나 비교적 긴 이야기 시형에서 보더라도 그 영향 관계의 일단을 짐작할 수 있다.

다. 그에게는 젊은 날을 신앙처럼 지탱시켜 주던 지주로서 카프가 무너지고, 전향 및 시와 비평의 열기가 식어가는 데서 오는 커다란 공허감에 대응하는 또 하나의 정신적 응전방식이 필요했기 때문이다. 아울러 이 무렵에 임화는 새로운 시적 출구를 찾으려고 노력하는데, 이러한 노력의 한 반영이 「현해탄」을 비롯한 바다 연작시라고 할 것이다.

"젊은 아내의/부드런 손길이 쥐어짠/신선한 냇물이 향그런가?//새옷을 갈아입으며/들창 넘어로 불현듯/자유에의 갈망을 느끼랴는/나의 마음아!/너는 한낱 철없는 어린애가 아니냐"(「새옷을 갈아입으며」에서)라는 시구처럼 재혼과 전향으로 말미암아 절실해진 새로운 정신의 내면 공간을 마련해 가게 된 것이다. 1938년에 시집 『현해탄』을 펴내고 평론집 『문학의 논리』(학예사, 1939)를 상재하는 한편 일제와의 적당한 타협과 훼절 속에서 출판사 학예사를 대리 경영하고 '조선영화문화연구소'의 일을 보는 것들이 이러한 전신의 몸짓이라고 하겠다.

> 이 바다 물결은
> 예부터 높다
>
> 그렇지만 우리 청년(靑年)들은
> 두려움보다 용기(勇氣)가 앞섰다.
> 산(山)불이 어린 사슴들을
> 거친 들로 내몰은게다
>
> 대마도(對馬島)를 지내면
> 한가닥 수평선(水平線) 밖엔 티끌 한점 안 보인다

36) 「조선신문학사론서설」(『조선중앙일보』, 1935. 10~11), 「개설신문학사」(『조선일보』, 1939, 9~12), 「조선신문학사」(『인문평론』, 40~41쪽.) 및 「신문학사 방법론」, (『동아일보』, 1940. 1) 등이 그것이다. 자세한 내용은 김윤식, 「신문학사 비판」(『문학사상』, 1988. 8)을 참조할 것.

이곳에 태평양(太平洋)바다 거센 물결과
남진(南進)해온 북풍(北風)이 마주친다

몬푸랑보다 더 높은 파도
비와 바람과 안개와 구름과 번개와
아세아(亞細亞)의 하늘엔 별빛마저 흐리고
가끔 반도(半島)엔 붉은 신호등(信號燈)이 내어걸린다

아무러기로 청년(靑年)들이
평안(平安)이나 행복(幸福)을 구(求)하여
이 바다 험(險)한 물결 위에 올랐겠는가?

첫번 항로(航路)에 담배를 배우고
둘잿번 항로(航路)에 연애(戀愛)를 배우고
그 다음 항로(航路)에 돈맛을 익힌 것은
하나도 우리 청년(靑年)이 아니었다

청년(靑年)들은
늘 희망(希望)을 안고 건너가
결의를 가지고 돌아왔다
그들은 느티나무 아래 전설(傳說)과 그윽한
시골냇가 자장가 속에
장다리오르듯 자라났다

그러나 인제
낯선 물과 바람과 빗발에
흰 얼굴은 찌들고
무거운 임무(任務)는 고든 잔등을 농군처럼 굽혔다

나는 이 바다 위
꽃잎처럼 흩어진

몇사람의 가여운 이름을 안다
어떤 사람은 건너간채 돌아오지 않았다
어떤 사람은 돌아오자 죽어갔다
어떤 사람은 영영(永永) 생사(生死)도 모른다
어떤 사람은 아픈 패배(敗北)에 울었다
그중에 희망과 결의와 자랑을 욕되게도 내어판이가 있다면
나는 그것을 지금 기억코싶지는 않다

오로지
바다보다도 모진
대륙(大陸)의 삭풍 가운데
한결같이 사내다웁던
모든 청년(靑年)들의 명예(名譽)와 더불어
이 바다를 노래하고 싶다

비록 청춘(靑春)의 즐거움과 희망(希望)을
모두다 땅속 깊이 파묻는
비통(悲痛)한 이장(理葬)의 날일지라도
한번 현해탄(玄海灘)은 청년(靑年)들의 눈앞에, 검은 상장(喪帳)을
내린 일은 없었다

오늘도 또한 나젊은 청년(靑年)들은
부지런한 아이들처럼
끊임없이 이 바다를 건너가고, 돌아오고
내일(來日)도 또한
현해탄(玄海灘)은 청년(靑年)들의 해협(海峽)이다

영원(永遠)히 현해탄(玄海灘)은 우리들의 해협(海峽)이다

삼등선실(三等船室) 밑 깊은 속
찌든 침상(寢床)에도 어머니들 눈물이 배었고

흐린 불빛에도 아버지들 한숨이 어리었다
어버이를 잃은 어린 아이들의 아프고 쓰린 울음에
대체 어떤 죄(罪)가 있었는가?
나는 울음소리를 무찌른
외방말을 역역(歷歷)히 기억하고 있다

오오!
현해탄(玄海灘)은, 현해탄(玄海灘)은
우리들의 운명(運命)과 더불어
영구(永久)히 잊을 수 없는 바다이다

청년(靑年)들아!
그대들은 조약돌보다 가볍게
현해(玄海)의 큰 물결을 걷어찼다
그러나 관문해협 저쪽
이른 봄바람은
과연(果然) 반도(半島)의 북풍(北風)보다 따스로웠는가?
정(情)다운 부산부두(釜山埠頭) 위
대륙(大陸)의 물결은
정녕 현해탄(玄海灘)보다 얕았는가?

오오! 어느날
먼먼 앞의 어느날
우리들의 괴로운 역사(歷史)와 더불어
그대들의 불행(不幸)한 생애(生涯)와 숨은 이름이
커다랗게 기록(記錄)될 것을 나는 안다
천팔백구십(一八九)0년대(年代)의
천구백이십(一九二)0년대(年代)의
천구백삼십(一九三)0년대(年代)의
천구백사십(一九四)0년대(年代)의
천구백(一九)××년대(年代)의……

모든 것이 과거(過去)로돌아간
폐허(廢墟)의 거칠고 큰 비석(碑石) 위
새벽별이 그대들의 이름을 비칠 때
현해탄(玄海灘)의 물결은
우리들이 어려서
고기 떼를 쫓던 실내처럼
그들의 일생(一生)을
아름다운 전설(傳說)가운데 속삭이리라

그러나 우리는 아직도
이 바다 높은 물결 위에 있다.

—「현해탄(玄海灘)」

시집『현해탄』의 표제시인 이 시는 임화 후기시의 한 대표작에 해당한다. 무려 18연 99행이라는 긴 형식으로 된 이 시는 임화에게 있어서뿐 아니라 일제하 이 땅 시인들의 정신적 내면 풍경을 들여다보는 데 유효한 단서를 제공한다. 그만큼 이 시와 시집이 상징성을 지닌다는 말이다.

현해탄이란 우리 민족에게 과연 무엇인가? 더구나 일제강점하 이 땅의 시인들에게는 어떤 의미를 지니고 있었는가? 그 모든 것을 이름하여 일찍이 한 뛰어난 비평가는 '현해탄 콤플렉스'라고 이름하지 않았던가? 그만큼 현해탄은 이 땅의 사람들에게는 역사적으로나 실존적으로나 마주하여 살아가지 않으면 안될 운명의 바다로서의 의미를 지니는 것이 분명하다. 그러기에 임화는 "이 바다 물결은/예부터 높다/그러나 우리는 아직도/이 바다 높은 물결 위에 있다"라고 노래함으로써 운명과 마주한 자의 아스라한 절망감을 드러내고 있었던 게 아니겠는가? 이 시에서 현해탄은 여러 가지의 얼굴로서 표현되고 있다. 그것은 "예부터 물결이 높은 바다/태평양바다 물결과 대륙의 북풍이 마주치는 바다/희망을 안고 건너가 결의를 안고 오는 바다/수난과 역경이 얼

낭만파 프로시인, 임화 ┃ 181

룩진 바다/청년들의 명예와 더불어 노래하는 바다/모험과 도전의 바다/전설을 지니고 있는 바다/어머니의 눈물과 아버지의 한숨이 어리인 바다/돌아오지 않는 바다 돌아오자 죽어간 바다 영영 생사도 모르는 바다/아픈 패배에 우는 바다/영구히 잊을 수 없는 바다"로서 다양하게 제시된다. 이렇게 보면 그것은 대체로 이 땅의 온갖 역사적 수난과정과 인간적 시련의 과정들이 함께 뒤섞여 소용돌이치고 있는 역사의 바다, 실존의 바다, 상징의 바다로서의 의미를 지닌다고 하겠다. 그런데 무엇보다도 중요한 것은 이 바다가 희망과 절망, 용기와 두려움, 도전과 좌절, 믿음과 배신, 기쁨과 슬픔, 이상과 현실, 그리고 삶과 죽음이라고 하는 모순 또는 이율배반이 교차하는 격심한 갈등의 현장으로 인식된다는 점이다. 관문해협, 바다 건너 저편 이 본 땅은 식민지 조선의 종주국으로서 조선 민족에게는 무섭고 두려운 적이면서도 동시에 어쩔 수 없이 다가가지 않으면 안 되는 모순의 원천 또는 이율배반의 장소로서 의미를 지니는 것이다. 실상 시집 『현해탄』에 실려 있는 바다 연작시[37]들에는 이러한 모순과 이율배반성이 지속적으로 나타나고 있는 것을 볼 수 있다.

> 예술(藝術), 학문(學問), 움직일 수 없는 진리(眞理)……
> 그의 꿈꾸는 사상(思想)이 높다랗게 굽이치는 동경(東京)
> 모든 것을 배워 모든것을 익혀
> 다시 이 바다물결위에 올았을 때
> 나는 슬픈 고향(故鄕)의 한 밤
> 홰보다도 밝게 타는 별이되리라
> 청년(靑年)의 가슴은 별보다도 더 설레었다
>
> ―「해협(海峽)의 로맨티시즘」에서

---

[37] 「해협의 로맨티시즘」, 「밤 갑판위」, 「해상에서」, 「지도」, 「다시 언젠가 천공의 성좌가 있을 필요가 없다」, 「월하의 대화」, 「상륙」, 「바다의 찬가」, 「내 청춘에 바치노라」, 「어린 태양이 말하되」 등 10편이 여기에 속한다. 이 바다 연작시들은 정지용의 영향을 받은 것으로 이해된다.

참으로 한 방울 눈물 속은 이 모든것이 들어있기엔 너무나 좁다
그러므로 눈물은 떨어지면 이내 물처럼 흘러가지 않느냐
나의 아기야, 그래도 이 속엔 아직 그들의 탄 배이름도 닿을 항구의
이름도 없고
이 바다를 건너간 많은 사람들의 운명은 조금도 똑똑히 기록되어
있지않다
더구나, 바람과 파도와 그밖의 온각 악천후(惡天候)에 대하여
눈물은 다만 하염없을 따름이다.
　　　　　　　　　　　　　　　　　　　　　　　　　　―「눈물의 해협」에서

현해탄은 동경과 꿈을 향해 나아가는 희망의 장소이면서 동시의 슬픈 고향
을 생각나게 하여 아픔을 느끼게 하는 모순의 공간으로서 의미를 지니는 것
이다. 바로 여기에서 바다는 이국땅으로서의 일본과 조국땅으로서의 고향을
함께 떠오르게 하는 모순의 촉매가 된다. 현해탄은 불안·미지의 세계로서 일
본과 그에 대조되는 슬픈 반도의 모습을 되돌아보게 하는 '모순의 거울'로서
의 매개고리 역할을 하는 것이다. 이 점에서 바다는 항상 "대체 네가 무엇이
기에/아아! 메마른 들 헐벗은 산/그다지도 너는 내게 가까웠던가!"(「황무지」
에서)라든가 "고향은/인제 먼 반도에/뿌리치듯/버리고 나와//기억마저/희미
하고/옛일은/생각할수록/쓸아리다만"(「향수」에서)과 같이 두고 떠나온 헐벗
은 조국, 가난한 고향과 서로 맞물려 나타난다. 그러기에 그 고향은 항상 괴롭
고도 슬픈 곳으로서 제시된다고 하겠다. 따라서, 현해탄은 이국땅 일본과 조
국땅 반도조선 사이에 가로놓여서 슬픈 조국의 모습을 일깨워 주고 그 쓰라
린 역사와 실존적 삶의 의미를 새롭게 발견하게 해주는 '자의식의 거울' 또는
운명의 거울38)에 해당한다. "오오! 현해탄은, 현해탄은/우리들의 운명과 더

---

38) 이 점에서 이 시는 심훈의 시 「현해탄」과 연결된다. 실제로 심훈은 카프에 열정적
　　으로 가담한다든지 참여적인 시를 쓰고 영화에 깊이 관여하는 등 혁명성과 낭만성
　　을 함께 지닌 인물이라는 점에서 임화와 좋은 대조가 된다. 김재홍, 「심훈론」, 『한

불어/영구히 잊을 수 없는 바다"이며, "아! 그것은 현해탄이란 바다의 이상한 운명이 아니냐?"처럼 증오스런 적의 얼굴이자 동시에 비참한 나의 얼굴 모습이며, 이 점에서 운명의 기울일 수밖에 없는 것이다. 이 점에서 시집 『현해탄』은 한국시사 및 식민지 시인들의 정신구조와 그 편향성을 살피는 데 매우 상징적인 의미를 지니며, 1930년대 한국시 정신사 해명에 '현해탄 콤플렉스'[39]를 부각시킬 것이 자명하다고 하겠다. 이 시가 많은 부분에서 시적 전개의 장황함과 애매모호성을 지니고 있음에도 불구하고 이 땅의 시사에서 하나의 역사적 의미를 지닐 수밖에 없는 것도 바로 이 시가 실존적 대상으로서의 바다, 현해탄을 역사적 삶의 모순공간으로 인식시킨 점에서 찾을 수 있음이 분명하다.

7. 맺음말

해방공간에서 임화는 문학작품 창작보다는 인민성에 기초한 민족문학 건설이라는 기치를 내걸고 문단 정치 활동을 전개한다. 따라서 해방 후의 시집 『찬가』에 실린 그의 많은 시들은 "아아 깃발 타는 깃발/열 스물 또 더 많이 나부기고 민중의 깃발/붉은 깃발은"(시 「길」에서)처럼 정치적 상징으로서의 깃발[40]로 나부끼고 있다. 그는 시를 통한 일제 잔재 청산이라든지 자기비판, 혹은 각종 봉건유제의 타파에 힘을 기울이기보다는 문단조직과 정치활동에 더 능동적이었던 것이다. 그는 해방공간에서 좌우익 문학단체들이 이합집산하는 가운데 정치 노선에 함몰됨으로써 문학의 길이 아니라 정치의 길로 들어

국현대시인연구』, 일지사, 1986, 110쪽 참조.
39) 김윤식은 정지용과 김기림의 바다 시편들의 연관성을 임화의 그것과 관련 시켜서 이러한 '현해탄 콤플렉스'란 용어를 만든 바 있다. 김윤식, 『한국근대문예비평사연구』, 558쪽.
40) 깃발이 등장하는 시로는 「발자욱」, 「3월1일이온다」, 「나의 눈은 핏발이 서서 감을 수가 없다」, 「깃발을 내리자」, 「우리들의 전구」등이 있는데, 그 대부분이 관념적이고 구호적인 내용을 담고 있는 것이 특징이다.

서게 되었고, 결과적으로 이것이 그의 비극적인 결말을 초래하게 된 것이다. 시세에 유난히 민감한 그의 방향감각과 처세술이 자초한 당연한 비극이라고 도 하겠지만, 이미 일제 말의 친일 훼절 행위 등으로 그의 내면탐구로서의 시 정신이 고갈되어 버렸고 시인 정신 또한 퇴행해 가고 있던 것이 이유라고 하겠다.

일제강점기로부터 해방공간에 이르는 전환기에 이르기까지 임화의 시와 행동은 문단에 하나의 풍향계 역할을 해온 것이 사실이다. 그의 시는 시대 상황의 변화에 따라 사회 도는 정치과 등가관계를 이루기도 했으며, 때로는 내면탐구로 기울어지기도 하는 등 역사적 상황의 변화과정과 민감하게 밀착하면서 전개되었다. 따라서 그의 시는 항상 방황하면서 문학과 사회, 문학과 정치, 문학과 역사 사이에서 갈등을 겪어 왔다는 점에서 형성형의 시 또는 미완의 시로서의 성격을 강하게 지녀 왔다고 하겠다. 말하자면 작품으로서의 문학, 즉 예술성 탐구와 운동으로서의 문학, 즉 정치적 실천 지향성 사이를 기민하게 왕래하면서, 그 어느 한 세계를 일관성 있게 천착하기보다는 끊임없이 변신함으로써 시적 포괄성을 확보하려고 노력해 간 것이다. 바로 여기에서 임화 비범성이 함께 놓인다. 그가 시인이냐 아니냐, 또는 시인 이상이냐라고 하는 엇갈리는 평가도 실상은 그의 시가 지닌 이러한 세속성으로서의 상투성과 비범성 사이에 놓인 진동 축을 나름의 입장에서 파악한 결과라고 하겠다. 그가 시세 변화에 지나치게 민감하고 약삭빠른 처세를 보여 준 것은 이러한 세속적인 상투성을 반영한 것이라고 하겠지만, 그러면서도 상황을 파악하는 기지와 방향감각이 날카로워서 그 역사적 방향성을 한발 앞서서 대응해 나간 것은 그 비범성의 한 표현임에 분명하다. 실상 그가 1920년대 초기 시단 형성 과정의 문단적 분위기나 여성편향성 및 낭만적 열정을 1920년대 후반 프로 문학의 사회적·역사적 웅전력과 결합시켜 낭만적 프로시를 개성적으로 개척 한 것은 이러한 특유의 기민한 상황포착능력과 대응능력을 선명하게 보여 주는 예가 된다. 그의 시가, 그 예술적 성숙도는 논외로 하더라도, 초기 시단의 문단적·예술지향적 분위기를 프로시 속에 이끌어들여 낭만성향의 프로시로서 한 전형성[41]을 이루어 낸 점을 과소평가하기는 쉽지 않을 것이기 때문이다. 김소월, 한용운 등의 여성 지향적 낭만성향과 이상화의 낭만적 계급성향을 박영희, 김팔봉의 계급주의 이론과 접합시켜 개성적인 계급성향의 시를 개척한 것은 뜻있는 일이 아닐 수 없다. 그의 시는 이처럼 1920년대 전반의 문예적 경향을 1920년대 후반의 정치적 성향과 결합시키는 한 매개고리 역할을 수행함으로써 1930년대 시로 넘어가는 한 디딤돌이 되었다는 점에서 의미가 드러난다. 또한 임화 초기 시의 다다이즘풍은 1930년대 이상의 그것과 무관하지 않으며, 이야기시는 백석이나 이용악의 그것으로 연결된다는 점에서 임화의 시사적 의미가 놓인다고 하겠다. 무엇보다도 그를 빼고 카프시와 프로문학운동 전반을 생각하기 어려울 것이며, 카프문학에 대한 반동과 접맥에서 1930년대 문학 및 그 이후 우리 문학사가 전개된 점을 음미해 본다면 임화의 문학사적 비중은 자명하게 드러난다고 하겠다. 그만큼 임화와 그의 문학은 선배시인이나 동료 또는 후배시인들에게 일제강점기로부터 해방공간에 이르기까지 하나의 진원으로서 끊임없이 파문을 일으키며 자극과 영향을 미쳐온 것[42]이 사실이다. 이 점에서 그와 그의 문학을 논하지 않고서 이 땅의 근대문학사를 논의한다는 일은 불가능한 일이라고 할 수 있다.

그렇지만 우리는 임화의 시가 지닌 단점이나 한계성 또한 지적하지 않을 수 없다. 그의 시는 구체적인 현장성에 기초하지 않음으로써 관념화, 추상화

---

41) 이 점에서 임화의 문학은 정치의식과 연애감정이 그 골자를 이루며, 문학의식도 정치주의와 예술주의가 서로 대립하면서 화해를 지향하는 모순의 전형성을 지닌다고 하겠다.

42) 해방공간부터 그가 북에서 '미제간첩행위' 및 '이승엽 등의 무장폭동활동음모행위'로 사형을 언도 받기까지의 과정은 마쓰모도 세이쪼의 『북의 시인 임화』(김병걸 역, 미래사, 1987)에 논픽션 형식으로 묘사되어 있다. 이 책의 말미에 신승엽의 「식민지시대 임화의 삶과 문학」이라는 개괄론이 한 편 수록되어 있다.

되는 단점을 지닌다. 또한 능동적인 실천성을 확보하거나 구체적인 방향성을 제시하지 못함으로써 이념과 투쟁정신을 올바른 방향으로 이끌어가지 못하는 한계를 보여줬다. 더욱이 노동자의 삶을 다루면서도 노동자의 의식이나 생활양식 및 언어 감각에 밀착되지 못함으로써 이념과 실제와의 사이에 커다란 공백과 괴리를 보여 준 것이 단점이다. 한마디로 계급의식의 징후가 크게 범람했음에도 불구하고 그 구체적 실천성과 운동성을 결여함으로써 진정한 사회주의적 리얼리즘 실천에는 도달하지 못한 데서 프로시로서의 한계를 지녔던 것으로 판단된다는 말이다. 또한 감상성의 과도한 노출이나 언어 낭비, 그리고 형식상의 짜임새 등에서 허술함이 엿보이는 것도 단점이라 하겠다. 결국 그의 시는 사회주의 리얼리즘에 완벽하거나 투철하지 못했으며, 예술성에서도 뚜렷한 성과를 거두지는 못했다는 점에서 1920년대 이 땅 프로시가 지닌 일반적 한계를 그대로 지니고 있었다고 할 수 있다. 무엇보다도 그의 시가 내포한 가장 큰 결점은 그의 시에 진정한 역사의식의 깊이와 철학적 정향성이 부족했다는 점이다. 그의 시는 역사적인 방향감각을 민감하게 지니고 있긴 했지만 그것이 당대 사회의 제반 구조에 대한 체계적이고 논리적인 분석과 종합에서 우러나온 깊이 있는 철학성 및 역사인식에 기반을 두지 못했던 점에서 근본적인 한계가 놓인다는 말이다. 프로문학을 지향하면서도 당대의 사회적, 역사적, 경제적 토대 구조에 대한 깊이 있는 천착과 사회주의에 대한 체계적인 인식을 결여하고 있었기 때문에 그의 시가 깊은 사상성과 치열한 실천성을 담보해 내기 어려웠다는 뜻이다. 그렇지만 이러한 것들이 어찌 임화만의 한계이겠는가? 그것은 임화 개인의 한계이자 당대 프로문학이 지닌 시대적 한계가 아닐 수 없으리라. 실상 임화의 비극은 그의 시가 진실된 내면 공간을 확보하지 못했던 탓도 있지만, 그보다도 그에 선행하는 깊이 있는 역사의식과 밀도 있는 사상, 예술성을 담지해 내지 못했던 데서 기인하는 것이 분명하다.

그럼에도 불구하고 임화의 비극성이 왜 우리의 가슴에 그토록 큰 아픔으로 부딪쳐 오는 까닭은 무엇인가? 아마도 그것은 문학과 정치, 이념과 인간 사이에서 끊임없이 하던 그의 정신사적 갈등의 자취가 분단의 오늘을 살아가고 있는 우리에게도 그대로 지속되고 있음이 아니겠는가? 시인이면서 시인이 아니었고, 동시에 시인 이상이었던 임화, 그의 성공과 실패 그리고 비극성의 궤적은 오늘날에도 여전히 남과 북의 지성인들, 특히 문학인들에게 깊은 자기 성찰을 요구하고 있기 때문이 아니겠는가 말이다. 문학의 길인가, 정치의 길인가? 작품으로서의 문학인가, 운동으로서의 문학인가? 과연 그 어느 것이 오늘날 이 땅에서 바람직한 역사의 방향성이고, 당위적인 문학사적 지향성이겠는가?

볼셰비키 프로시인, 권환

1. 머리말

평론가이면서 시인인 권환(본명 권경환, 1903~1953), 그는 1930년대 초이 땅 프로문학의 볼셰비키화를 주도한 대표적인 카프시인의 한 사람이다.

그는 임화, 안막, 김남천 등과 함께 김팔봉, 박영희 등의 문학주의적인 프로문학론을 날카롭게 비판하면서 등장하여 프로문학의 정치투쟁 노선화, 즉 볼셰비키화로서 1931년 카프 제2차 방향전환을 주도한다. "전위의 눈으로 사물을 보라"라는 프롤레타리아트 리얼리즘[1]에 기초한 이들 소장파 볼셰비키들은 1931년을 전후해서 카프 2차 검거가 있던 1934년까지 문단을 풍미하면서 프로문학의 정치 노선화를 적극 주동해 간 것이다.

지난해 납·월북문인에 대한 해금이 이루어지기까지 권환의 시는 그가 이른바 월북문인이 아니면서 볼셰비키화된 창작방법론으로 인해서 의식적, 무의식적으로 외면당하거나 부정적인 평가를 받아온 것이 사실이다. 그의 시는

---

1) 박영희는 "푸로레타리아리얼리즘에는 권환의 시가 대표가 될 수 있다"라고 긍정적으로 평가하고 있다. 박영희, 「방향전환기의 문예운동」, 『현대한국문학사』 9, 『사상계』 68호, 1959. 3.

계급의식과 선전·선동성의 강조, 정치투쟁 일변도의 과격성으로 말미암아 분단 상황에서 시 자체에 대한 검토 및 비판이 이루어지기 어려웠기 때문이다. 그렇지만 그의 시는 이 땅 프로문학의 문제점이나 한계를 올바로 해명하기 위해서라도 본격적이면서도 객관적인 탐구가 필요한 실정이라 하겠다.

　권환은 1903년 경남 창원에서 출생하여 일본 야마카다를 거쳐 경도제국대학 독문과를 졸업한 수재형 문인에 해당한다. 그는 재학 중 사상불온혐의로 피검되기도 했으며, 카프 동경지부인 무산자사에서 일하는 등 진보적 지식인의 면모를 보여주었다. 1930년에 귀국한 그는 시「가랴거든 가거라」2) 및 평론「무산예술운동의 별고와 장래의 전개책」3) 등을 발표하여 등단하는 한편 『카프시인집』4)(1931)에 참여함으로써 1930년대 볼셰비키 문예 운동에 주도적인 인물의 한 사람으로 떠오르게 된다. 그러다가 그는 1934년 카프 2차 검거시 피체되어 잠시 수형 생활을 겪기도 하였으나5) 카프 해체 후에는 순수문학으로 전향하게 된다. 그는 『중외일보』, 『조선일보』 등의 기자와 조선여자의학강습소 강사, 김해 농장원, 경성제대 사서 등을 역임하다가 해방 직전에 첫시집 『자서상』(조선출판사, 1943) 및 『윤리』(서문당서점, 1944)를 발간하였다.6) 해방 후에 그는 다시 프로예맹(1945. 9. 30) 및 조선문학가동맹(1946. 2. 9)의 중앙집행위원을 맡는 등 프로측 문인으로 활약한다. 그는 6·25 직전까지 마산에서 교편을 잡았으며, 프로 문인들의 대거 월북에도 편승하지 않

---

2)『조선지광』 90호. 1930년 3월호에 발표된 이 작품은 소부르주아 기회주의에 대한 비판의 시로서 볼셰비키 입장에서 카프조직의 자기 청산을 목표로 한 것이다.
3)『중외일보』, 1930. 1. 10～31.
4) 여기에는「정지한 기계」,「그대」,「우리를 가난한집 녀자라고」,「가랴거든 가거라」, 「소년공의 노래」,「타락」,「머리를 땅까지 숙일때까지」 등 그의 대표적인 프로시들이 수록되어 있다.
5) 백철,「공판정 풍경」,『진리와 현실』, 박영사, 1973, 328～330쪽. 여기에는 그의 형량이 징역 1년 반에 집행유예 3년으로 기록되어 있다.
6) 기타 시집으로『동결』, 건설출판사, 1946. 8이 있으나 앞의 두 시집의 시가 재수록된 정도이어서 논외로 한다.

다가 1953년 마산에서 지병으로 작고한 것으로 알려져 있다.

이렇게 본다면 그의 생애와 문학은 그대로 이 땅 일제강점 및 해방공간에 있어서 고민과 갈등을 상징해 준다고 할 것이다.

본장에서는 그의 시를 중심으로 살펴보기로 한다.[7]

2. 계급의식과 아지프로(Agi~Pro)[8] 시

권환의 시는 기본적인 면에서 일제강점하 식민지 현실의 제반 질서와 자본주의적 가치체계를 부정하는 데서 출발한다. 낡은 것과 새것, 사라져 가는 것과 탄생하는 것, 가진 자와 갖지 못한 자 사이의 대립과 갈등, 즉 변증법적 유물론에 기초를 두고 있다는 점에서 프롤레타리아트 세계관을 기본사상으로 하는 것이다.

> ① 우리들을 녀자이라고
> 난한 집 헐벗은 녀자이라고
> 밀초처럼 누른 마른 명태처럼 뻣뻣 야윈
> 가난한 집 녀자이라고
> ×들 마음대로 해도 될 줄 아느냐
> 고래가튼 ×들 욕심대로
> 마른 우리들의 ×를
> 젓 빨듯이 마음대로 빨어도 될 줄 아느냐

---

7) 그의 주요 평론으로는 사회주의적 리얼리즘을 본격적으로 논의한 「현실과 세계관 및 창작방법과의 관계」(『조선일보』, 1934. 6. 24~29)가 특히 주목된다. 이에 관해서는 장사선의 『한국리얼리즘문학론』(새문사, 1988)을 참조할 것. 기타 그의 후기 순수시에 관해서는 고형진의 「카프문학관, 그리고 대상의 소묘화」(『현대시학』, 1989. 1)라는 단평이 발견된다.
8) 아지프로란 선동(agitation), 선전(propaganda)에서 따온 말로서 말 그대로 선동, 선전을 목표로 하는 계급주의적 전략전술을 뜻한다.

×들은 만흔 리익을 거름(肥料)가치 길러가면서
눈꿉짝만한 우리 싻돈은
한업는 ×들 욕심대로 작구작구 내려도
아무 리유 조건도 업시
신고 남은 신발처럼
마음대로 들엿다 ××처도 될줄 아느냐

우리가 맨들어 주는 그 돈으로
×들 녀펜네는 보석(寶石)과 금(金)으로 꿈여주고
우리는 집에 병들어 누어
늙은 부모까지 굼주리게 하느냐

안남미밥 보리밥에
썩은 나물 반찬
×지죽보다 더 험한 기숙사 밥
하―얀 쌀밥에 고기도 씹어내버리는
×의집 녀펜네 한번 먹여봐라

태양도 잘못들어 오는
어둠 컴컴하고 차디찬 방에
출×조차 ……케 하는
××보다 더 ……한 이 기숙사사리
낮이면 양산들고 련인과 식물원(植物圜) 꼿밧헤
밤이면 비단 '카―텐'미테서 피아노 타는
×집 딸자식 하로라도 식혀봐라

걸핏하면 길들이는 원숭이가치
모진 ×××의 날카로운 ×
×집 녀펜네 딸자식 한번 ×여 봐라
우리들을 녀자이라고
가난한 집 헐버슨 녀자이라고

마른 ×를 마음대로 빨라구 말라
우리도 항쟁을 안다……을 안다
아무래도 ×어 ×× 여러×는 우린데
이 ×의 집에서 ××나가는 걸

××× 손에 ××혀 가는걸
눈꼽만치라도 겁낼 줄 아나

아무래도 ××는 우리니
×을 때까지 항× 하리라 ×우리라
　　　　　　　　—「우리를 가난한집 녀자이라고」

② 우리는 나어린 소년공(少年工)이다

　　뼈와 심줄이 아즉도
　　봄바람에 자라난 풀대처럼
　　연하고 부드러운 나어린 소년(少年)
　　부자집 자식 가트면
　　따뜻한 햇빗이 덥퍼잇는 풀밧 우에서
　　단 과자(菓子) 씹어가며 뛰고놀 나어린 소년(少年)
　　부자집 자식 가트면
　　공기조혼 솔숩속 놉혼집 안에서
　　글배우고 노래부를 나어린 소년(少年)이다

　　그러나 우리는 지금
　　햇빗 업고 검은 먼지찬 제철공장(製鐵工場)안
　　무겁고 큰 기계 아페서
　　짜운 땀을 흘리는 소년공(小年工)이다

　　일은 아츰부터 느진 저녁까지
　　기계를 돌리고 마치를 뚜다려도

……운 주인 영감의……
모…… 어룬의 압……로
부드러운……에 푸른 ×터만 남기는것 박게
아무것도 어더간것 ×는 소년공(少年工)이다

그러치만 우리는 잘 안다

우리와 가치 일하는 만흔 아저씨들이
……
×들 하고 ×도록 ×우다가
×××에 ……서 ××간것을
우리는 잘 보앗다 우리는 잘 안다

동무들아 나어린 소년공(少年工) 동무들아
×× 아프다고 울기만 하지 말고
×하다고 ××만 하지말고
우리도 얼는 힘차게 억세게 잘어나서
용감한 그 아저씨들과 가치
수백만 우리처럼 가난한 사람들
마른 ×를 ×한테들 ×니기만 하는 동무들
이리가나 저리가나 ×음× ……들을 위해서 ××자 응 ×우자!
　　　　　　　　　　　　　　　　 ─「소년공(少年工)의 노래」9)

　　이 두 작품에는 이해관계의 동질성을 강조함으로써 노동계급의 이익을 철
저히 옹호하고 고수하려는 계급의식이 선명하게 제시되어 있다. 이들은 빈궁
한 생활을 감상적으로 노래하거나 막연한 절규 또는 단순한 심리상 충동을
노래하던 과거의 프로시에서 한 걸음 나아가서 폭발적으로 일어나는 계급감
정을 일반 대중의 가슴에 취입·전달함으로써 계급투쟁의 길로 나아가고자10)

───────────────
9) 이하 프로시들은 『카프시인집』(집단사, 1931)을 인용한다.

하는 볼셰비키 시의 한 전형을 보여주는 것으로 이해된다.

> 다른모든우리들의예술(藝術)과가티물론(勿論)우리들의부르는노래
> 는 우리의참담(慘憺)한비인간적(非人間的)×××생활(生活) 또 그로인
> (因)하야 석탄(石炭)의연기(煙氣)가티서유(徐悠)히혹은폭발적(爆發的)
> 으로 니러나는증악(憎惡)××감정(感情)이필연적(必然的)으로 그러한
> 노래를 안부르면안되게 한다.[11]

이처럼 비인간적인 빈궁한 생활과 그로 인해 폭발적으로 일어나는 증오심 및 계급감정이 이 두 편의 인용시에 분출되고 있는 것이다.

먼저 시 ①은 「우리를 가난한집 녀자이라고」처럼 제목에서부터 계급적인 색채를 물씬 풍기고 있다. 실상 "이 노래를 공장에서 일하는 수만명 우리 자매에게 보냅니다"라는 부제격의 꼬리표에서 볼 수 있듯이 이 시는 공장에서 일하는 여성노동자들을 고무·선동하기 위한 목표로 쓰인 작품에 해당한다. 1920~1930년대 이 땅에서 '가난'과 '여자'라고 하는 이중의 불평등, 즉 계급 모순으로 인한 불평등과 남녀 사이의 불평등이라는 두 가지 매개고리를 효과적으로 활용해서 계급의식을 고취하고 계급투쟁을 선동하려는 선 동·선전의 시, 즉 아지프로시에 해당한다고 할 것이다.

이 시는 내용상 세 단락으로 구분할 수 있다. 즉 '될 줄 아느냐(굶주리게 하느냐)'가 반복되는 첫째 단락과 '먹여봐라(식혀봐라)'가 반복되는 둘째 단락, 그리고 '겁낼줄아나~싸우리라'로 맺어지는 마지막 단락이 그것이다. 그러고 보면 이 시는 내용적인 면에서 '될줄아느냐/안 된다', '해봐라/못할 것이다', 그러므로 '겁내지 않고/싸우리라'라고 하는 의미상 호응관계를 내재하고 있다고 하겠다. 그것은 이 시가 단호한 거부와 부정, 그리고 결의에 찬 다짐이라는

---

10) 권환, 「'시평'과 '시론'」, 『대조』 4호, 1930. 6, 36쪽.
11) 위의 글, 35쪽.

비교적 단순한 짜임새를 지니고 있음을 알 수 있게 해준다.

　먼저 첫 단락에서는 가진 자로서의 자본가와 못 가진 자로서의 근로자 사이에 발생하는 계급적 대립과 갈등이 제시된다. 특히 여기에서 시의 화자로서 '가난한집 여자'로서의 여성근로자가 등장한 것은 주목을 요한다. 이것은 일제강점하에 있어서 여직공이란 그 임금조건이나 작업조건 등에 있어서 이중 삼중의 불리한 여건을 지닐 수밖에 없다는 사실에 비추어 계급적인 착취 및 그에 따른 저항의식을 극대화하기 위한 의도적 장치에 해당한다고 하겠다. 남성에 의한 피학대자로서의 여성상, 자본가에 의한 피착취자로서의 근로자상을 결합하여 약자에 대한 연민과 동정을 불러일으키는 한편 가진 자에 대한 적개심을 유발함으로써 적대적인 계급의식을 심화하고자 의도했다는 말이다. 그러기에 이 단락에서는 빈부의 대조 또는 수탈과 착취로 인한 '부익부 빈익빈'의 현상이 두드러지게 강조된다. 여기에서 여성근로자는 '가난한/헐벗은/누른/마른/야윈 여자'로 형상되는 데 반해 자본가는 '고래가튼/만흔/욕심대로'와 같이 탐욕스러운 자본가상의 전형[12]으로서 제시된다. 인물형상에서부터 계급의식이 적나라하게 표출된다고 하겠다. 그러기에 자본가는 "만흔 리익을 거름가치 길러가면서/눈꼽짝만한 우리 싹돈은/작구작구 내려도"와 같이 부당한 임금착취와 함께 "아무 리유 조건도 없이/신고 남은 신발처럼/마음대로 ××처도(메다처도: 인용자)"와 같이 부당해고를 일삼는 악덕 기업주로 매도되고 있다. 또한 근로자에 의한 노동의 결과로 발생한 잉여 가치마저도 "우리가 맨들어 주는 그 돈으로/×들 녀펜네는 보석과 금으로 꿈여주고/우리는 집에 병들어 누어/늙은 부모까지 굼주리게 하느냐"처럼 착취당해 버리고, 질병과 기아 속에서 생존권마저도 위협받으며 살아가고 있는 것이다. 바로 여기에서 프롤레타리아로서 계급적인 울분과 적개심이 분출할 수

---

12) 누시노브, 예술가는 현상 속에서 전형적인 것을 찾아내고 그 전형적인 것을 전형적인 현상으로 표현한다. 「창작방법과 세계관의 문제」, 『창작방법론』, 문경사, 1949, 44쪽.

밖에 없게 된다. 극단적인 빈부의 대조, 부익부 빈익빈 현상의 강조 속에는 상대적 박탈감에서 오는 강한 분노와 저항의식이 담겨 있음이 분명하다. "우리들을 녀자이라고/가난한 집 헐벗은 녀자이라고/×들 마음대로 해도 될 줄 아느냐/마른 우리들의 ×를/젓 빨듯이 마음대로 빨어도 될 줄 아느냐"라는 구절 속에는 이들 착취자로서의 당대의 자본가 또는 가진 자들에 대한 적대의식과 함께 결연하면서도 단호한 항거의식이 분출되고 있다고 하겠다.

두 번째 단락에서는 이러한 빈부의 대조를 통한 상대적 박탈감 및 계급적 울분이 보다 구체적으로 묘파 되어 사실감을 더해 준다. 그것은 의·식·주 등 구체적인 생활상의 대조로 집중된다. 식생활 면에서는 "보리밥에 썩은 나물 반찬/×지죽(돼지 죽: 인용자)보다 더 험한 기숙사밥"과 "하얀 쌀밥에 고기도 씹어내버리는/×의집 녀펜네"가 대조된다. 실상 이러한 대조는 먹는 것만큼 구체적이면서도 중요한 일이 없다는 점에서 민감한 자극을 불러일으키기 충분한 소재가 된다. 먹이 문제란 생존을 위한 기본적이면서도 궁극적인 상징성을 내포하고 있으며, 그만큼 직접적인 감각성과 구체적인 현장성을 지니고 있기 때문에 민감해질 수밖에 없는 것이다. 주거 및 생활상에 있어서도 이러한 극단적인 대조는 그대로 지속된다. "태양도 잘못들어 오는/어둠 컴컴하고 차디찬 방에/××보다(감옥: 인용자) 더…… (못: 인용자)한 이 기숙사사리"와 "낮이면 양산들고 련인과 식물원 꼿밧헤/밤이면 비단 '카텐'미테서 피아노 타는/×집 딸자식"의 대립이 그것이다. 또한 거기에 "출×(입: 인용자)조차…… (자유롭지 못하게: 인용자)케 하는/걸핏하면 길들이는 원숭이 가치/모진 ××× (감독원?)의 날카로운 ×(눈: 인용자)"과 같이 여공원의 생활은 자유롭지 못한 모습으로 제시된다. 인격권과 함께 생존권마저도 유린되는 일제강점하 여성근로자의 참상이 제시된 것이다. 아울러 "×의 집 녀펜네 한번 먹여봐라/×집 딸자식 하로라도 식혀봐라"라고 하는 노호 속에는 계급적인 분노와 증오심이 들끓고 있음이 분명하다.

그러기에 마지막 단락에서는 계급의식이 계급투쟁에 대한 결의와 다짐으로 상승된다. 프롤레타리아에 있어서 계급투쟁이란 무엇인가? 간략히 말해서 그것은 피착취계급이 자기 계급의 이익과 사회적 해방을 위하여 착취계급을 반대하여 전개하는 투쟁[13]을 의미한다고 하겠다. 이 시에서 "우리들을 녀자이라고/가난한집 헐버슨 녀자이라고/마른 ×(피: 인용자, 복자의 괄호 안은 인용자의 풀이)를 마음대로 빨라구 말라/우리도 항쟁을 안다 ……을 안다/이 ×(놈)의 집에서 ××(쫓겨)나가는 걸//×××(순사들) 손에 붙잡혀 가는걸 눈꼽만치라도 겁낼 줄 아나//아무래도 ××(싸우)는 우리니/×(죽)을 때까지 항 ×(거) 하리라 ×(싸)우리라"라고 하는 결구는 노동계급의 이익과 사회해방을 위해 투쟁을 전개해 나아가고자 하는 계급투쟁에 대한 결의와 다짐을 천명하고 있는 것으로 볼 수 있다. 이렇게 본다면 이 시는 계급적 입장을 확고히 하면서 전체 노동계급의 투쟁의식을 적극 고취하고 선동하는 의미를 담고 있다고 하겠다. 부분적 진실을 전체적인 것으로 과장하고 빈부 사이의 대립을 의도적으로 확대·과장함으로써 무기로서의 문학, 혁명투쟁의 수단으로서의 예술이라는 볼셰비키 노선에 충실하고자 한 것이다.

시 ②도 계급모순의 고발을 통해 자본가에 대한 적개심을 고취하고 투쟁의식을 불러일으키고자 하는 아지프로시에 해당한다. 시 ①이 여직공을 화자로 해서 계급적 대립을 극대화하고자 시도한 것처럼 시 ②는 소년공을 내세워 그러한 계급의식을 심화하고자 하는 것이 특이하다.[14] 특히 시 ②도 여직공의 경우보다도 더욱 동정과 연민을 불러일으킬 수 있는 소년공을 내세웠다는 점에서 그 선동·선전적 환정성이 두드러진다고 하겠다.

이 시는 보다 일목요연한 구성을 지니고 있는데, 그것은 대체로 세 단락으로 구분할 수 있다. 첫 단락은 "우리는 나어린 소년공이다"라고 진술하면서

---

13) 『정치사전』, 사회과학출판사, 1973, 179쪽.
14) 이 점에서 시 ①은 유완희의 시 「여직공」에서의 여공원의 비참한 모습과, 시 ②는 임화의 「우산 받은 요코하마의 부두」에서 북류의 유년공 모습에 이어진다고 하겠다.

부잣집 소년과 대조되는 모습을 제시한다. 둘째 단락은 "그러나 우리는 지금"부터 "아무것도 어더간것 ×는(없)소년공이다"까지로 제철공장에서 땀 흘리며 고생하면서도 인간적인 대접을 받지 못하는 비참한 소년공의 모습이 묘사된다. 셋째 단락은 "그러치만 우리는 잘 안다"에서 끝까지인데, 여기에서는 계급적 단결과 투쟁의식이 강조되고 있다. 그러고 보면 이 시는 "우리는 소년공이다/그러나 우리는 아무것도 어더간것 업는 소년공이다/그러치만 우리는 싸우자!"처럼 대단히 논리적인 짜임새를 지니고 있음을 알 수 있다. 그만큼 선동·선전시로서의 정서적 환정성과 함께 논리적 구성력을 지니고 있다는 말이 될 것이다.

먼저 첫 단락에서는 "뼈와 심줄이 아즉도/봄바람에 자라 난 풀대처럼/연하고 부드러운 나어린 소년"으로서 소년공의 모습이 제시된다. 아직 어린 나이에 공장노동에 종사하지 않으면 안 되는 이 소년은 보나마나 부모가 없거나 궁핍하기 이를 데 없는 환경에서 일찍이 생활전선에 뛰어든 불쌍한 모습이다. 그는 "부잣집 자식 가트면/따뜻한 햇빗이 덥퍼잇는 풀밧 우에서/단 과자 씹어가며 뛰고놀 나어린 소년/글배우고 노래부를 나어린 소년"에 해당한다. 바로 여기에서 이 시가 빈부의 대립과 갈등에 그 모티브를 두고 있음이 선명하게 드러난다. 똑같이 행복하게 뛰어놀 나이에 누구는 그렇고, 누구는 그렇지 못한 형편인 것이다. 이처럼 이 단락은 호강하는 부잣집 자식과 노동을 팔아 살아가야 하는 소년공의 모습을 대조시킴으로써 계급적 모순과 갈등을 날카롭게 부각시키고자 의도한 것이다.

둘째 단락에서는 이러한 모순과 갈등이 보다 첨예하게 묘사된다. 이 소년공은 햇빛 좋고 공기 맑은 곳에서 즐겁게 떨어놀기는커녕 "햇빛 업고 검은 먼지찬 제철공장안/무겁고 큰 기계 아페서/짜운 땀을 흘리는" 고통스런 모습일 뿐이다. 더구나 "일은 아츰부터 느진 저녁까지/기계를 돌리고 마치를 뚜다려도/……(사나운) 주인 영감의 ……(눈초리)에/부드러운 ……(살결)에 푸른 ×

(멍)터만 남기는것 박게/아무것도 어더간것 업는 소년공이다"처럼 혹사와 수탈에 시달리는 비참한 형편에 처해 있는 것이다. 이 소년공에게는 8시간 노동제라든지 야간노동금지, 14세 미만의 노동금지와 같은 기본적인 노동법상의 보호규약마저도 전혀 의미가 없다. 실상 소년공을 전면에 내세운 것 자체가 이러한 일제강점하 자본주의 사회의 제도적 모순과 구조적 부조리를 예리하게 부각하고 계급의식을 고취하고자 하는 의도의 한 반영임은 자명한 일이다.

따라서 셋째 단락에서는 이러한 잘못된 사회구조를 타파하기 위해 싸우다가 잡혀가는 근로자들의 모습이 제시되면서 "우리도 얼는 힘차게 억세게 잘 어나서/용감한 그 아저씨들과 가치/수백만 우리처럼 가난한 사람들"처럼 계급적인 단결과 유대감을 강조한다. 아울러 "마른 ×(피)를 ×(놈)한테들 ×(빨)니기만 하는 동무들/이리가나 저리가나×음×(죽음뿐)……(프롤레타리아)들을 위해서 ××(싸우)자 웅 ×(싸)·우자!"와 같이 계급투쟁을 선동·선전하게 되는 것이다. 따라서 이 시는 궁핍과 그로 인한 노동 및 수탈에 시달리는 소년공의 비참한 삶의 모습을 통해 가진 자들에 대한 울분과 적개심을 극대화하면서 계급투쟁을 선동·선전하는 볼셰비키 노선을 형상화하고 있다고 하겠다. 낱낱의 삶이 지닐 수밖에 없는 구체적인 진실이라든지 인간적인 따뜻함의 정신 또는 자기 극복의 소중함에 대한 깨달음을 일체 사상해 버리고, 오로지 세계를 대립적으로 파악하고 상대편을 적으로 규정하여 계급투쟁을 강조하는 레닌적 프롤레타리아 세계관으로 철저히 무장된 것이다.

이렇게 볼 때 이들 두 편의 시는 노동계급의 이익을 철저히 옹호하고 계급적 입장에서 적과 동지를 구별하여 비타협적 투쟁을 전개하고자 하는 볼셰비키 투쟁노선에 입각해 있음을 확인하게 된다. 이들 여직공과 소년공들은 "푸로레타리아트의 전반적……(투쟁대열(?): 인용자)의 일부분이 안이여서는안될/모든 전위로 운전되는 통일적위대한사회민주당의기구의 한아"인 '차륜이며 나사'[15)에 해당하는 것이다. 결국 이 두 편의 시는 시의 서정 주체의 자율성이라든가 능동성을 상실하고 집단의 이익을 위한 적극적 실천의 영역으로 편입됨으로써 예술적 진실을 감쇄[16]하게 된 것으로 볼 수 있다. 이미 이 단계에 이르러서는 시라든가 예술적 진실이 문제 되는 것이 아니라 오로지 계급성과 투쟁성이 최대의 가치 척도가 될 뿐이다. 이 점에서 이들 시는 카프시가 문예 노선에서 정치투쟁노선으로 접어들게 되는 과정[17]에서의 한 전형성을 보여준다고 할 수 있다. 이 무렵 권환은 이미 카프의 볼셰비키화의 전면에 나서서 평론 「조선예술운동의 당면한 구체적 과정」[18]을 발표하는 등 프롤레타리아 예술운동의 전투화에 앞장서고 있었음은 물론이다.

3. 볼셰비키 투쟁노선 또는 무기의 시

권환의 시가 기본적인 면에서 계급의식을 바탕으로 한 선동·선전성의 성격을 지니고 있음은 이미 살펴본 바이다. 그렇지만 그의 시는 여기에서 한 걸음 더 나아가 본격적인 정치투쟁의 시 또는 계급혁명의 길로 치닫게 된다.

> 기계(機械)가 쉰다
> 괴물(怪物)가튼 기계(機械)가 숨죽은것가치 쉰다
> 우리 손이 팔줌을 끼니
> 돌아가는 수천기계(數千機械)도 명령(命令)대로 일제(一齊)히 쉰다
> 위대(偉大)도 하다 우리의 ××력!
>
> 웨 너들은 못들나나?
> 낡은 명주가치 풀죽은

---

15) 안막, 「푸로예술의 형식문제」, 『조선지광』 90호, 1930. 3.
16) 역사문제연구소 문학사연구모임 지음, 『카프문학운동연구』, 역사비평사, 1989, 131쪽.
17) 이재화 편, 『한국근대민족해방운동사』 I, 백산서당, 1988, 228~235쪽 참조.
18) 『중외일보』, 1930. 9. 3~16.

백랍(白蠟)가치 하─얀
고기 기름이 떠러지는 그 손으로는
돌리지 못하겠니?

너들게는 여송연(呂宋煙) 한개 갑도
우리한테는 하로 먹을 쌀갑도 안되는 그 돈 때문에
동녘 하늘이 아주 어두운 찬 새벽부터
언 저녁별이 반짝일때까지 돌리는 기계(機械)

빈배를 안고 부르짓는 어린 아들 딸을
떨치놓고 와서 돌리는 기계(機械)
기만적(幾萬尺) 비단이 바다물가치 여게서 나오지만
치운 겨울 병든 안해 울울 떨게하는 기계(機械)
가죽 조대(調帶)에 감겨 뼈까지 가루된 형제(兄弟)를 보고도
아무말 없이 눈물찬 눈물만 서로 깜박이며 그냥 돌리든 기계(機械)

웨 너들은 못돌리나?
낡은 명주가치 풀죽은
백납가치 하─얀
고기기름이 떠러지는 그 손으로는
돌리지 못하겠니?

너들의 호위 ××이 긴 ×을 머리우에 휘둘은다고
겁내서 그만 둘진대야
우리는 애초에 ××××시작 안햇슬게다

못난 '스캅푸'가 쥐색기처럼 빠져나간다고
방해(妨害)돼서 못할진대야
너들의 가진 ××에 떨려서
중도(中途)에 ××할진대야
우리는 애초에 ××××시작 안햇슬게다

'나폴레온'의 ×××도 무서운 '××'의 ××가 우리에게 없었드라면
우리는 애초에 금번 ×을 시작도 안햇슬게다

기계(機械)가 쉰다
우리 손에 팔줌을 끼니
돌아가는 수천(數千) 기계(機械)도 명령(命令)대로 일제(一齊)히 쉰다
위대도 하다 우리의 ××력!

웨 너들은 못돌리나
낡은 명주가치 풀죽은
백납가치 하──얀
고기 기름이 떠러지는 그 손으로는
돌리지 못하겟니?

　　　　　　　　　　　　　─「정지(停止)한 기계(機械)」

　　권환의 시는 볼셰비키 노선에 따른 계급의식 고취와 계급투쟁 선동에서 한 걸음 더 나아가서 실제적인 계급투쟁의 현장성을 묘파하여 관심을 환기한다. 여기에서 이러한 계급투쟁은 파업투쟁으로서 제시된다. 시「정지한 기계」에서는 이러한 계급투쟁의 일환으로서 전개되는 파업투쟁을 통해서 당대 부르주아들의 수탈상을 고발하는 한편 그들의 무력상을 야유하고 노동자들의 위대한 힘과 단결력을 과시하고 있다.

　　이 시는 모두 9연으로 짜여져 있지만 앞에서 이미 살펴본 시들처럼 크게 보아 세 단락으로 구분할 수 있다. 첫 단락은 1·2연인데, 여기에서는 「정지한 기계」처럼 일제히 노동자의 파업이 이루어지면서 그에 대해 무력할 수밖에 없는 부르주아의 모습을 대비적19)으로 묘사하고 있다. 둘째 단락은 3·4·5연인데, 여기에서는 호사스러운 부르주아 생활과 그에 대비되는 프롤레타리아

───────────────

19) 백철은 이러한 대립적이면서도 도식적인 창작방법을 '모형화된 창작 수법'이라고 비판하여 권환 시의 결함으로 규정하였다.『문예시평』, 1932. 11.

계급의 궁핍한 생활이 제시된다. 특히 5연은 2연을 반복하면서 후렴으로 부르주아의 무력상을 야유하고 있다. 셋째 단락은 6·7·8·9 네 연인데, 6·7연은 온갖 회유와 탄압에도 굴하지 않고 투쟁을 지속하는 모습을 강조하는 한편 8·9연에서는 앞의 1·2연을 되풀이하면서 거듭 노동계급의 단결력과 위대성을 과시하고 있는 것이다. 특히 이 단락에서 개량주의에 대한 배격이 강력하게 제시된 것은 유의할 만하다고 하겠다.

먼저 첫째 단락은 "기계가 쉰다/괴물가튼 기계가 숨죽은것가치 쉰다/우리 손이 팔쭘을 끼니/돌아가는 수천기계도 명령대로 일제히 선다/위대도 하다 우리의 ××(노동, 단결?)력!"과 같이 파업투쟁으로 인해 일시에 마비된 산업 시설을 묘사하면서 노동력의 위대함과 함께 노동계급의 단결력을 찬양하고 있다. 아울러 이 단락에는 "웨 너들으 못들나나?/낡은 명주가치 풀죽은/백랍가치 하―얀/고기기름이 떠러지는 그 손으로는/돌리지 못하겠니?"라는 구절에서 보듯이 자본가계급의 착취상과 함께 그 무력상에 대한 신랄한 비판과 야유가 제시되어 있다. 실상 이러한 대조 자체가 계급의식을 첨예화하기 위한 의도적인 장치임은 물론이라고 하겠다.

둘째 단락에는 이러한 계급모순과 상황적 부조리가 날카롭게 대조되면서 갖지 못한 자로서의 울분과 함께 가진 자들에 대한 적개심이 강하게 분출되고 있다. "너들게는 여송연 한개 갑도/우리한테는 하로 먹을 쌀갑도 안되는 그 돈 때문에/동녁 하늘이 아주 어두운 찬 새벽부터/언 저녁별이 반짝일때까지 돌리는 기계"와 같이 저임금에 시달리는 노동자의 고달픈 삶이 생생하게 표출되는 것이다. 특히 여기에서 "기만척 비단이 바다물가치 여게서 나오지만/치운 겨울 병든 안해 울울 떨게하는 기계"라는 구절 속에는 단지 교환 가치로서밖에 의미를 지니지 못하는 노동력의 허망함에 대한 탄식이 담겨 있다는 점에서 관심을 환기한다. 또 한 "가죽 조대에 감겨 뼈까지 가루된 형제를 보고도/아무 말 없이 눈물찬 눈물만 서로 깜박이며 그냥 돌리든 기계"와 같이 폭력적인 산업재해에 무방비적으로 노출되어서 무참히 죽어갈 수밖에 없는 노동계급의 비참한 현실을 통해 자본가들의 횡포와 수탈상을 신랄하게 비판하고 있다. 노동자들은 막대한 양의 상품과 잉여 가치를 생산하는 주체이면서도 그 정당한 분배에서 소외되고, 때로는 열악한 노동환경 속에서 희생까지도 감수하지 않으면 안 되는 일방적인 피해자의 모습으로 형상화되고 있다고 하겠다. "가축 조대에 감겨 뼈까지 가루된 형제"와 "고기 기름 떠러지는 백랍가치 하얀손"의 대조 속에는 울분을 넘어서 끓어오르는 계급적 적대감정을 담고 있는 것으로 풀이된다고 하겠다.

셋째 단락에서는 투쟁의 비타협적 혁명성을 강조하는 가운데 온갖 탄압과 회유에도 불구하고 소외계층의 솟구쳐 오는 투쟁의식을 거듭 확인하고 있다. 특히 이 대목에서 개량주의에 대한 비판과 배척이 제시된 것이 관심을 끈다. "너들의 '사랑 첩' 개량주의가 타협의 단 사랑을 입에 너준다고/꼬여서 그만 말진대야/우리는 ××××(파업투쟁) 시작 안햇슬게다"라는 구절이 그것이다. 개량주의(reformism)[20]이란 무엇인가? 그것은 혁명적인 사회주의자들과 같이 사회주의의 필요성을 인정하지만 프롤레타리아 독재와 같은 폭력적인 투쟁노선을 지지하지는 않는다는 점에서 특징이 드러난다. 그들은 합법적 방법으로 사회주의에 이를 수 있다고 믿는다는 점에서 비교적 온건한 정치전략에 속한다고 할 수 있다. 바로 이 점에서 이러한 개량주의는 계급적 폭력 문제와 사회주의로의 이행에 있어서 계급투쟁의 구심성을 강조하는 볼셰비키 입장에서는 적극 배척하지 않을 수 없는 논리에 해당한다. 그것은 볼셰비키 투쟁노선을 약화시키고 계급의식을 희석시키는 일종의 기회주의적 성격을 지니기 때문이다. 실상 이 시에서 "못난 '스캅푸'가 쥐색기처럼 빠져나간다고/방해돼서 못할진대야"처럼 기회주의를 매도하는 것도 이러한 강경노선을 반영한 것이라고 할 수 있다. 이처럼 셋째 단락에서는 일제 경찰의 온갖 탄압과

20) 『마르크스 사상사전』, 청아출판사, 1988, 11~12쪽.

함께 자체 내의 개량주의 등 내부적 종파주의의 도전에 대한 강력한 배척을 통해서 비타협적 혁명성을 전취해 내고 안간힘을 제시하고 있는 것이 특징이다. 온갖 내부·외부적 폭압과 회유에도 굴하지 않고 계급투쟁을 전개해 가는 당대 노동계급의 강철 같은 단결력을 과시함으로써 프롤레타리아트의 승리를 외치고 있다고 할 것이다. 그렇게 보면 이 시는 임금투쟁으로서의 경제 투쟁의 단계를 넘어서서 이미 정치투쟁의 단계로 전환된 볼셰비키 시의 한 전형이 된다고 하겠다.[21] 레닌주의에 기초한 정치적 실천 또는 정치운동으로서의 볼셰비즘을 충실히 반영하면서 혁명적 계급투쟁의 무기로서 문학이 활용되고 있기 때문이다.

① 우리는 그대를 이때ㅅ것
　다만 한 우리들의 조흔 동무만으로 알았더니라
　다만 우리들과 가치 광이들고 석탄(石炭)파는 한 광부(鑛夫)만으로
　알았더니라
　우리들이 일 마치고 모혀 앉은 자리 한구석에서
　×들이 엇더케 우리들의 ××××어 먹는가
　또 우리 노동자는 엇더케 엇더케 그들과 싸워야 한다는
　차근차근하게 잘 알어듯게 친절하게 말해주는 다만 한 조흔 동무
　만으로 알엇더니라

　그래서 일만 마치면 노름과 싸흠박게 할 줄 모르는 이 광산에 우마
　가튼 대우도 충실하게 바들줄 박게 모르는 이 광산에
　불평과 ××의 화×을 뿌려주며
　××과 싸우는 우리들의 군영일조합(軍營一組合)을 맨드러 노코간
　그대를

---

21) 한편 민족주의 문학 진영의 김억은 이 시를 '표현으로서의 힘과 열이 없는 시'라고 비판하고 있는바, 이러한 평가는 지나치게 의도의 오류에 빠져 있다고 생각된다. 『카프시인집』, 서평, 동광, 1932. 2.

그래서 늙은 배암가튼 광산주가 음흉한 꾀로 우리를 속이려 할 때
……불경기 핑게대고 적은 임금을 또 내리려 할때
……리유 조건도 없이 동무들을 꼬처내려 할때
밤잠을 안자고 가만가만 우리들을 차저 다니면서
우리를 가슴속에 가지고 잇는불평과 ××의 화×에다 유황불을 부
처주어
××과 끗까지 싸우게 하는 그대를
우리는 다만 한 광부 우리들의 조흔 동무만으로 알앗더니라
다만 침착하고 세상일 잘 알고 정다운 동무만으로 알엇더니라
다만 한 조흔 동무만으로 알엇더니라

그러다가 인제야 알엇다
그대를 ×들의 손에 뺏기고 난 인제야
그대를 다른 만흔 용감한 동무들과 가치
×××에 끌려 보내고 난뒤 한 달된 인제야 알엇다
그대로 우리의 가장 미더할 지도자의 한 사람
땅미틀 파고 다니는 숨은 지도자
조선(朝鮮)의 ××의 한 사람인 줄을

　　　　　　　　　　　　　　　　　　　　　　—「그대」

② 소(小)부르조아지들아
　못나고 비겁(卑怯)한 소(小)부르조아지들아
　어서 가거라 너들 나라로
　환멸(幻滅)의 나라로 몰락(沒落)의 나라로

　소(小)부르조아지들아
　부르조아의 서자식(庶子息) 푸로레타리아의 적인 소(小)부르조아
지들아
　어서 가거라 너갈대로 가거라
　홍등(紅燈)이 달린 「카페」로
　따뜻한 너의 집 안방 구석에로

부드러운 복음자리 녀편네 무릎위로!
그래서 환멸(幻滅)의 나라 속에서
달고 단 낮잠이나 자거라

가거라 가 가 어서!
적은 새앙쥐가튼 소(小)부르조아지들아
늙은 여호가튼 소(小)부르죠아지들아
너의 가면(假面) 너의 야욕(野慾) 너의 모든 지식(知識)의 껍질을 질
머지고

                —「가랴거든 가거라」

  한편 인용한 두 편의 시들은 이러한 볼셰비키들에 있어서의 구체적인 투쟁 방법을 제시하고 있어서 관심을 끈다.

  먼저 시 ①은 노동계급의 광범한 대중을 혁명적 정신으로 훈련하고 교양하는 한편 지하조직을 만들어 투쟁하는 당대 볼셰비키 지하운동가의 모습을 묘파하고 있다. 이 시도 역시 '기, 서, 결'의 세 단락으로 짜여 있다. 먼저 첫째 단락에서는 광산노동자로 잠입하여 비밀리에 소조활동을 전개하던 지하운동가가 경찰에 체포되어 갔음을 제시하고 있다. "우리들의 한 조흔 동무/가이 광이 들고 석탄파는 한 광부만으로 알았던" '그대'가 사실은 계급의식을 고취하고 계급투쟁을 교양하던 지하운동가였음을 뒤늦게 알게 된 사연이 제시된 것이다. 둘째 단락에서는 광부들이 겪은 계급적 각성과정을 구체적으로 묘파하면서 투쟁의식을 고취하고 있다. 볼셰비키의 입장에서 볼 때 대중은 자발적으로 계급의식적인 정치관을 갖지 못하기 때문에 대중에게 마르크스주의적 혁명이론과 혁명적 경험을 제공하는 일은 중요한 일이 아닐 수 없다. 볼셰비즘(bolshevism)[22]이란 노동계급의의 권력 장악과 강화를 위한 유일하면서도 올바른 전략으로서 의미를 지니고 있기 때문이다. 따라서 프로 운동에는

---

22) 『마르크스사상사전』, 청아출판사, 1988, 243쪽.

이론적 역량과 더불어 실천적 조직 투쟁력을 훈련하고 교양하는 일이 무엇보다도 중요하게 되며 여기에서 투쟁의 전위인 지하비밀소조의 역할이 강조된다. 노동자들 내부에서 진행되고 있는 모든 활동들을 지도하기 위해서는 지하비밀조직이 반드시 필요하며, 그들은 전문화되어 전적으로 선전 사업에 종사해야 하고 특별히 보호되어야 한다는 것이 그들의 입장[23]이다. 특히 공장이나 광산소조들은 비단 수적 우세뿐만 아니라 그 영향력, 발전성, 투쟁능력으로 보아 매우 중요한 의미를 지니는 것이 분명하다. 실상 이렇게 볼 때 이둘째 단락에서 지하조직원이 펼친 투쟁과업은 볼셰비키 입장에서는 가히 혁혁하다고 할 것이다. 그는 "노름과 싸흠 박게 할 줄 모르는 이광산/우마가튼 대우도 충실하게 바들 줄 박게 모르는 이 광산에" 계급적 각성을 일깨워 주었음은 물론 "××(놈들)과 싸우는 우리들의 군영—조합을 맨들어 노코간 그대"와 같이 노동조합을 결성하여 조직적으로 투쟁을 이끌어 가기도 하였다. 그는 광산주의 임금착취와 부당해고 등에 맞서서 "밤잠을 안자고 가만가만 우리들을 차저다니면서/우리들 가슴 속에 가지고 있는 불평과 ××(분노)의 화×(약)에다 유황불을 부쳐주며/××(놈들)과 끝까지 싸우게 하는" 선구적인 지하운동가인 것이다. 그러면서도 그는 '침착하고 세상일 잘 알고 정다운 동무'로서 이상적인 운동가의 모습도 갖춤으로써 혁명의 전위 역할을 훌륭히 해낸 것으로 평가받고 있는 것이다. 그렇지만 셋째 단락에서는 이 '숨은 지도자'가 경찰에 끌려가고 나서야 비로소 그의 중요성을 새롭게 각성하는 내용이 제시된다.

이렇게 본다면 이 시는 한 지하운동가의 활동상을 통해 노동계급의 사상적 결속을 확고히 다지고 운동목적의 명확성과 그 실제 활동의 통일성을 확보하고자 하는 볼셰비키의 투쟁노선을 선명하게 제시한 작품으로 이해된다. 아울러 비통스러운 결말을 통해서 노동자 조합원들의 계급적 자각과 강철 같은

---

23) 브라디미르, 「조직과업에 대하여」, 『볼셰비키당과 그 조직』, 학민사, 1988, 13~31쪽.

연대감을 확인함으로써 새로운 투쟁의 길로 나아가고자 하는 결의를 형상화한 작품이라고 하겠다.

한편 시 ②는 "우리진영안에잇는 소(小)부르죠아지에게주는노래"라는 단서에서 볼 수 있듯이 볼셰비키 노선에 있어서의 반혁명 기회주의자들에 대한 폭로와 자기 비판을 담고 있어서 주목된다. 이 시에서 소부르주아들은 "부르죠아의 서자식/푸로레타리아의 적"으로 규정되면서 "적은 새앙쥐가튼/늙은 여호가튼" 모습으로 매도된다. 이러한 소부르주아들에 대한 인신공격적인 비판과 매도는 사실상 이 시가 볼셰비키 노선에 충실해 있음을 반영하는 것이라 할 수 있다. 볼셰비즘이란 마치 레닌의 비유처럼 벼에서 피를 갈라놓듯이 노동계급 속에서 기회주의적 분자, 반혁명분자 및 반당분자들과 투쟁함으로써 발전, 강화될 수 있는 것이기 때문이다. 실상 "당은 자체를 깨끗이 함으로써 공고화된다"라는 라살의 말도 볼셰비키 노선의 선명성을 반영한 것[24]이라고 할 것이다. "못나고 비겁한 소부르죠아지들아/어서 가거라 너들 나라로/환멸의 나라로 몰락의 나라로"라는 노골적인 매도 속에는 자체 조직 내에서 여러 기회주의자들은 물론 소부르주아 중간계급까지도 척결함으로써 볼셰비키 노선을 강화하고자 하는 전략이 담겨 있다고 하겠다.

이렇게 본다면 이들 두 편의 시들은 카프의 2차 방향전환 이후 카프의 주도권을 장악하게 된 볼셰비키파로서 권환의 문학 노선을 그대로 반영하고 있음이 분명하다. 실상 그는 평론 「조선예술운동의 당면한 구체적 과정」에서 이러한 예술운동의 볼셰비키화를 위한 열 가지 방법론을 다음과 같이 제시한 바 있다.

   1. ××의 활동(活動)을 이해하게 하여 그것에 주목(注目)을 환기시키
      는 작품

---

24) 요제프, 「러시아볼셰비키조직자·지도자로서의 레닌」, 『볼셰비키당과 그 조직』, 187~195쪽.

2. 사회민주주의(社會民主主義), 민족주의(民族主義), ×치운동(治運動)의 본질(本質)을 ××하는 것

3. 대공장(大工場)의 ×××× 제너랄×××

4. 소작(小作)××

5. 공장(工場) 농장내(農場內) 조합(組合)의 조직(組織), 어용조합(御用組合)의 ××쇄신동맹(刷新同盟)의 조직(組織)

6. 노동자(勞動者)와 농민(農民)의 관계이해(關係理解)

7. ××××조선(朝鮮)에 대(對)한 ××××(예(例)하면 민족적(民族的)××, ××확장(擴張), ××××××조합(組合)등의 역할) 등(等) ××시키며 그것을 맑스주의적(主義的)으로 비판(批判)하여 푸로레타리아트의 ××을 결부(結付)한 작품

8. 조선토착(朝鮮土着)불조아지와 그들의 ××가 ×××××와 야태(野台)하야 붓그럼업시 자행(恣行)하는 적대적 반동적 행위를 ××하며 또 그것을 맑스주의적으로 비판(批判)하여 푸로레타리아트의 ××을 결부한 작품(作品)

9. 반(反) ××××××의 ××을 내용으로 하는것

10. 조선(朝鮮)푸로레타리아트와 일본(日本)푸로레타리아트의 ××× 관계를 ××하게 하는 작품. 푸로레타리아트의 국제적 연대심을 환기하는 작품[25]

이상과 같이 논술된 예술운동의 볼셰비키화란 한마디로 말해서 예술작품을 사회주의 혁명을 위한 투쟁의 무기 또는 실천방법으로 인식하는 것을 의미한다.[26] 이 점에서 권환의 이러한 볼셰비키시들이 볼셰비즘을 충실하게 형상화하려고 시도한 것은 사실일지 모른다. 그렇지만 이들은 문학의 생명이라

---

25) 권환, 「조선예술운동의 당면한 구체적 과정」, 『중외일보』, 1930. 9. 4.

26) 이 방면의 평론으로는 안막의 「조직과 문학」(『중외일보』(1930. 8. 1~2) 및 「조선프로레타리아예술운동약사」(『사상월보』, 1932. 11), 「조선예술가의 당면의 긴급한 임무」(1932. 8. 16~22), 유백등의 「프로문학의 대중화」(1932. 9. 3~25) 등이 있다. 권환 자신의 글로는 「하리코프대회 성과에서 조선 예술가가 어든 교훈」(『동아일보』, 1931. 5. 14~17)이 이러한 볼셰비키 노선과 연관된다.

할 내면적 진실성 또는 예술적인 감동성을 상당부문 거세해 버리고 말았다는 점에서 그 한계점이 드러난다고 하겠다. 볼셰비즘이라는 이념적 틀에 갇혀서 문학적 진실은 숨이 막혀 질식해 버리고, 정치투쟁의 도구로 전락함으로써 마침내 선전 '삐라'의 수준으로 떨어져 간 혐의를 불식하기 어려운 것이다. 이 점에서 권환의 시들은 볼셰비키 시로서는 성공한 면이 없지 않다고 하겠지만 그 순간에 이미 정치의 영역으로 전이되어 감으로써 문학적인 내면 공간을 상실해 간 것이 분명하다고 하겠다.

4. 전향과 순수서정지향성

대표적인 볼셰비키 시인 권환은 1931년 『카프시인집』(집단사, 1931)을 전후한 시기에 집중적인 활동을 전개하다가 1935년 카프 해산 이후에는 순문학의 세계로 전향[27]한다.

> ① 박꽃같이 아름답게 살련다
>   흰 눈(雪)같이 깨끗하게 살련다
>   가을 호수(湖水)같이 맑게 살련다
>
>   손톱 발톱밑에 검은 때 하나없이
>   갓 탕건에 먼지 훨훨 털어버리고
>   축대 뜰에 띠끌 살살 쓸어버리고
>   살련다 박꽃같이 가을호수(湖水)같이

---

27) 권환 자신은 "나의 시작에 있어 해방 이전의 본격적 활동 시대는 1932~1933년 전후의 프로예술운동전성시대였다. 그러나 그때 신문잡지에 발표된 나의 시고는 그 후 거익심했던 일제의 탄압으로 일편도 시집에 발표되지 못하고 또 대부분 보존되지도 못하였다. 이것이 나의 가장 통증히 여기는 바이다"라고 술회하고 있다. 시집 『동결』, 건설출판사, 1946, 서문.

봄에는 종달새
가을에는 귀뚜라미 우는 소리
천천히 들어가며
살련다 박꽃같이 가을 호수(湖水)같이

비오며는 참새처럼 노래하고
바람 불며는 토끼처럼 잠자고
달밝으면 나비처럼 춤추며
살련다 박꽃같이 가을 호수(湖水)같이

검은 땅우에 굿굿이 서
푸른 하늘 쳐다보며
웃으련다 별과함께
별과함께

앞못 물속에 흰 고기떼 뛰다
뒷산 숲속에 뭇새 우누나
살련다 박꽃같이 아름답게 호수(湖水)같이 맑게

② 바다 같은 속으로
박쥐처럼 살어지다

기차(汽車)는 향수(鄕愁)를 실고

납연(鉛)같은 눈이 소리없이
외로운 역(驛)을 덮다

무덤 같이 고요한 대합실(待合室)
벤치우에 혼자 앉어
조을고잇는 늙은 할머니

웨그리도 내 어머니와 같은지?
귤껍질같은 두 볼이

젊은 역부(驛夫)의 외투(外套)자락에서
툭툭 떠러지는 흰 눈

한숭이 두숭이 식은 난로(暖爐)우에
그림을 그리고 살어진다

— 「한역(寒驛)」

깊은 가을 맑은 못밑에
푸른 별들이 반짝반짝

푸른 별들은 물결을 따라
오르락 내리락

하얀 고기들은 별을 따라
오르락 내리락

그들은 어어쁜 별을
한 입에 삼기려고

— 「청당(淸塘)」

아름다운 평등(平等)을 보랴거든
이 설경(雪景)을 보라

아름다운 차별(差別)을 보랴거든
이 설경(雪景)을 보라

— 「설경(雪景)」

③ 얼근히 기분좋게

아버지는 오래간만에 취(醉)하였다

배나무밑 분(粉)네집서
민탕(敏湯)하고 한것 자신것이다

몇번이나 되푸리하엿다 반쯤 헤굿은 소리로
우리집 운수도 인젠 도라온다고

빙글빙글 두 손을 마주 부비며
어머니도 엇잘줄을 몰랏다

팔년동안 면(面)급사로 있는 내 아우가
오늘 서기(書記)로 승급(昇給)한 것이다

　　　　　　　　　　　　　　　　　　―「행복(幸福)」

부엌에 드나드는 안해의 얼굴
오늘은 유난히 혼자 좋았다.

빙글빙글 오래간만

오늘 아침 노나어든 두부채
그중에서 조금 제일 크드란다.

　　　　　　　　　　　　　　　　　　―「두부(豆腐)」

　　1930년대 후반에 들어서서 권환의 시는 그의 전향과 더불어 급격하게 변모하기 시작한다. "타락간부/배반자/우리××을 타협으로 팔어먹은 그놈들/그놈들 때문에"(「머리를 땅까지 숙을때까지」에서)와 같이 저급한 정치시의 수준에까지 이르렀던 그의 시가 방향전환을 이룬 것이다.
　　일제 말기에 연거푸 발간된 시집 『자서상』(1943)과 『논리』(1944)에 수록된 이들 전향기의 작품들은 대부분 순수한 서정을 형상화하고 있어서 시인의 변모를 실감하게 해준다. 당대의 그 어떤 프로시인들보다도 전투적인 볼셰비키 시인이던 그가 1930년대 후반에 이르러서는 연약한 서정시인으로 완전히 전향해 있는 것이다. 이러한 그의 전향이 적어도 그의 문학노선이나 투쟁경력으로 보아서 내발적인 것이 아님은 분명하다고 하겠다. 1928년 가을 조선공산당이 전면 붕괴되고 동년 12월에 코민테른의 조선공산주의운동에 대한 「12월테제」가 발표된 이후 사실상 카프는 문예 노선과 투쟁노선에 혼란을 겪어 왔던 것28)이 사실이다. 더욱이 1930년대 들어서서 카프에 대한 탄압이 가중되면서 몇 년간 반짝하던 볼셰비키 투쟁노선이 급격히 와해되고, 마침내 1934년 카프 2차 검거 이후에 지하화되어 1935년 4월 28일 카프 해산계를 제출하게 된 것이다. 따라서 1935년 이후에는 대부분의 카프 인사들이 전향축을 형성하고 순수문학에 기울어지게 된 것이라 하겠다. 이 점에서 권환의 전향 역시 내적인 필연성에 의한 것이라기보다는 시대 상황변화에 따른 외적인 압력에 기인함이 분명하다고 할 것이다. 그러기에 그의 전향 이후의 시들은 카프 전성기의 시들과 달리 섬세한 서정과 언어 감각을 추구한 것이 특징이다.

먼저 시집 『윤리』의 표제시이기도 한 시 ①은 삶에 대한 긍정과 함께 서정적인 진실의 소중함을 노래하고 있다. '박꽃같이/흰 눈같이/가을 호수같이' 아름답고, 깨끗하고, 순결하게 살고자 하는 게 살고자 하는 염결지향성 또는 순수지향성이 표출되어 있는 것이다. 이러한 삶의 자세는 "검은 땅우에 굿굿이 서/푸른 하늘 처다보며/웃으련다 별과함께/별과 함께"처럼 긍정적인 인생관을 바탕에 깔고 있는 것으로 보인다. 그렇지만 이러한 서정적인 자아의 추구 또는 순결지향성은 시인 자신의 문학관이나 일제강점 말기의 당대 현실의 열악성에 비추어 본다면 다분히 현실도피적인 자세가 아닐 수 없다고 하겠다.

---

28) 이재화 편, 앞의 책, 228~235쪽.

비록 윤리적 염결성과 순수서정으로의 전향이 당대 상황에 비추어 어쩔 수 없는 것이었다고 하더라도 그것이 원래 시인 자신의 세계관에서 우러나온 것이 아니라는 점에서 설득력이 약할 수밖에 없음이 자명한 이치이기 때문이다. 그의 지난날의 프로시들이 지나치게 이데올로기에 경도됨으로써 문학적 진실성과 예술성을 상실했던 것과 마찬가지로 이 시기 그의 시들은 급격히 순수서정에 함몰됨으로써 정신의 탄력을 감쇄하고 있는 것이다. 다만 시집 제목이 『윤리』라고 하는 자못 특이한 내용으로 된 것 자체가 아직도 그의 시에 윤리적 상상력이 이어지고 있음을 말해준다는 점에서 음미할 만하다고 하겠다.

한편 ②시들은 권환 시의 섬세한 이미지 조형능력과 직관의 우수성을 보여준다는 점에서 관심을 끈다. 특히 「한역」의 경우에는 "납같은 눈이 소리없이/외로운 역을 덮다//무덤같이 고요한 대합실"과 같은 공감각적 이미지의 섬세한 결합과 '흰눈/화로'라고 하는 대조적인 이미지의 조응이 유의할 만하다고 하겠다. 시 「청당」에서도 "깊은 가을 맑은 못/푸른 별들이 반짝반짝/물결을 따라/오르락 내리락/고기들은 별을 따라/오르락 내리락"과 같이 투명한 이미지들의 점층적인 전개가 두드러진다. 시 「설경」에서는 직관력이 뛰어나다고 하겠다. 설경 속에서 '아름다운 평등'을 발견해 내는 시적 직관의 힘은 탁월한 것이 아닐 수 없기 때문이다. 아울러 이들 시의 제목이 한자어로 된 것도 특이한 일이라 하겠다.

③의 시들은 주로 일상적인 삶에서 느끼는 작지만 아름다운 행복을 노래하고 있다. 시 「행복」은 오랫동안 면급사로 있던 아우가 서기로 승급했다는 소식을 듣고 행복감에 젖어 있는 아버지와 어머니를 통해서 평범한 삶에 있어서 행복이란 과연 무엇인가 하는 의미 있는 깨달음을 제시한다. 그리고 시 「두부」는 두부 한 모가 남의 것보다 조금 더 크다는 사실 하나에 그만 기뻐서 어쩔 줄 모르는 아내의 모습을 묘사한 것이다. 이렇게 본다면 이 시들은 평범

한 소시민들이 누리는 소중하고 아름다운 행복을 노래한 것이라고 할 수 있다. 사실 생각해 보면 이 얼마나 아이러니한 일이란 말인가? 그토록 소부르주아적인 생활과 사고방식을 타기하고 매도하던 시인의 경직되었던 세계관이 완전한 방향전환을 이루고 있다는 점에서 말이다. 그렇지만 이러한 소시민적인 행복을 소중하게 감싸 안고 노래하고 있는 것이 엄연한 시인의 현실이니 어찌하겠는가. 바로 이 두 극단의 대조적인 사실이 이 땅 프로시인들의 시대적, 문학적 한계를 말해주는 동시에 1920~1930년대 우리 시의 아이러니한 모습을 상징하고 있는 운명적인 자화상에 해당한다고 할 수는 없지 아니한가 말이다.

그러나 권환의 이 무렵 시들이 모두 순수서정과 현실순응을 노래한 것만은 아니라 할 것이다.

> 나는 자식(子息)도 친척(親戚)도 아무것도 없다
> 나의 조그만한 유산(遺産)을 받을만한
> 그리고 또 나의 유언(遺言)을 실행(實行)하여줄
> 공증인(公證人)이여! 이 너댓가지 유언(遺言)의 틀림없는 집행(執
> 行)은
> 오직 당신의 공명정대(公明正直)한 성격(性格)과 지중(至重)한 책임
> 관념(責任觀念)만 믿을 뿐이다
> ……중략……
> 마지막으로 이상(以上)의 유산품(遺産品)을 받는자(者)들의 대상
> (代償)으로 이행할 의무(義務)는
> 나의 육체(肉體)만 남은 몸둥이를
> 화장(火葬)도 표본용박제(標本用剝製)도 방부제용(防腐劑用)의 '미
> ―라'는 더구나 그만두고
> 두귀와 두눈알만을
> 북악산(北岳山) 꼭대기에 달아두는것 그것뿐이다
> ― 「유언장(遺言狀)」에서

'명일(明日)이 만일(萬一) 없다면!'

그런 말은 가정(假定)에서라도 상상(想像)해서라도 행여나 입밖에 내지를 말어라

그것은 말만이라도 내몸뚱이를 절망(絶望)의 바다에 던져버리는 소름끼치는 말이다

만일(萬一)이라도 만일(萬一)이라도 말이다

명일(明日)이 만일(萬一)없다면

나는 이자리에서 어린애처럼 통곡(慟哭)할게다

땅을 뚜다리며 발버둥치며

오! 무섭다 참으로 싫다 가정(假定)이라도 상상(想像)이라도 그 가정(假定)은 그 상상(想像)은 명일(明日)이 만일(萬一)없다면

나는 이 쓰운 웅담(熊膽)을 당과(糖菓)처럼 달게 꺽꺽 씹고 있지 않을게다

……중략……

명일(明日)이 만일 없다면

나는 저 한없이 높고 캄캄한 창공(蒼空)을 대담(大膽)하게 바라보지 못할게다

그러나 지금 저 수억만개(數億萬個)의 진주(眞珠)같은 별들은

나를 내려다보고 모두 생긋생긋 웃지않나!

그러구 나를향(向)해 분명(分明)히 속삭어린다

'명일(明日)이 있다'고 '명일(明日)이 온다'고

오! 창공(蒼空)뿐이여 대지(大地)여!

명일(明日)이 멀지 않어 명일(明日)이 온다 환희(歡喜)의 명일(明日)이

그래서 우리는 차(寒)고 캄캄한 이 밤을 극(極)히 사랑한다

밝고 따뜻한 낮(晝)과 같이 그래서 진주(眞珠)알처럼 적은 저 별들을 한(限)없이 사랑한다 커―다란 태양(太陽)과같이

명일(明日)이 있다

그래서 나는 한(限)껏 웃고 한(限)껏 울련다

　　　　　　　　　　　　　　　　　　　　― 「명일(明日)」에서

이 두 편의 시는 권환의 후기 시에서는 매우 특이한 성격을 지닌다. 여기에는 「유언장」과 같이 부정적인 현실인식과 비판정신을 내포하고 있는 경우도 있으며, 「명일」에서처럼 절망적인 현실 속에서 내일을 갈망하는 미래지향적인 시도 발견된다. 이러한 부정적인 현실인식 또는 비관적 세계관이 드러나는 시가 그의 후기 시에서 그렇게 많은 것은 아니라고 하더라도 그 의미만큼은 경시할 수 없는 것이 사실이다. 권환의 세계인식의 태도가 기본적인 면에서 그의 프로시에서 볼 수 있었듯이 부정적인 세계관 또는 계급적인 현실인식에 뿌리를 두고 있었던 것은 분명한 사실에 속한다. 그가 아무리 달라진 상황 여건에서 전향을 선언했다고 하더라도 그가 오랫동안 견지하던 그러한 부정적인 세계인식의 태도가 그리 쉽게 근본적으로 척결될 수 있는 것은 아니기 때문이다. 그가 암흑의 하늘 아래서 순수하고 맑은 윤리의 세계, 서정의 세계를 추구하면 할수록 그의 시 정신의 근저에서는 현실에 대한 절망과 부정정신이 고개를 들 수밖에 없었을는지도 모른다.[29]

실상 시 「유언장」에 보이는 절망적인 세계인식과 부정정신, 그리고 「명일」에 보이는 안타까운 미래지향성이 이러한 안간힘의 한 반영에 해당한다고 볼 수 있기 때문이다.

5. 맺음말

그렇다면 권환의 문학적 성과는 무엇이며 그 한계는 어떠한 것인가? 1930년대 전반 카프 절정기이자 최후 시기에 아지프로시의 한 전형을 이루어 냄으로써 볼셰비키 예술운동에 어느 정도 뚜렷한 자취를 남긴 것이 사실이라 하겠다. 아울러 그는 기왕의 프로시들이 지니고 있던 가장 큰 약점의 하나인

---

29) 극히 예외적이긴 하지만 힘찬 노동의지와 건강한 미래지향성이 분출되는 작품으로 시 「아침의 출발」이 발견되는 것도 특이한 일이라 하겠다.

감상성과 추상성을 배격하는 데도 하나의 시범을 보여줬다. 그가 프로문학의 비속화를 경계하면서 진정한 의미의 대중성을 확보하는 일의 중요성을 강조하며, 그것을 시적 실천으로 보여 주려 시도하고 논리로서 뒷받침하려 노력한 것은 프로문학 자체의 진전과 성숙을 위해 뜻있는 일이 아닐 수 없다. 무엇보다도 문학의 정치적 대응력을 인식하고 그 속에서 나름대로 문학의 길을 찾아보려 노력한 것은 음미해 볼 만한 일이 아닌가 생각된다.

그러나 그의 시는 이 땅 프로문학의 한계점을 자명하게 드러낸 것으로 이해된다는 점에서 회의적인 것이 아닐 수 없다. 그의 시는 선동, 선전성의 과잉으로 해서 문학적 진실과 괴리를 보여 주고 있으며 예술적 형상성을 결여하고 있는 것으로 판단되기 때문이다. 그의 시는 이데올로기에 예속되고 정치의 도구로서 함몰되어 감으로써 살아있는 삶의 진실이 불러일으키는 감동의 힘과 따뜻한 인간애, 그리고 문학 고유의 아름다움을 감쇄하고 있는 것이다. 정치의식의 과잉에 의한 문학과 인간의 실종 현상을 초래한 것이 가장 큰 한계점이라고 할 것이다. 아울러 도식성과 상투성에 안주함으로써 진실의 내면 공간을 잃고 있는 것도 문제점이 아닐 수 없다. 정치투쟁에 일방적으로 함몰되고 상투성에 무작정 안주할 때 진정한 문학적인 진전과 인간적 성숙은 기대하기 어려울 것이 분명하기 때문이다. 이 점에서 그의 볼셰비키 시들은 이 땅 프로시의 최대치에 근접해 간 것과 동시에 쇠멸해 갈 수밖에 없었던 것으로 판단된다.

그럼에도 불구하고 그의 시는 문학이 정치, 사회, 역사 및 사상에 일방적으로 종속되는 일도 바람직하지 않지만 그것들과 동떨어져서는 성립하기 어렵다는 소중한 교훈을 던져준 것으로 이해된다. 아울러 작품으로서의 문학과 실천으로서의 문학 혹은 정치와 사랑을 탁월하게 결합하는 일이 얼마나 중요하면서도 어려운 명제이며 또 의미 있는 일인가를 깨닫게 해주었다고 하겠다.

그가 이 땅의 주도적인 볼셰비키 시인으로서 겪은 시행착오의 궤적은 오늘날의 문학에도 유의할 만한 여러 가지 시사점을 던져 준다. 그것은 문학이 무엇이며, 무엇 때문에 존재하며, 누구에 의해 어떻게 존재해야 하는가 하는 문제와 연관된다. 즉, 진정한 문학의 길이란 개인적, 실존적 삶과 그를 둘러싼 사회적, 역사적 환경과 탄력 있게 조우하면서도 문학적 진실을 옹호하고 예술적 형상성을 깊이 있게 천착해 나아가는 데서 바람직한 지평이 열릴 수 있다는 깨달음을 던져 준 일이라고 하겠다.

(『한국문학』, 1989년 9월호)

북한시의 한 고찰[1)

1. 머리말

오늘날의 남북관계는 새로운 전환기에 처해 있다고 해도 과언이 아니다. 그만큼 오랫동안 철벽같기만 하던 분단의 벽에 조금씩 길 트기의 작업이 암중 모색 중에 있는 것이다. 그간에도 7 · 4공동선언 등 역대 정권에 의해 남북 간의 길 트기 작업이 없었던 것은 아니다. 그러나 그러한 남북관계는 다분히 정치적 의도와 복선에 따라 좌우되는 양상을 지녀 왔던 것도 부인할 수 없는 사실이다. 그러던 것이 온 국민의 열화 같은 민주화 열망에 의해 6·29선언과 새 정권이 들어서게 되고, 때마침 서울 올림픽을 계기로 동서 해빙무드가 이 땅에 몰아침으로써 남북분단의 벽은 조금씩 무너져 갈 수밖에 없게 된 것이다. 이제 정부 당국에 의해 북방정책이 공표되고 공산권과도 국교가 수립되기 시작한 마당에 이 땅을 지배해 오던 반공 냉전 이데올로기는 무작정 지탱하기 어렵게 되고 말았다. 남북교류와 통일 지향성은 민족적인 과제로서 시대적 명제이자 역사적 당위에 해당하게 된 것이다. 여기에다가 재외 교포들

---

1) 이 글은 '북한의 인식' 시리즈로 간행된 『북한의 문학』(을유문화사, 1989)에 수록된 바 있다.

의 북한 여행과 국내 인사나 학생들의 잇따른 방북 사태는 남북관계에 대한 근본적인 인식의 전환을 가져오게끔 한 것이 사실이다. 이제 분단의 장벽에 가로막혀 적대감과 이질화만을 강조하고 대결 상황에 처해 있던 남북관계는 민족 공동운명체로서 동질성을 회복하고 공존상황을 추구함으로써 분단극복, 또는 조국통일에의 길을 지향해 나아가지 않으면 안 될 운명의 시점에 놓여 있는 것이다.

바로 이러한 시대인식이 북한 문학에 대한 문외한이나 다름없는 필자로 하여금 이 글의 청탁을 떠맡을 용기를 내게 했던 까닭이 되었음은 물론이다. 휴전선 남쪽의 시만을 대상으로 공부해 오던 필자에게 '북한의 시'에 대한 논의를 부탁한 것은 그 자체가 무리한 일이 아닐 수 없다. 그러나 실상 따지고 보면 이런 사정은 이 땅의 누구에게나 거의 마찬가지 아니겠는가? 그럼에도 불구하고 북쪽의 실상을 제대로 알지도 못한 채 분단극복이니 북방정책이니 하여 조급해하는 우리의 형편에 비춰 본다면, 가능한 범위에서나마 그쪽의 사정을 탐색해 보는 일은 의미 있는 일이 아닐 수 없다.

지금까지 정치나 경제 분야에서는 북한연구가 어느 정도 진척되어 가고 있었던 것으로 보인다. 그러나 문학 분야에서는 비교적 미미한 실정이다. 「북한 문학~북한주민의 정서 생활에 관한 연구」(구상, 1978) 및 「북한의 문예정책과 문예이론연구」(홍기삼, 1979) 등이 국토통일원의 지원으로 이루어졌고, 시 분야에서는 『북한의 시가문학』(김대행, 이대한국문화연구소, 1985) 및 「시를 통해 본 북한사회」(정효구, 국토통일원, 1989) 등이 본격적인 논의라고 할 수 있을 정도이다. 아울러 『실천문학』에서 「북한 문학 작품선」, (1988년 겨울호 및 1989년 봄호)을 실어 북한의 해방 후 문학작품을 소개한 것과, 『문학사상』 200호 기념으로 이루어진 「북한 문학 심포지움」(『문학사상』, 1989. 6, 김열규, 권영민, 김윤식, 임헌영 발제논문 및 이재선, 김재홍, 조남현 작품론)이 집중적인 민간차원의 첫 작업이라고 할 수 있을 것이다. 따라서 본장에서는 기간된 북한 원전의 문학사류와 북한의 월간문예지『조선문학』및 기타 북한 특집물 등의 자료를 중심으로 북한의 시를 소략하게나마 살펴보고자 한다. 특히 이 논문은 김대행의 논문과 자료에 많은 도움을 받았음을 밝혀 두면서 이에 감사를 표한다. 한 가지, 이 북한 시에 관한 논의는 시론적 미확정고적 성격을 지닌다는 점을 밝혀 두고자 한다. 북한의 자료와 실상을 제대로 접해 보지 못한 채로 논의를 진행하는 것은 여러 가지 면에서 오류와 위험성을 내포하고 있기 때문이다. 따라서 언젠가 좀 더 남북관계가 호전되는 시점에서 이 논문을 수정, 보완, 확정하고자 한다.

2. 북한 시단 형성과 문예이론

'우리의 시'라고 했을 때 북한의 시를 선뜻 포함시킬 수 있을 것인가? 당연히 그래야 함에도 불구하고 아마 쉽게 그러기 어려울 것이다. 분명히 같은 뿌리에서 생겨나온 것임에도 분단 40여 년의 세월이 어느새 커다란 간극과 이질감을 느끼게 만들었기 때문이다. 북한의 시단은 해방공간까지만 해도 독자성을 지니고 있지 못했던 것이 사실이다. 그곳엔 오영진, 남궁만, 한재덕, 한식, 김우철, 김북원, 최명익, 최인준, 백석 등 고향이 북쪽인 문인들이 이른바 재북 문인군을 형성하고 있을 뿐이었다. 그러던 것이 1945년 9월 17일 결성됐던 조선 프롤레타리아 문학동맹이 조선문학건설본부와 1945년 12월 조선문학가동맹으로 통합되는 과정에서 주도권을 상실한 이기영, 한설야가 이념을 따라 먼저 월북하고, 뒤이어 송영, 이동규, 윤기정, 안막, 박세영 등이 월북함으로써 북한문단의 원형이 형성되게 된 것이다. 이른바 일제강점기 카프의 비해소파로서 비교적 강경노선을 추구하던 이들이니만큼 자연히 북한문학은 초기부터 당파적인 성향 또는 이념 지향성을 강하게 지닐 수밖에 없게 된 것이다. 여기에다가 조기천 등 소련파들이 귀국하고, 남쪽에서 조선 정판사

사건(1946. 5) 등으로 공산당 활동이 불법화되기 시작하자 박헌영 등 남로당 주체세력이 월북하면서 이태준, 임화, 김남천, 이원조 등이 1947~1948년 사이에 월북하여 북한 문단이 세를 더하는 가운데 갈등상을 보이기 시작한다. 이기영, 한설야가 중심이 되고 조기천 등 소련파 문인과 송영, 박세영, 안막, 이찬 등이 가세하며 결성된 북조선문학예술총동맹(1946. 3)이 식민지시대 계급주의 문학노선을 공산주의 정치노선과 결합하여 북한문학의 정통성을 형성해 가는 과정에서 일제강점기에 카프 해소를 주도했던 임화, 김남천 등이 섞이게 됨으로써 내분의 실마리가 뒤엉키게 된 것이다.[2) 이렇게 북한문단이 형성된 가운데 6·25를 전후해서 정지용, 김기림, 박태원, 설정식, 이용악, 정인택, 송완순 등이 월북해서 북한문단 재편성이 마무리되게 된다.

이후 북한문단은 6·25 실패 후 남로당 숙청과 더불어 임화, 김남천, 이원조, 설정식, 이태준 등을 미제 간첩혐의 뜻으로 숙청함으로써 원래의 강경계급주의 노선을 분명히 한다. 이러한 북한 문단의 체제 정비는 1961년 3월의 조선문학예술총동맹의 결성을 계기로 하여 완료되었으며, 이 시기를 전후해서 북한 문단에 새로운 전후 세대가 등장함으로써 명실상부한 북한문단이 형성, 전개되기 시작한 것이다.

대체로 북한시단에서 지속적으로 활약한 시인들로는 먼저 일제강점기 및 해방공간까지 등장한 사람으로 박세영, 박팔양, 이찬, 박아지, 안용만, 백인준, 김북원, 정문향, 조벽암, 정서촌, 조영출, 이맥, 조기천, 민병균, 이용악, 강승한, 김상오, 리정구, 김학연, 김상훈 등을 꼽을 수 있다.

전후 세대로는 한명천, 홍순철, 주태순, 리호남, 김광섭, 리원우, 채덕화, 채경수, 심봉원, 김재화, 김순석, 박호범, 오영재, 신상호, 김진수, 박세옥, 변홍영, 리광근, 김재원, 김철, 최영화, 리영백, 김우협, 김재윤, 신진순, 최준경, 구

2) 권영민, 「해방 직후의 문인 월북과 그 문학사적 위상」, 『한국 민족 문학론 연구』, 민음사, 1988 참조.

희철, 김정곤, 리정술, 김승남, 동기춘, 차승수, 김석주, 김봉철, 김두일, 리광근, 최승칠, 리범수, 김시권, 조빈, 량덕모, 리찬영, 리익주, 김창근, 로영우, 김석전, 성해룡, 최호진, 신재락, 김희종, 염우봉, 주광남, 윤영탁, 리동후, 리준, 박세옥, 송명근 등의 시인들이 월간 문예지『조선문학』등 그들의 문헌에서 자주 눈에 띈다. 오늘날 북한에서 인민성의 원칙에 의해 집체작이 융성하고 있다는 사실에 비춰 보더라도 오늘날의 북한 시단은 이제 거의 세대교체가 이루어지면서 완전히 분단세대 시인들이 그 주류를 형성하게 된 것으로 이해된다.

그렇다면 오늘날의 북한 시가 지닌 시적 특성과 지향성은 어떠한 모습을 지니고 있는 것일까? 북한에서의 시의 사전적 개념은 남한의 그것과 크게 다를 바 없는 것으로 보인다. 시란 "운문으로 쓰인 문학의 한 형태로서 서정시, 서사시 등을 통틀어 이르는 말. 시는 현실 생활이나 또는 시인의 사상 감정을 정서적이며 운율적인 언어로 표현한다"라고 하는『문학예술사전』(과학백과사전출판사, 1972)의 정의가 그것이다. 그렇지만 이념과 실제 면에서 북한의 시는 남한의 그것과 현저히 다른 특성을 지닌다. 북한의 시는 기본적으로 '당의 문예정책'을 바탕으로 하여 전개된다. 이른바 주체사상이라는 독특한 사상체계에 기초를 둔 이 문예이론은 사회주의적 문학예술을 발전시키기 위한 당의 정책을 밝혀 놓음으로써 북한의 문학 예술인들에게 창작 지침과 지도원리를 제시한 것이다. 주체사상이란 무엇인가? 한마디로 주체사상이란 "혁명과 건설의 주인이 인민대중이며 혁명과 건설을 추동하는 힘도 인민대중에게 있다는 사상"으로서, 마르크스~레닌주의적 사회주의 사상을 북한의 현실에 맞게 정립한 내용이 근간을 이룬다.3) 그러기에 주체사상은 북한의 대내외 정책의 기초를 이루며 정치에서 자주, 경제에서 자립, 국방에서 자위의 노력으로 구현되며 문학에 있어서도 근본적인 지도이론이자 창작방법론을 이루게 되는 것이다. 실상 "나는 사회주의 건설에 관한 문예작품과 혁명투쟁에 관한

_____
3)『정치사전』, 사회과학출판사, 1973 참조.

문예작품의 창작비율은 5대 5로 할 것을 제기합니다"[4]라는 김일성의 언명은 바로 문학에 있어서 주체사상의 골격이 사회주의 건설과 혁명투쟁 정신을 근간으로 하고 있다는 점을 분명히 말해준다.

이러한 북한의 문예이론은 『혁명의 위대한 수령 김일성 동지의 주체적 문예 사상』(사회과학출판사, 1971), 『우리 당의 문예 정책(사회과학출판사, 1973), 『주체사상에 기초한 문예이론』(사회과학출판사, 1975), 『문학예술건설경험』(김정웅, 사회과학출판사, 1984) 등 여러 저작에서 밝혀져 있는바, 그 대강을 요약하면 다음과 같다. 한마디로 말해서 그것은 사회주의적인 사상을 민족적 형식으로 표현하는 것으로서 당성, 노동 계급성, 인민성을 기반으로 구현된다. 즉 사회주의적 문학예술에서 당의 유일주체사상을 확립하기 위하여 문학예술 작품에서 당의 유일사상을 구현하고 혁명적 문예 전통을 계승 발전시키며, 문예이론과 창작 실제에서 당의 영도를 최우선으로 한다는 말이다. 아울러 공산주의적 인간학을 바탕으로 당성, 노동 계급성, 인민성을 추구함으로써 사회주의적 내용과 민족적 형식을 결합하는 데 주력한다. 그러므로 반동적 문예사조 및 반혁명적 문예 사상과 비타협적 적대주의를 지니며, 문학예술의 핵으로서 주체적인 사회주의적 종자론을 핵심으로 하여 사회주의적 전형을 강조하고, 이를 위해서 '속도전'을 펼쳐 간다는 내용인 것이다. 이 과정에서 인민성의 원칙에 의해 모든 인민들이 창작할 수 있고 감상할 수 있도록 대중성과 군중성을 확보해가야만 한다는 주장이다. 인민대중은 문학예술의 향유자이며 동시에 창조자이기 때문에 모든 문학예술은 반드시 인민대중에게 복무해야만 하는 의무를 지닌다는 말이다. 이 또한 그렇기 때문에 문학예술은 혁명적 낙관주의와 혁명적 낙관주의와 혁명적 낭만주의, 그리고 혁명적 대작주의를 지향해야 하며, 당의 영도에 따라야만 한다는 것이다.[5] 즉

---

4) 『김일성저작선집』 제4권, 157쪽; 김윤식, 「주체사상에 기초한 사회주의적 문예이론」, 『문학사상』, 1989, 6, 157쪽 재인용.
5) 홍기삼, 『북한의 문예정책과 문예이론 연구』, 평민사, 1979, 90~94쪽.

당은 정치노선을 제시하고, 내각의 문화예술부는 그 행정적 추진을 담당하며, 문화예술총동맹이 그 교양의 강화를 추진하고 있는 것이다. 결국 북한의 문예창작은 당의 문예 정책에 의해 지도감독되면서 계획적이고 목적 의식적으로 추동되고 있다고 하겠다. 특히 이러한 당의 지도 감독 아래 오늘날 북한의 문예창작 지침은 대략 수령의 혁명에 대한 찬양과 충성, 사회주의 혁명 건설의 찬양 고취, 인민의 노동계급화 및 찬양, 제국주의·자본주의 비판과 폭로, 남조선 혁명과 조국 통일 등을 내용으로 하고 있음[6]을 알 수 있다. 다시 말해서 사회주의 건설과 혁명투쟁을 핵심으로 해서 항일혁명 전통을 계승하여 이른바 남조선 혁명과 통일정책으로 고무 추동해 가고 있는 데서 북한문학, 특히 시의 특성과 지향성이 선명히 드러난다는 말이다.

3. 북한 시의 갈래

북한의 시에 대한 원론적인 정의가 남한의 그것과 조금도 다를 바 없지만, 그 실제 내용에서는 커다란 편차를 지니는 것이 사실이다. 북한의 시가 당의 정책에 의해서 주도되며, 그에 통제와 지도를 받으면서 창작되기 때문이다. 특히 북한의 시는 그 실제 내용과 지향성에 있어서 계획적이며 목적의식적이고, 창작 주체가 집단성을 지니는 경우가 많다는 점에서 우리의 것과 구별되는 특성을 지닌다.

북한의 시는 갈래 면에서 남한과 같이 서정시와 서사시로 대별된다. 서정시는 남한과 비슷하게 "외부세계에 의하여 환기된 인간의 사상, 감정, 지향 등을 직접 표현하는 서정적 작품의 한 형태"[7]라고 규정된다. 그러나 서정시에 향가, 고려가요, 시조, 가사, 잡가, 창가 등을 예로 들면서 여기에 항일혁명

---

6) 김대행, 앞의 논문, 12~13쪽.
7) 『문학예술사전』, 516쪽.

시기에 창조했다는 이른바 혁명가요를 추가하는 것이 특이하다. 이 점이 우리와 색다른 점이라 할 수 있다. 『문학예술사전』에 따르면 가요란 "가사와 선율이 하나로 결합된 음악작품 형식"이며 "가사의 시적 형상과 선율의 음악적 형상이 서로 밀접히 결합되어 인민들의 사상 감정을 집약적으로 표현해 주는" 양식으로서 "혁명가요, 군중가요, 서정가요, 서사가요"[8]를 일컫는다고 기술되어 있다. 이렇게 보면 가요도 서정시에 편입된다는 결론이 성립됨으로써 서정시에 음악성을 부가, 중시하고 있음을 알 수 있다. 바로 여기에서 중요한 문제점 내지 남한과의 차이점이 드러남을 발견하게 된다. 시라는 큰 범주속에 속하면서도 읽는 것으로서의 시와 노래 부르는 것으로서 가요의 노랫말인 가사가 혼효되어 있다는 말이다. 다시 말해서 시라고 할 때 남한에서는 시적 형상으로 표현된 것을 말하지만, 북한에서는 읽는 표현으로서의 시와 노래 부르기 위한 것으로서의 가사를 함께 지칭한다는 것이 색다르다고 하겠다. 즉 "노래로 부를 것을 전제로 하여 쓰여진 시"로서 "풍부하고 다양한 현실 생활과 인간의 사상감정을 간결하고 함축된 시적 형상 속에서 집약적으로 표현하는"[9] 가사가 시의 개념 속에 함께 포괄되면서도 별도의 기능을 지닌 채로 존재하는 것이다.

> ① 인민이 기다리던 태양은 솟아왔다
>   오! 찬란한 빛으로 우리 인민의 태양이신 장군님—
>   우리는 마음껏 지축을 울리는 인민의 환호 속에서
>   그이의 빛나는 개선을 맞으오니
>   그이를 위하여 모여온 이 나라 백성들
>   그이를 부르는 만세소리, 날리는 기발
>   — 한식, 「우리의 태양 김○○ 장군님」(1946)에서

---

8) 위의 책, 8쪽.
9) 위의 책, 6쪽.

② 장백산 줄기줄기 피어린 자욱
　압록강 굽이굽이 피어린 자욱
　오늘도 자유조선 꽃다발우에
　력력히 비쳐주는 거룩한 자욱

　(후렴) 아아 그 이름도 그리운 우리의 장군
　아아 그 이름도 빛나는 김○○ 장군

　만주벌 눈바람아 이야기하라
　밀림의 긴긴밤아 이야기하라

　만고의 빨찌산이 누구인가를
　절세의 애국자가 누구인가를
　……하랴……

— 「이찬, 김○○장군의 노래」(1946, 김원균 작곡)에서

시 ①은 시이며, 시 ②는 가사이다. 시 ①은 표현성이 위주로서 시인의 주관적 감정을 직접적으로 토로한다. 이에 비해 시 ②, 즉 가사는 세 개의 절로 구성되며 후렴을 지님으로써 아예 곡조를 붙이기 좋게 창작된 것이 특징이다. 이른바 김일성 찬양이라고 하는 교조적 내용을 부르기 쉽고 기억하기 쉽게 하여 함께 노래 부르게 함으로써 공동체의식을 고무 추동하기 위한 교양 수단화하고 있는 것이다. 따라서 북한에서는 시와 가사를 함께 시의 범주에 묶어 창작 보급함으로써 대중적인 선동, 선전성을 적극적으로 강화하고 있다는 점에서 시의 형식을 최대한 활용하고 있는 형편이라고 하겠다. 이처럼 시에는 표현 속성을 강조하는 시와 음악 속성을 목표로 하는 가사의 두 가지가 공존하고 있음을 알 수 있다.

아울러 이 서정시는 내용의 성격 또는 창작의도와 방법에 따라서 송시, 정론시, 풍자시로 나눌 수 있다. 송시란, 말 그대로 김일성이나 당 또는 조국을

찬양하고 충성을 맹세하는 종류의 시를 뜻한다. 또한 정론시란 사회, 정치 생활에서 가장 관심사로 되는 일에 대하여 사회·정치적 평가를 의도로 하여 씌어지는 시를 말하고, 풍자시란 대상을 조소·비판하거나 폭로하려는 의도를 지닌 시로써 주로 미국이나 남한의 현실을 꼬집는 것이 대부분이다. 따라서 서정시는 남한에서 주류를 이루는 사랑이나 영원, 자연, 생활 등 인간 본성 탐구의 노래보다는 주로 사회주의적 내용을 선동, 선전하거나 혁명을 고무 추동하는 목적시가 대부분을 차지한다고 할 것이다.

한편 서사시는 말 그대로 "현실에서 벌어지는 사건과 그에 참가한 인물들의 행동 및 사상 감정을 전일적인 얽음새를 가지고 묘사하는 시작품"으로서, "객관적 현실을 서사적 화폭으로 일정한 줄거리를 가지고 묘사"[10]하는 것을 그 특징으로 한다. 이러한 서사시에는 장편 서사시와 이보다 짧은 중간형식의 서정 서사시 및 담시로 나뉘어진다.[11] 즉 서정 서사시란 "서정성이 강한 중소형식의 서사시"를, 담시는 "극히 짧은 이야기 속에 한두 명의 인물을 등장시키고 생활의 그 어떤 단면을 노래하는 제일 작은 형식의 서정 서사적인 작품"을 말한다고 한다. 그렇지만 실제로 이러한 서정 서사시나 담시는 필자가 접할 수 있었던 범위에서는 전체적인 내용을 쉽게 찾아보기 힘들었다.

서사시라고 할 만한 것의 예로는 1947년 조기천이 발표한 「백두산」을 북한 서사시의 한 전형으로 꼽을 수 있다. 머리시와 7장으로 된 본시, 그리고 맺음시로 짜여져 있는, 대략 46절 1,564행의 이 「백두산」은 우리 문학사에서 흔치 않은 항일무장투쟁사를 형상화했다는 점에서 독특한 의미를 지닌다.[12] 즉 「백두산」은 김 대장을 중심으로 하여 철호, 꽃분 등의 빨치산 투사들의 항일무장투쟁 과정을 통해서 민족의 수난과 투쟁 정신을 서사시적 구성으로 형상화함으로써 민중해방과 민족해방을 고무 추동한 데서 북한문학의 원형성

---

10) 앞의 책, 515쪽.
11) 사로청출판사 편, 『창작의 벗』, 사로청출판사, 1974, 162쪽.
12) 졸고, 「백두산, 그 진행형 테마」, 『문학사상』, 1989년 6월호 참조.

을 지니고 있다는 말이다. '백두산=민족=민중'이라는 등가인식을 통해서 민족주체성과 계급적 세계관을 확립하려는 중심의도를 펼치면서 이른바 김일성 우상화를 시도했다는 점에서 북한 서사시의 한 전형성을 지니고 있기 때문이다. 이 작품은 다분히 주제의 작위성이나 도식적 결말 및 상투적 인간형을 내포한 점에서 한계점을 지니고 있으며, 부분적인 내용상의 오류 또한 많이 드러나는 것이 사실이다. 그렇지만 이 작품은 북한 서사시의 한 원형이자 전형을 지니고 있다는 점에서는 북한의 문학사에서 중요한 위치를 점하고 있는 것이 또한 사실이라고 하겠다. 이 밖에도 북한의 시에 동요와 동시가 포함되어있는 것은 남한과 마찬가지다.

이렇게 볼 때 북한의 시는 크게 보아 시와 가사로 나눌 수 있지만, 서정시 속에 가요, 즉 가사를 다시 포함시키고 있기 때문에 시를 그냥 서정시와 서사시로 구분하는 것이 적절하다고 하겠다. 북한 시가 시와 가사로 대별되는 것은 시가 지닌 표현성과 음악성을 함께 살려서 사회주의적인 내용을 적극 선전, 선동해 나아가기 위한 의도임을 알 수 있게 해준다. 남한에서는, 시는 시대로 발전해 가면서 가요, 즉 대중가요의 노랫말로서 가사와는 전혀 별개의 분야로 나뉘어져 분화되어 가고 있는 것과 크게 대조된다고 하겠다. 남한에서는 시와 대중가요의 가사가 전혀 별개의 장르로 분화되어 버린 데 비해서, 북한에선 이 두 가지가 함께 통합되어 '북한 시'라고 하는 독특한 성격을 형성해 가고 있는 데서 장르적 특성이 드러나는 것이다. 이것은 물론 통속예술론 및 군중예술론이라고 하는 북한문학의 인민성의 원칙에서 비롯된 것임은 이론의 여지가 없으리라.

4. 해방 후 시의 시대구분

북한에서는 문학발전의 역사적 과정을 연구하는 문예학의 한 분과로서 문학사가 몇 차례 집필되었다. 그중 중요한 것으로는『조선문학통사』상, 하(과학원출판사, 1959),『조선문학사』(학우서방, 1964),『조선문학사』제1, 2권(김일성대학 출판사, 1982),『조선문학사』제5권(과학백과사전 출판사) 및『조선문학개관』1, 2(박종원·류만, 사회과학출판사, 1986) 등을 꼽을 수 있다. 이 중에서 남한에서 북한 원전으로 출간된 현대문학사편은『조선문학통사』(하·현대문학 편, 인동, 1988) 및『조선문학개관·II』(인동, 1988)가 눈에 띈다. 그런데 이들에 보이는 해방 후 문학사의 시대구분은 대체로 유사한 공통점이 드러나고 있다.

① 『조선문학통사』(1959)
- 제4장 평화적 민주건설 시기의 문학— 해방 후 사회주의적 사실주의 문학발전을 위한 당의 정책/소설, 시문학, 희곡
- 제5장 조국해방전쟁 시기의 문학— 전시문학의 전투성을 강화하기 위한 당의 정책/소설, 시문학, 희곡
- 제6장 전후시기의 문학— 사회 정치적 환경과 이 시기 당의 문예 정책/소설, 시문학, 희곡

② 『조선문학사』(1964)
- 8·15 해방과 조선문학
- 평화적 건설 시기의 문학
- 조국해방전쟁 시기의 문학
- 전후 시기의 문학

③ 『조선문학개관』(1986)
II. 평화적 건설 시기(1945. 8~1950. 6) 문학
시문학/소설문학/극문학, 영화문학
III. 위대한 조국해방전쟁시기(1950. 6~1953. 7) 문학
시문학/산문문학/극문학, 영화 문학
IV. 전후복구건설과 사회주의 기초건설을 위한 투쟁시기(1953,

7~1960) 문학

시문학/소설문학/극문학, 영화 문학

V. 사회주의의 전면적 건설과 사회주의의 완전승리를 앞당기기
위한 투쟁 시기(1961~)문학

1961~1966 소설문학/시문학/영화 문학, 극문학

1967~ 소설문학/시문학/영화 및 극문학

④ 월간 『조선문학』지, 조국해방 40돌, 당창건 40돌 기념(1985. 6~)

1. 새조국건설시기(1945~1950)

2. 조국해방전쟁 시기(1950~1955)

3. 전후문학시기(1956~1960)

4. 천리마문학시기(1960년대)

5. 유일사상·주체사상시기(1970년대~)

이렇게 볼 때 북한의 해방 후 문학사는 대체로 ① 새조국 건설 시기— 해방
공간의 문학, ② 조국해방전쟁 시기— 6·25전쟁문학, ③ 전후문학시기— 전
후문학, ④ 천리마 문학시기— 1960년대 문학, ⑤ 유일사상·주체사상시기—
1970, 1980년대 문학 등과 같이 남한의 그것과 서로 대칭되고 있음을 알 수
있다.13)

따라서 시문학사의 경우에도 대체로 이러한 시대구분에 따라 전개되고 있
다고 하겠다. 다만 이 경우에도 시문학 자체의 전개과정보다는 인민생활사와
의 밀접한 관계 속에서 당대의 사회제도, 계급투쟁, 경제관계, 정치 및 사회적
의식 형태들, 그리고 다른 예술 종류들과의 상호관계가 중심적으로 기술되고
있음은 두말할 필요가 없다.

---

13) 졸고, 「광복 40년 남북 문학사의 한 점검」, 『현대시와 역사의식』, 인하대학교 출판
부, 1988 참조.

5. 북한 시의 시대적 전개

북한 시의 전개과정을 앞서의 시대구분에 준거하여 구체적으로 살펴보기로 한다.

① '평화적 건설시기'의 시

해방공간인 '평화적 건설시기' 북한의 시는 이른바 새로운 지도자로서 김일성의 등장으로부터 시작된다. 해방의 감격을 흥분된 가락으로 노래하는 것과 함께 새로운 지도자에 대한 찬양과 충성을 맹세하는 등 정론시적인 성격을 강하게 지니게 된 것이다. 이러한 창작의 방향은 1946년 5월 24일 북한의 각도 인민위원회, 정당, 사회단체 선전원, 문화인, 예술대회에서 행한 김일성의 연설 "문화인들은 문화선전의 투사로 되어야 한다"[14]에서 제시된 바 있는 그것이다.

> ① 조선독립이다.
> 읍내로 뻗은 신작로 길에
> 줄다름쳐 오르는
> 외마디 고함소리에
> 모두 꽹과리 울리며
> 징치며
> 만세 만세 부르며
> 순시에 내고장 사람들이
> 거센 행렬 이루던
> 해방의 그날을 나는 보았네

---

14) 『조선문학개관·Ⅱ』, 101쪽.

이놈
남의 것 잘 처먹던
배때기 먹통놈
이놈
사람 잘 잡아가던
키다리 호개놈

××
눈물도 찔끔
비굴한 낯짝에
모두 춤 뱉으며
면사무소 간판
조박조갑 바수던
내고장 사람들의
세찬 발구름을
나는 보았네

— 민병균, 「해방도」(1945)

② 약소민족의 의로운 벗
조선인민의 위대한 해방자,
쏘련군대여 오는가?
이날 우리 30만 손들이
뜨거운 악수를 보내고
지나간 날 설움을 호소하였더니,

쏘련군대는 아니오고
하이얀 노트 아메리캔만이
공중에서 삐라를 뿌렸다.
지폐같은 종이로
시민들을 달래었다

— 박세영, 「쏘련군대는 오는가」(1946)에서

③ 파도 거츠러운
　　바다 한복판에서도
　　먼나라 고달픈 여로에서도
　　김일성 장군님 계심을 생각만 하면
　　금시 힘이 뻗어오르는
　　김일성 장군님을 우리는 잊을수 없어라
　　……
　　진실로 장군님 계시므로
　　내닫는 슬픔을 무찔러
　　모든 곤란을 이겨나갈수 있고
　　새조선의 희망만이 별빛같은데
　　김일성 장군님 가시는 길, 김일성 장군님 이끄심이라면
　　오오 목숨바쳐 따라갈
　　김일성 장군님을 우리는 잊을수 없어라
　　　　　― 김북향, 「목숨바쳐 따라가오리」(1947)에서

　　위에 인용한 세 편의 시에는 이후 전개될 북한 시의 내용이 함축적으로 시
사되어 있다. 먼저 시 ①에서는 해방의 감격과 함께 일제강점하에서의 착취
자, 억압자들에 대한 분노와 적개심을 강하게 드러내고 있다. "이놈/남의 것
잘 쳐먹던/배때기 먹통놈/이놈/사람 잘 잡아가던/키다리 호개놈/눈물도 찔끔/
비굴한 낯짝에/모두 춤 뱉으며"라는 구절에서처럼 일제에 야유하던 친일군
상 또는 유산계급에 대한 강한 매도를 펼치는 가운데 새 세상의 도래에 대한
기대와 설레임을 분출하는 것이다. 시 ②에서는 북한의 해방자로서 소련군대
에 대한 찬양과 기대를 표출하고 있다. 그런데 여기에서 관심을 끄는 것은 미
국에 대한 증오심이 상대적으로 나타난다는 점이다. "약소민족의 의로운 벗/
조선인민의 위대한 해방자"로서 소련군대에 대한 찬양 속에는 새로운 지배
세력으로서의 소련에 대한 또 다른 아첨과 찬양이 담겨 있음이 물론이다. 강
도 일본에 대한 혁명투쟁을 빛나는 전통으로 삼아 새로운 민족문화건설의 길

로 나아가고자 한다는 그들의 민족주체성 강조 및 혁명사상과도 분명히 어긋나는 일이라고 하겠다. 시 ③은 북한의 새로운 지도자로 부상하고 있는 김일성에 대한 찬양과 함께 그에 대한 충성을 노래하고 있다. 김일성을 "계심을 생각만하면/금시 힘이 뻗어오르는" 활력의 원천이면서 동시에 "새조선의 별빛같은 희망"으로서 "목숨바쳐 따라갈" 지도자로 우상화되고 있는 것이다. 이처럼 이 시기에 벌써 북한의 시는 정치적인 이념과 지향성을 반영하고 적극적으로 대변하는 선전, 선동성을 강하게 지님으로써 이후 북한 시의 전개 방향을 제시해 주고 있는 데서 그 특징이 드러난다. 이렇게 볼 때 이 시기에 「애국가」(박세영, 1947), 「당의 기발 아래」(안용만, 1948), 「인민공화국 선포의 노래」(김우철, 1948) 등과 같이 조선노동당창건과 북한정권수립을 찬양하는 시들이 대대적으로 창작되는 것은 이 점에 비추어 당연한 일이라고 할 것이다.

한편 이 시기에는 북한에서의 토지개혁이나 노동법령 공포, 중요 산업 국유화령 등 제반 사회개혁조치에 대한 찬양을 통해서 사회주의 건설을 고무하고 추동하는 경향도 나타난다. 일제강점하에서의 민족모순과 계급모순을 함께 고발하면서 사회주의 세상이 열리고 있음을 선전하고 있는 것이다.

땅은 밭갈이하는 농민에게—
토지개혁의 우람찬 환성은
등을 넘고 비탈길을 감돌아
두메산골에까지 산울림해 왔다.

—나라를 찾은것만 해두 고마운데
땅까지 차지하게 되다니……
—이거 꿈인가 생시인가
눈을 뜨이고 귀는 열리여
……

─땅은 밭갈이하는 농민에게~
칠판에 굵다랗게 쓴 토필 글씨를
한 자 한 자 더듬어 읽는 돌쇠는
야학에서 이태나 익히 유식하다는
머슴살이에 잔뼈가 굵은 로총각이었다.
─올부턴 제 땅 갈아
장가밑천 장만하겠수
돌쇠의 입김은 능청맞고
출출하고 사나이 공대 잘하는
마을 처녀를 중매 서 주리
박첨지의 대구는 너털웃음에 흥거워
이처럼 오가는 잡담 속에서도
기쁨이 샘물마냥 솟는다.
　　　　　　　── 김우철, 「농촌위원회의 밤」(1946)에서

　　이 시의 핵심은 "나라를 찾은 것만 해두 고마운데/땅까지 차지하게 되다
니……"에서 드러난다. 해방의 기쁨과 함께 토지개혁으로 인해 소작인, 머슴
들이 자기 땅을 소유하게 된 데 대한 환희가 제시된 것이다. 여기에서 이 시의
숨은 뜻이 드러난다. 그것은 일제강점하에서의 기본 모순으로서 민족모순과
계급모순이 북한에서의 인민 정권수립에 의해 해소될 수 있었다는 점을 강조
하면서, 그렇게 되기까지의 해방군으로서의 소련군의 업적과 항일혁명투사
로서의 김일성에 대한 공적을 찬양하고 부각시키려는 계획된 의도를 내포하
고 있는 것이다. 지난날 일제하에서 겪었던 민족적 울분과 계급적 적개심을
"머슴살이에 잔뼈가 굵은 로총각 돌쇠"를 통해서 분출하면서 해방된 사회, 공
산정권하에서의 새 생활에 대한 환희와 기대를 제시한 것으로 풀기 때문이
다. 이렇게 보면 이러한 북한의 시는 민족해 영 계급해방이라는 두 가지 가치
축을 바탕으로 하면서 사회주의 사상을 민족적 특수성으로 결합하여 전형성
을 획득해 가는 경향성을 지니고 있다고 하겠다. 아울러 이 시기에는 소위 남

조선해방과 조국통일을 위해 투쟁하는 모습을 형상화한 「삐라대」(최석두, 1947),「항쟁의 여수」(조기천, 1949) 등이 씌어지기도 했다.

한편 이 시기에는 북한 시의 원형성 또는 전형성이라 할 두 서사시가 씌어져서 주목을 환기한다. 이른바 북한의 3대 문학작품의 하나라고 불리는 조기천의 「백두산」과 강승한의 「한나산」이 그것이다.

먼저 「백두산」은 앞에서 간단히 살펴보았듯이 조기천이 북한정권수립 직전인 1947년에 창작한 장편 서사시로서 북한 시의 한 전형성을 보여준다.

① 오오 조상의 땅이여!
  오천년 흐르던 그대의 혈통이
  일제의 칼에 맞아 끊어졌을 때
  떨어져나간 그 토막토막
  얼마나 원한의 선혈로 딩굴었더냐?
  조선의 운명이 칠성판에 올랐을 때
  몇만의 지사 밤길 더듬어
  백두의 밀림 찾었더냐?
  가랑잎의 쪽잠도 그리웠고
  사지의 문턱인듯 넘나든 이 그 뉘냐?
  산아 조종의 산아 말하라―
  해방된 이땅에서 뉘가 인민을 위해 싸우느냐?
  뉘가 민전의 첫머리에 섰느냐? (머리시)

② 가마속의 물은 끓다가도 없어진다―
  원천이 없거니―
  허나 내물은 대하를 이룬다
  동무들!
  우리는 대하가 되련다 바다가 되련다
  우리의 근간도 민중 속에
  우리의 힘도 민중 속에 있다!

민중과 혈연을 한가지 한 빨찌산임을 우리 잊었는가?
우리 이것을 잊고
어찌 대사를 이루랴?
민중과의 분리
이것은 우리의 멸망
이것을 일제들이 꾀한다

③ "한 놈도 남기지 말라!"
그이는 부르짖었다
바른손 싸창을
바위 아래로 번쩍이자
마지막 발악쓰던 원쑤 두 놈이
미끄러지듯 허적여 뒤여진다
"한 놈도 남기지 말라!"
그이는 재쳐 부르짖었다
이는 이름만 들어도
삼도 일제가 치떠는
조선의 빨찌산 김대장!

축지법을 쓴다고
북천에 새별 하나이 솟아 압록의 줄기줄기에
그 유독한 채광을 베푸노니
이 나라에 천명의 장수 났다고
백두산 두메에서 우러러 떠드는
조선의 빨찌산 김대장! (제1장 4절)

④ 백두는 웨친다
너, 세계야 들으라!
이 땅에 내 나라를 세우리라!
내 천만년 깎아 세운 절벽의 의지로
내 세세로 모은 힘 가다듬어

온갖 불의를 족쳐부시고
내 나라를
민주의 나라를 세우리라

자유의 나라!
독립의 나라!
인민의 나라!
백두산은 이렇게 웨친다!

　　　　　　　　　― 백성은 이렇게 웨친다! (맺음시)

이 네 부분 속에는 북한 시의 전형으로서「백두산」의 핵심내용이 고스란히 담겨 있다. 이른바 "칠흑같이 어두운 시기에도 조선민중은 멸망하지 않으며 살아 있다는 민족적 긍지와 우리는 반드시 승리한다는 혁명의 서광을 비춰줌으로써" "항일무장투쟁과 조선민족해방운동의 전반적인 확대 발전에 새로운 중요한 계기가 되었다."[15]라고 주장하는 보천보 전투(1937. 6. 4)를 바탕으로 형상화된 이 작품에는 일제강점기 항일무장투쟁의 혁명적 전통을 해방 후 북한정권의 이념으로 계승하여 사회주의 국가를 건설하려는 의도가 담겨 있는 것으로 풀이되기 때문이다.

먼저 ① 부분에는 이 서사시가 일제강점하의 항일무장투쟁을 다룬 것이면서 이것을 이어받아 해방조국 건설의 추진으로 삼고자 하는 창작 의도를 지니고 있다는 점이 암시되어 있다. 지난날의 역사적 사실에 기초하면서 당대 해방된 북한 현실에 실제적 영향력을 발휘하고자 하는 계획된 의도로서 이 서사시가 씌어졌다는 말이다. ② 부분에는 이른바 인민성의 원칙이 잘 드러나 있다. 여기에선 항일투쟁뿐 아니라 나아가서 역사 전개의 주체가 민중이라는 민중사관으로서의 인민사관이 제시된 것이다. "민중과의 분리/이것은

---

15) 남현우 편, 『항일무장투쟁사』, 대동, 1988, 266쪽.

우리의 멸망/이것을 일제들이 꾀한다"라는 구절 속에는 민족해방과 계급해방을 일원적인 것으로 파악하는 사회주의 특유의 계급사관이 피력되어 있는 것으로 풀이할 수 있기 때문이다. 아울러 이러한 말을 김 대장의 입을 통해서 표현한 것은 은연중에 김 대장으로서 김일성의 인민사관을 강하게 부각시키고자 하는 의도를 담고 있다고 하겠다. 따라서 ④에서는 이러한 김일성 찬양 또는 우상화 의도가 선명히 제시된다. 항일무장투쟁이 김 대장의 영웅적인 투쟁과 지도에 힘입은 것이며, 결과적으로 해방 또한 그의 은덕에서 비롯된 것이라는 점을 암암리에 강조하고 있는 것이다. 실상 이 작품의 여러 곳에서 김일성의 용맹성과 인간성이 축지법을 쓴다든지, 남 다 자는 밤에 홀로 깨어 밤새워 책을 읽는다든지 하는 식으로 마구 뒤섞임으로써 영웅성 강조에 따른 허황성과 인간성 강조에 따른 작위성 사이에 모순과 괴리가 발생하는 것도 이러한 의도적인 우상화 시도에서 무리하게 빚어진 결정적 오류라고 하겠다. 민중적 삶의 고통스러운 모습 속에서 성장해 가는 혁명적 지도자의 모습이라기보다는 천부적인 초인으로서 '조작된 영웅주의'의 일단이 의도적으로 제시된 데서 이 작품의 결함이 지적될 수 있는 것이다. 여하튼 해방공간의 혼란 속에서 김일성을 북한의 지도자로서 크게 부각시키는 데 이 작품이 기여하고자 한 것은 물론이라 하겠다. 아울러 이후 북한 시의 방향이 이러한 김일성과 항일혁명투쟁, 그리고 사회주의 이념을 매개고리로 해서 전개되어 갈 것임을 제시한 데서 이 작품의 상징성이 드러난다. 끝으로 ④ 구절은 이러한 항일혁명 끝에 장렬히 산화해 간 인물들을 적극 본받아서 새 조국 건설투쟁을 능동적으로 지향해 나아가야 하는 것이 해방된 오늘의 시대정신이며 민족적 당면 과제라는 점을 강조하고 있다. 결국 이 작품은 항일무장투쟁과 그 속에서 김일성의 영웅적 활약상을 전형화하는 가운데 이 땅에서 민족해방과 민중해방이 얼마나 어렵게 전취된 것이며 동시에 새 조국 건설을 위해서 북한의 인민들이 다 함께 얼마나 분투해야 하는 가를 고무 추동하기 위한 의도로 씌어졌다고 하겠다. 조기천은 항일 빨치산 투쟁을 미화하고 김일성을 우상화하려는 의도를 바탕으로 해서 새로운 사회주의 국가를 북한에 건설하고자 하는 적극적인 열망을 서사시 「백두산」으로 형상화함으로써 북한 시의 한 전형이자 원형의 모습을 제시한 것이다.

한편 「한나산」은 제주도에서 벌어졌던 4·3사건을 소재로 해서 이른바 남조선해방을 형상화한 작품이다. "단독선거절대반대/미군 즉시 철퇴하라/친일파 민족 반역자 타도하자/인민공화국수립만세"[16]를 구호로 내세우면서 제주도 4·3사건을 테마로 하여 반미와 반한을 강조한 것이라 하겠다. 이 점에서 이 작품은 이후에도 계속되는 반제 반미 투쟁과 '남조선해방' 및 조국통일이라는 북한 시 주제의 일반적 전형이자 그 원형성을 지닌다고 할 것이다.

이처럼 이 두 편의 서사시 「백두산」과 「한나산」에는 이후 북한 시의 핵심이라고 할 "수령에 대한 충성과 찬양, 사회주의 혁명·건설의 찬양고취, 인민의 로동계급 및 찬양, 제국주의·자본주의 비판 폭로, 남조선혁명과 조국통일"[17]이라고 하는 북한 시의 주제와 내용을 원형적으로 제시한 데서 그 특성과 의미가 드러난다고 하겠다. 따라서 이후의 북한 시는 이 시기 시들이 이미 제시했던 내용과 테마를 확대하고 심화해 가는 과정이라 해도 과언이 아닐 것이다.

② '조국해방전쟁시기'의 시

6·25동란기, 즉 저들의 용어로 소위 '조국해방전쟁시기'에 북한의 시는 김일성 항일무장투쟁의 테마를 계승하면서 인민군대의 투쟁상을 묘파하는 데 집중된다. 아울러 미국과 미군에 대한 증오와 적개심을 드러내면서 상대적으로 중

---

16) 『조선문학개관 II』, 120쪽.
17) 김대행, 『북한의 시가문학』, 12~13쪽.

국 의용군에 대한 연대감을 과시하는 것이 이 시기 북한 시의 주요한 특징이다.

　①　따바리 불타는 총자루
　　　　앞세워 승승장구
　　　　38선을 넘어
　　　　벌써 아득한 천리길,
　　　　나의 따발총이여
　　　　더웁게 단 총구멍
　　　　식혀줄 사이도 없구나
　　　　별빛 총총한 야음을 타서
　　　　포복 전진의 길
　　　　풀향기 그윽히 풍겨오는
　　　　산등성이 잔디밭
　　　　민동이 트면 이슬도 반짝!
　　　　동무의 추억에 빛나고
　　　　바라보면 저 해안선
　　　　눈앞에 다가서는
　　　　우리 나라 남쪽 끝 수평선이여
　　　　나의 따바리! 가자
　　　　대구, 진주를 거쳐
　　　　려수, 목포, 부산으로
　　　　아니 제주도 끝까지
　　　　가자, 나의 따바리!

　　　　　　　　　　　　　— 안용만, 「나의 따발총」(1950)에서

　②　심장에 불을 안은
　　　　청년들이여!
　　　　모든 사람들이여
　　　　몸을 폭탄삼아
　　　　미국놈의 불아가리 터뜨리고

진격의 길
승리의 길을 피로써 열어놓은
영웅조선의 영우을
우리 함께 노래하자!

　　　　　　　　　　　— 김학연, 「독로 강기슭에서」(1951)에서

　이러한 인민군대의 용감한 투쟁상을 크게 부각시키면서 필승의 신념과 전투적 정열을 고무 추동하는 데 힘을 기울인 것이다. 먼저 시 ①은 따발총이 상징하듯이 인민군의 전투적 불패성과 용감성, 대담성을 과시함으로써 인민군의 승전의식을 고무 추동하고 있다. 시 ②의 경우도 "몸을 폭탄삼아/진격의 길/승리의 길"을 달려가는 인민군대의 용감무쌍한 모습과 필승의 신념을 호기롭게 노래하고 있는 것이 특징이다. 그러면서도 "락동강아/너 침략자 바뀔 때 놀라 뜬 눈/학정의 나날에 감았던 그 눈/오늘은 크게 뜨고 바라보라/리승만괴뢰의 기둥도 석가래도 부서/침략군대 미군의 뒷통수를 짚어/해방의 군대는 왔나니"[18]에서 보는 것처럼 미군과 소위 '리승만괴로'군에 대한 적개심을 고취하고 있는 것이다. 이처럼 이 시기 미군과 '리승만괴뢰'군에 대한 적개심을 분출하는 저들 말대로 조국해방전쟁을 용감하게 수행하고 있는 인민군대의 활발한 투쟁상을 과장하고 승전의식을 고취하는 대 전력을 기울이고 있는 것이 특징이다. 물론 여기에서도 김일성에 대한 찬양과 당과 조국에 대한 흠모 및 충성심이 강조되고 있음은 두말할 나위가 없다. "고향길에 닿은 조국의 고지와/고향하늘에 닿은 머리우/푸르른 조국의 하늘을 우러러/수령님 만세를 높이 부르며/너는 갔다/피타는 가슴으로/원쑤의 화점을 노리여보며/힘줄뻗은 그 손에/우리 인민이 준/수류탄과 따바리를 들고/너는 갔다"라는 앞서의 시 「독로강기슭에서」의 또 다른 구절에서 보듯 이 김일성과 당 및 조국에 대한 충성심은 "심장속 끓는 피보다도 더 존귀한 것"에 해당하는 것이다. 이

────────────────────

18) 김북원, 「락동강」, 1950.

러한 김일성 찬양의 시로는 장편 서사시 「어러리벌」(민병균, 1952)을 비롯해서 「경애하는 수령」(김우철, 1952), 「당과 수령을 위하여」(김영철, 1952), 「수령」(차덕화, 1952), 「김일성 장군님께」(김영철, 1953), 「그이의 음성을 들으며」(정문향, 1953), 「크나큰 그 이름 불러」(백인준, 1952), 「장군님께서 오신 마을」(리맥, 1951) 등, 헤아릴 수 없이 많은 실정이다. 특히 이 무렵에 백인준은 이 시기 북한 시의 특징을 선명히 보여 주어 관심을 끈다.

> 오늘 그이는
> 조선인민의 영예의 상징
> 싸우는 조선의 투쟁의 기치
> 동서의 전선을 한 손에 틀어 쥔
> 승리의 조직자, 탁월한 령장
> 세계의 인민이 그 이름을 노래한다
> '영웅조선'으로 불려지는 그 이름을……
> 월가의 양키들이 그 이름에 떤다
> '싸우는 조선'으로 불려지는 그 이름에
> — 백인준, 「크나큰 그 이름 불러」에서

> 딸라로 빚어진 월가의 네거리에
> 넥타이를 맨 식인종
> 실크햇트를 쓴 사람버러지
> 자동차에 올라앉은 인간 부스레기
> 성경을 든 도적놈
> 온갖 잡색
> 력사의 저주로운 추물들이
> 제국주의의 고름을 퉁기며
> 하수도의 오물인 듯
> 뒤섞여 설레이지 않느냐
> — 백인준, 「월가의 관병식」에서

이 시편들에서 보면 의도의 오류가 단적으로 드러난다. 김일성을 "조선인민의 영예의 상징 /투쟁의 기치/승리의 조직자/탁월한 령장/영웅조선" 등으로 극찬하는 데 비해, 또 앞에서 소련군을 "약소민족의 의로운 벗/조선인민의 위대한 해방자"(박세영,「쏘련군대는 오는가」)라고 극찬한 데 비해서, 미국인들을 '도적놈/식인종/버러지/부스레기/추물/오물' 등으로 비유하여 매도하고 있는 것이다. 오로지 저들의 목표와 의도를 위해서 외세인 소련군을 우상으로 떠받들면서 미국인에게는 인신공격은 물론 사실의 왜곡이나 과장까지도 서슴지 않고 펼쳐 가는 데서 이들 시의 진실성이 허구적인 것이라는 점을 스스로 반증한다고 하겠다. 하기야 6·25를 "조선인민의 철천지원쑤 미제침략자들과 그 주구 리승만괴뢰도당은 조국을 평화적으로 통일한 데 대한 우리의 합리적인 방안을 거부하고 드디어 1950년 6월 25일 불의에 공화국 북반부에 대한 무력침공을 개시하여 조선인민을 반대하는 침략전쟁을 일으켰다"[19]라고 억지 주장하면서도, 불과 얼마만에 우리 국민과 국군을 낙동강 전선까지 몰아붙이고 이것을 '조국해방전쟁'으로 규정하는 저들이고 보면 이러한 시에서의 과장이나 왜곡은 오히려 점잖은 것이라고 볼 수 있지 않겠는가? 물론 남한의 전쟁 시도「국군은 죽어서 말한다」(모윤숙)나「총검부」(장호강),「연희고지」(이영순) 등과 같이 공산군에 대항하여 싸우는 국군들의 영웅적 투쟁이나 승전의식을 일방적으로 노래한 목적시가 다수에 이르는 것이 사실이다.[20] 그렇지만 남한의 시는 "조그만 마을 하나를/자유의 국토 안에 살리기 위해서는//한해살이 푸나무도 온전히 제 목숨을 다 마치지 못했거니/사람들아 묻지를 말아라/이 황폐한 풍경이/무엇 때문의 희생인가를/일찌기 한 하늘 아래 목숨 받아/움직이던 생령들이 이제//싸늘한 가을바람에 오히려/간 고등어 냄새로 썩고 있는 다부원//진실로 운행에 말미암음이 없고/그것을 또한 믿을 수가

---

19)『정치사전』, 744쪽.
20) 졸고,『한국 전쟁과 현대시의 응전력』, 평민사, 1978 참조.

없다면/이 가련한 주검에 무슨 안식이 있느냐//살아서 다시 보는 다부원은 죽은 자도 산 자도 다 함께/안주의 집이 없고 바람만 분다"(조지훈, 「다부원」에서」)라는 한 시에서 볼 수 있듯이, 전쟁으로 인해 파괴되어 가는 인간성에 대한 반성과 함께 참된 휴머니즘 회복이라는 내면적 진실을 추구한 시가 다수 발견된다는 점에서 그 차이가 드러난다고 하겠다. 북한의 전쟁시는 남한 시의 다양한 경향과 내면성 추구와는 달리 오로지 전쟁을 승리로 이끌기 위한 인민군대의 투쟁을 찬양하고 승전의식을 고취하는 가운데 미국과 남한 정권에 대한 적개심과 투쟁의식을 고양하는 데 집중되고 있는 것이다. 이와 함께 김일성의 반제 항일투쟁 찬양은 북한에서 해방공간에서는 물론 6·25까지도 지속적인 매개고리로서 작용하고 있음이 물론이라 하겠다. "오늘 조선인민이 미제침략자들을 반대하며 조국의 자유와 독립을 수호하기 위한 성스러운 해방 전쟁을 진행하고 있는 이때 우리 작가, 예술가들에게는 매우 중대한 임무가 부과되어 있습니다. 우리의 작가, 예술가들에게는 매우 중대한 임무가 부과되어 있습니다. 우리의 작가, 예술가들은 인간정신의 기사로서 자기들의 작품에 우리 인민의 숭고한 애국심과 견결한 투지와 종국적 승리에 대한 확고한 신심을 뚜렷이 표현하여야 하며 자기들의 작품이 싸우는 우리 인민의 강력한 무기로 되게 하며 그들을 최후의 승리에로 고무하는 거대한 힘으로 되게 하여야 합니다"[21]라는 말처럼 무기로서의 시, 전략 전술로서의 시로서 이 시기 북한 시의 의미가 드러나는 것이다. 아울러 이 시에는 "침략자를 소멸하고 최후승리를 보장함으로써 영광스러운 우리 조국— 조선민주주의 인민공화국을 수호하는 조국보위를 주제"[22]로 하는 이른바 전쟁 가요로서 가사시가 많이 창작된 것도 이 시기 전쟁시의 중요한 한 특징이라고 할 것이다. 이들은 인민군대가 그들 스스로 인민성의 원칙에 의해 시의 창작자이자 향수

---

21)『김일성저작집』제6권, 399쪽;『조선문학개관Ⅱ』, 139~140쪽 재인용.
22) 조완국,「위대한 조국해방전쟁시기 인민군대내에서 창조보급된 가요에 대하여」,『문학연구』, 1963년 1월호.

자가 된 경우라고 할 것으로서 전쟁시기 북한 목적시의 한 전범이 된다고 하겠다.

③ '전후시기와 천리마운동시기'의 시

이른바 조국해방전쟁이 끝난 후 저들은 "모든 것을 전쟁의 승리를 위하여!"라는 구호를 "모든 것을 민주기지강화를 위한 전후인민경제복구 발전에로!"[23]라고 바꾸면서 전후 복구사업을 대대적으로 추진하게 된다. 특히 1956년 12월의 전원회의에서 사회주의 대 건설을 고무 추동하기 위해 결정된 천리마운동은 이 시기 북한사회의 혁명적인 총노선으로 설정된 것으로 이후 북한의 정치, 경제, 사회, 문화의 기본방향을 제시하였다. 그렇다면 천리마운동이란 무엇인가? 그것은 전후 북한정권이 전쟁실패를 호도하면서 정권을 집중화하고 대중을 고무 선동하기 위한 하나의 혁명적 전진 조직 운동이라고할 것이다. 실제로 이 시기 열린 조선 노동당중앙위원회 제11차 상무위원회(1956)는 임화, 김남천, 이태준 등을 종파주의로 낙인찍고, 부르주아 반동사상 및 미제 스파이 혐의로 몰아서 이들과의 대대적 투쟁운동을 전개하기도하였다. 따라서 천리마운동이란 "경제와 문화, 사상과 도덕의 모든 분야에서온갖 뒤떨어진 것을 쓸어 버리고 끊임없는 혁신을 일으키며 사회주의 건설을비상히 촉진시키는 우리 나라 수백만 근로자들의 일대 혁명운동으로서 우리당의 총로선"[24]에 해당하는 것이다. 말하자면 전쟁실패의 책임을 남로당 계열에게 지워 숙청하면서 반대파들을 제거해 가기 시작한 김일성이 북한의 폐허화한 '경제발전을 추동'하고 북한 주민을 '공산주의적 인간'[25]으로 개조함으로써 정권을 반석 위에 올려놓기 위한 일대 혁명운동이자 대중적 선동사업

---

23) 『조선문학통사』, 1959년 판, 297쪽.
24) 『정치사전』, 1110쪽.
25) 위의 책, 1111쪽.

에 해당한다고 할 것이다.

　그러므로 문학계에서도 남로당 계열의 문인들이 이 시기에 대거 숙청되면서 박세영, 박팔양, 안용만, 백인준 등 골수 김일성파를 중심으로 하여 주도권이 장악되고 여기에 새로운 전후 신인군이 대대적으로 등장함으로써 북한 전후시단이 새롭게 형성되기 시작하는 시기에 해당된다. 말하자면 우리에게 전쟁 후 월남문인들이 합류하면서 기성문단이 확대되고, 나아가서 1955년『현대문학』을 비롯한 문예지가 창간되고 일간지의 신춘문예가 부활되면서 새로운 전후시단이 형성되는 모습과 유사한 현상이 북한시단에서도 상대적으로 일어난 것이라고 할 수 있을 것이다.

> ① 강철— 이것은
> 　무쇠 속에서도 자랑으로 빛나는 것,
> 　용광로 백열하는 도가니에서
> 　광재를 떨구어버린 순 철분이
> 　평로의 불길로 다시 달쿠어져 나왔노라.
>
> 　당은 그의 아들들을 불러 이렇게
> 　뜨거운 불길과 싸움에서 투사로 기른다.
> 　그렇다. 불 속에서 태여나는
> 　새로운 인간인 우리
> 　백광을 뿌리는 강철의 전사로 되리라.
> 　……
> 　더웁게 달아오른 쇠몸에서
> 　나는 당의 부름을 듣는다
> 　—동부여, 불길 속에서
> 　달쿠어지는 강철같이 되라!
> 　고귀한 당의 목소리 듣는다.
> 　　　　　　— 안용만, 「당의 부름을 들으며」(1956)에서

② 1. 눈이 내린다 흰눈이 내린다

　빨찌산의 이야기로 이 밤도 깊어가는데

　불밝은 창가에 흰눈이 내린다

　2. 눈이 내린다 흰눈이 내린다.

　밀림의 긴 밤을 못잊어 차마 못잊어

　함박눈 송이송이 고요히 내린다

　3. 눈이 내린다 흰눈이 내린다.

　이나라 빨찌산들 그 넘원 꽃핀 강산에

　이 밤이 지새도록 흰눈이 내린다.

　　　　　　　　　　— 김재화, 「눈이 내린다」(리면상 곡)

③ 사랑스런 처녀야!

　조국은 무던히도 귀중한 그 무엇인가를 너에게 많이도 주고 싶다.

　더 즐겁고 더 유쾌한 회관과 구락부의 밤을

　그리고 더 아름답고 고운 손을 너에게 주고 싶다.

　전야를 달리는 제초기 위에서

　곱게 타는 저녁노을을 바라보며

　네가 불러 보는……사랑의 노래를 조국은 듣고 싶다.

　수령님의 위대한 구상을 조국은 안고

　어느 농기계 중대의 창안자와도 밤을 밝히며

　겨우내 벗지 않는 너의 누빈 솜저고리와

　무지개빛 머리수건을 생각한다.

　아름답다, 조국이 사랑하는 처녀는 아름다워라

　네가 손으로 하던 일들이

　모두 기계로 대신하게 될 때

　더 좋은 날과 더 좋은 해들이 너를 맞아주고

　너를 안고 조국이 달려가는 미래의 락원에서

너는 더 행복한 화원을 가꾸게 될 것이다.

그때면 그 꽃을 너에 비기며,

사람들은 더 아름다운 노래를 너에게 불러줄 것이다.

— 오영재, 「조국이 사랑하는 처녀」(1963)

이 세 편의 시에는 이 시기 시의 특징적인 면이 선명히 드러난다. '사회주의의 전면적 건설을 다그치기 위한' '천리마시대 사람들의 보람찬 생활과 영웅적 투쟁모습', 그리고 '혁명전통과 당 및 조국 찬양'의 모습이 담겨 있기 때문이다.

먼저 시 ①에는 제철공장에서 땀 흘리며 일하는 사회주의 전사들의 모습이 묘사되어 있다. 북한의 인민들이 "불 속에서 태여나는/새로운 인간인 우리"로서 강철의 투사가 되어 새롭게 태어나고 있다는 점을 강조한 것이다. 당에 대한 사명감과 충성심이 그러한 변모의 원동력으로 작용하고 있다는 점이 드러난다. 실제로 여기에 등장하는 소재로서 용광로와 그 속에서의 사회주의적 인간개조의 의지는 1920년대 이 땅의 프롤레타리아 시편들과 연결되는 것도 사실이다. "오! 이사람들아! 그대들은/지금칼날을 밟고 섯나니/기울어져가는 집일랑/쾌히 불살으라!/뚜드려 부스라!/벌써부터 용광로엔/붉은 쇳물이 끌코 잇나니/뚜다려 /부시어/용광로에 부서너흐라/오! 이 불길은/새로운 우주를 창조할 힘이다"[26]와 같이 낡은 사상과 봉건 잔재를 뒤엎고 새 세계를 건설하려는 카프시의 사회주의적 개조의지가 해방 후 북한 시에 그대로 접합되는 것이다. 가사 ②에서는 자못 서정적인 분위기 속에서 항일혁명전통에 대한 찬양과 함께 그에 대한 계승의지가 제시되어 있다고 하겠다. 김일성으로 상징되는 항일혁명전통은 천리마시기의 시에도 그대로 하나의 종자로서 살아 있는 것이다. 시 ③은 전후에 새롭게 등장한 시인의 작품이다. 여기에는 '위대한 수령의 형상'과 '당과 조국찬양사상', 그리고 '노동하는 인민들의 즐거움'

---

26) 김해강, 「용광로」, 『조선일보』, 1927. 6. 2.

이라고 하는 북한 시의 핵심이 고스란히 담겨 있다. 이른바 긍정적인 주인공의 삶에서 우러나온 혁명적 열정과 낙관주의적 전망이 밝게 펼쳐져 있다는 점에서 전후세대들의 사회주의적 사실주의에 대한 확고한 신념과 의지가 돋보이는 것이다. 이처럼 항일무장투쟁에서 비롯된 혁명적 문화유산과 전쟁에서의 필승의 신념이 그대로 계승되면서 위대한 수령관과 당 유일사상 및 노동계급성, 그리고 인민성의 원칙이 적극적으로 추동되는 데서 이 전후 천리마시기 시의 특징이 드러난다고 하겠다.

아울러 이 시기의 시에는 이른바 '남조선 해방'과 '미제에 대한 비판'의 테마도 그대로 이어지고 있음을 볼 수 있다.

① 서울의 형제들이여, 지체 말라!
　한걸음, 한걸음 가까이 더 가까이 죄여들라!
　놈들이 쌓는 바리케트— 그것이 놈들의 마지막 무덤이 되게 하라!
　그것이 남녘땅에 암흑을 가져 온 놈들
　피묻은 력사의 종지부가 되게 하라!
　　　　　　　— 정서촌, 「원쑤들이 바리케트를 쌓고 있다」(1960)

② 형제들이여! 아직도 막아서는
　원쑤들의 총부리들을 꺾어던지라!
　무기고를 산산이 들부시라!
　원쑤들 머리우에 화약통을 터치라!
　기울어진 경무대 기둥을 단김에 처넘기라 !

　원쑤들이 지금 바리케트를 쌓고 있다
　겁에 질려 놈들이 그 안에 떨고 있다
　누구에게 포탄을 쏘려느냐
　누구의 가슴을 겨누려느냐
　수천수만의 주먹들이

분노에 떨며 솟아날 때
소년이 땅크의 앞길을 막아섰다
웃동 벗어 제껴 가슴 벌리며
목청다해 높이 웨쳤다
—쏠테면 쏴라,
우리는 앞으로 나아갈 것이다.

— 석광희, 「소년 영웅」(1960)에서

③ 쭉 벌거벗었구나 아메리카는
    인류의 면전에서 그의 문명 앞에서
    홀딱 벗고 나섰다. '자유'아메리카는
    그 구린내나는 알몸뚱이를……

    완력사나운 강도들이 달려들어
    연약한 녀인을 벌거벗겼으니
    어찌하랴 수난을 당할 수밖에
    뻥끼를 온몸에 묻히고 녀인은
    맨몸으로 거리에 내쫓기였다.
    그러나 오늘 과연
    누가 벌거벗었나 인류의 량심 앞에서?
    남조선의 한 녀인인가 아니면
    '거룩'한 아메리카의 신사들인가?
    온 세계 사람들이 대답하누나,
    '그것은 아메리카! 바로 아메리카 자신!'

— 백인준, 「벌거벗은 아메리카」(1960)에서

이 시기 북한의 시들은 대내적으로 전후 복구사업과 사회주의 건설사업을 적극 전개하는 천리마운동을 고무 추동하는 것과 함께 저들의 또 다른 목표의 하나인 '남조선해방'과 '미제타도'를 지속적으로 형상화하고 있는 것이다. 인용 시가 그러한 모습을 단적으로 보여 준다. 먼저 시 ①은 4.19를 저들의 입장에서 이른바 '남조선해방'의 한 호기로 생각하여 적극적인 선동, 선전술을 펴고 있다. "놈들의 마지막 무덤이 되게 하라!"와 같이 이 땅 민중들이 전개한 자유민주주의 인권 혁명인 4·19를 왜곡하여 선전, 선동하고 있는 것이다. 시 ②에서는 4·19를 마치 남한에서 일어난 계급혁명으로 호도하여 계급투쟁을 선전, 선동하고 있다고 하겠다. 시 ③에서는 미국을 강도로 매도하고 남한을 내쫓긴 여인으로 비유하는 등 반미를 선전, 선동하는 데 주력하고 있는 것이다.

이처럼 이 시기 북한 시들은 대내적으로 천리마운동을 통해 사회주의 건설을 추동하고 대외적으로는 반미, 반한을 통한 이른바 '남조선해방'을 그 핵심 테마로 하고 있음을 알 수 있다. 여기에서 한 가지 주목할 만한 사실은 이들이 사회 사실주의를 주창하면서 이른바 '도식주의와 무갈등성'을 비판하고 있다는 점이다. 이들은 사회주의 사실주의가 '무성격적이며 무미건조한 기록으로 전락시키는 도식화경향'이나 '이상화의 경향', 그리고 '무갈등성'을 적극 반대하면서, 북한문학에서 사회주의적 사실주의를 더욱 고무 추동해야 한다고 주장하고 있는 것이다.[27] 그러면서도 실제 시 작품에 있어서는 그러한 도식주의와 이상화 경향은 물론이고, 아무런 갈등도 예리하게 부각하고 있지 못한 실정임을 볼 수 있다. 이론과 실제가 너무나 거리가 멀다는 것을 단적으로 제시하는 예가 될 것이다. 이 시기에 또 한 가지 관심을 가질 만한 것은 인민 대중들의 집체작이 다수 출현한다는 사실이다. 전후 신인군들이 등장하는 것과 함께 사회주의적 사실주의의 대원칙과 당성, 노동계급성, 인민성이라는 기본 방침에 의해 인민들의 집체작이 본격적으로 등장함으로써 남한의 개인 창작 심화 현상과 서로 대조를 이루는 것이다. 장시 「인민은 노래한다」(1962)가 그 대표적인 한 예가 된다. 이들 집체작들은 이 시기에 간행된 해방 전 시인들의 시집, 예컨대 『박세영시선집』(1956), 『안용만시선집』(1956), 『김우철시선집』(1957), 『박팔양시선집』(1957), 정서촌 시집 『가무재고개』(1958) 등과

---

27) 『북한문학통사』, 303~304쪽.

함께, 그리고 신진들의 시와 함께 어울리면서 전후 북한시단을 활성화하는 데 기여한 것으로 판단된다.

해방공간, 즉 이른바 새조국 건설 시기에 그 원형성을 마련한 북한의 시는 6·25전쟁 시기를 거치면서 전투성을 강화하고, 전후시기에 이르러 사회주의적 사실주의 원칙에 의거, 시단 재편성을 완료하게 된 것이다.

④ '유일주체사상시기'의 시문학

천리마운동으로 북한 주민들을 사회주의 건설과 공산주의 인간형으로 개조하는 일이 어느 정도 추진된 1967년경부터 북한 사회는 이른바 "당의 유일사상체계를 더욱 철저히 세우며 사회주의의 완전승리, 온 사회의 주체사상화를 앞당기기 위한 투쟁시기"로 접어들기 시작한다. 사회주의 공산국가로서의 체제 정비가 일단 완료되면서 김일성에 대해 권력집중과 함께 경제건설과 국방건설 병진노선이 본격화하는 계제에 도달한 것이다. 1966년 10월의 조선노동당 대표자 회의와 1970년 11월에 열린 조선노동당 제5차 대회가 그러한 유일주체사상시기의 출발점이라 할 것이다. 실제로 문학예술 분야에서는 1968년 11월 영화 종사자 및 1970년 2월의 과학교육 및 문학예술 종사자들에 대한 김일성의 연설에서 이러한 당의 새로운 창작방침이 새롭게 제시된 것이다. 한마디로 요약한다면 그것은 혁명적 세계관, 즉 공산주의적 세계관으로 무장된 문학작품들을 창작하는 내용이라고 할 수 있다. 당의 유일사상, 즉 마르크스~레닌주의가 북한의 항일무장투쟁 사상과 결합하여 탄생한 주체사상이 모든 북한의 정치, 경제, 국방, 문화적 정책의 핵심노선이며 기본 방침으로서 작용하게 된 것이다. 이른바 '사상, 기술, 문화의 3대혁명'을 추진하면서 온 사회를 혁명화, 노동계급화하는 새로운 혁명적 현실에 접어들게 된 것이다. 따라서 이 시기의 문학은 당의 유일사상체계를 공고화하며 주체사상화하기 위한 전면적인 노력을 반영하게 될 것이 자명한 이치라고 하겠다.

이러한 노력은 먼저 혁명전통의 상징으로서 김일성 우상화 작업과 그에 따른 혁명가족으로서 김일성 가계에 대한 찬양으로 구체화된다.

일찌기 10대의 어리신 나이에
조선의 슬픔, 조선의 고통을 한 가슴에 다 안으시고
눈보라 우는 천리장강을 건느시였고,
20대 청년 장군으로 백두밀림에서
일본제국주의 백만대군을 때려부시고
30대 그 젊으신 나이에
피바다에 잠긴 이 나라를 구원하시어
영원한 조선의 봄을 안고 오신 위대한 수령님
다시 정의의 총검으로
이 땅에 기여든 오만한 미제 침략자를 후려갈겨
멸망의 내리막길에 쳐 박으시고
잿더미우에서 다시 조선의 본때로
사회주의 대강국을 일떠세우신 우리의 수령님

오늘은 세기의 가장 높은 상상봉에서
구름을 뚫고 멀리 안개를 가르시며
위대한 주체사상으로
인류가 걸어갈 앞길을 휘황히 밝히시고
세계의 흐름을 하나의 거창한 대하로
인류의 청춘 공산주의에로 인도하시나니

아, 김일성동지의 혁명사상!
이 위대한 사상이
제국주의 마지막 생명선을 끊어버리며
혁명의 폭풍으 온 지구를 휩쓸며
세계를 움직여나가는 이 시대를

력사는 영원히 영원히 주체 시대라고
노래할 것입니다!

정서촌, 「어버이수령님께 드리는 헌시」(1974)에서

이러한 김일성에 대한 찬양은 그의 위대성, 영도의 현명성, 고매한 덕성, 불멸의 업적을 기리는 가운데 그에 대한 존경과 충성의 감정을 집적적으로 노래하는 특징을 지닌다. 아울러 혁명 가족으로서 그의 부친인 김형직과 모친인 강반석에 대한 찬양, 그의 처였던 김정숙에 대한 흠모, 그리고 새로운 지도자로서 부상하는 당 중앙 김정일에 찬양과 흠모에 역점을 둠으로써 이른바 혁명전통과 유일주체사상을 확대 심화하게 된다.

내 이제는
다 자란 아이들을 거느리고
어느덧 귀밑머리 희여졌건만
지금도 아이적 목소리로 때없이 찾는
어머니, 어머니가 내게 있어라

기쁠 때도 어머니
괴로울 때도 어머니 반기여도 꾸짖여도 달려가 안기며
천백가지 소원을 다 아뢰고
잊을번한 잘못까지 다 말하는
이 어머니 없이 나는 못살아

— 김철, 「어머니」(1980)에서

조국이여 !
너는 무엇이기에
가만히 네 이름 부르면
가슴은 터질 듯 긍지로 부풀고
눈굽은 쩌릿이 젖어드는 것이냐

어찌하여, 때로 이국의 거리를 거닐다가도
문득 솟구치는 그리움에
마음은 한달음에 달려와
너를 안는 것이나
......
그렇다, 조국은
더없이 신성하고 숭엄한 그 무엇
위대하신 수령님 한생을 바치시는
겨레의 삶이며, 그 무궁한 미래
— 김상오, 「나의 조국」(1979)에서

이러한 김일성과 그 일가에 대한 찬양과 충성의 맹세는 그대로 당과 조국
으로 연결됨으로써 프롤레타리아 독재를 정당화하게 된다. 위에 인용한 두
편의 시에서 보듯이 '어버이 수령관'은 그대로 '어머니 당과 조국사상'으로 연
결되는 것이다. 바로 이 점에서 이 시기 북한 시의 가장 큰 특징의 하나는, 바
로 이러한 송가시가 크게 대두하였다는 점이라고 하겠다. 특히 이러한 김일
성과 당의 찬양 및 충성에의 맹세는 1980년대에 이르러서는 김정일에 대한
그것으로 연결됨으로써 북한 시의 기형적인 모습을 연출하게 된다는 점에서
도식화와 무갈등성을 배격하는 사회주의적 사실주의 원칙과 스스로 자가당
착을 이루게 된다고 할 것이다.

다음으로 이 시기 북한의 시는 '사회주의 대건설의 우람찬 행군을 가속화'
하는 특징을 지닌다. 농촌 현실과 공장의 모습을 긍정적인 각도에서 노래하
는 경향이 두드러지는 것이다.

토지개혁의 첫 뢰성이 울던 그 봄
그 봄으로부터 세월은 흘러 몇몇 해던가
눈을 뜨고 다시 봐도
다시 봐도 꿈만 같아

볼을 비비며 흘린 농민들의 그 눈물이
마를 줄 모르는 이 흙 속에 젖어 있다

땅의 주인 ─그 소중한 권리를 지켜
흘린 피
그들이 쏟아부은 땀과 정력 ─
그리고 그들의 한 생이 여기 다 스며 있다.

뜨는 해도 여기서 맞으며
지는 달도 여기서 보내며
비에 젖고,
눈에 얼고
볕과 바람에 살이 트던 그 사람들

제 손에 틀어쥔, 그 운명이
가꾸어 가는 그 한 포기, 그 한 알의 낟알에 있었거니
이 흙 속에 그 청춘을 묻어도
그것을 아까워하지 않았다.
허나 지금은 그때처럼 그렇게
고달픈 로동의 댓가로
그 나락을 얻기를 원치 않는다

3대혁명은 주었다 !
진정한 땅의 주인으로서 그들 모두
이 땅 위에 설 그 권리를
그 권리로 이 땅을 길들여
풍작의 세월을 이어가는 그 기쁨도……
　　　　　　　　　　　　 ─ 오재신, 「땅에 부치여」에서

이 시에서처럼 사회주의 농촌의 현실을 혁명적 낙관주의와 낭만적 열정으

로 노래함으로써 사회주의 체제의 우월성을 강조하는 것이다. "가자, '속도전'의 발구름 높이/가슴가슴에 주체형의 피가 끓는다/6개년 고지를 단숨에 뛰어넘어/수령님 구상 속에 빛을 뿌리는 10대 고지의 눈부신 봉우리에로"[28]와 같이 사상, 기술, 문화의 3대혁명을 기치로 치켜들고 이른바 '속도전'을 펼쳐 나감으로써 사회주의 건설을 더욱 고무 추동하고 있다고 하겠다.

다음에는 이 시기에도 이른바 '남조선혁명'과 조국통일을 지향하면서 반미 반남한의 구호를 외치는 모습이 그대로 지속되고 있다.

① 돈없어 학교에서 쫓겨나던 날
　분풀이로 차버린 눈물을 돌을
　구두솔 쥐였던 이 손에 쥐자
　깡통을 쥐였던 이 손에 쥐자
　남북을 가로막는 원한의 장벽
　복수의 이 돌로 까부시고
　장군님 품 속에 마음껏 배울
　통일의 새날을 가슴에 안자 !
　　　　　－ 김승길, 「던지자 분노의 불덩어리」(1962)에서

② 하학종이 땡땡 울려오면
　책보를 둘러메고 찾아갑니다
　이 마을 뒷골목에 끼워 있는 집
　옥이네 판자집을 찾아갑니다.

　먹을 것이 있어서 찾아갈까요
　놀을놀이 하려고 찾아갈까요
　우리 집처럼 가난한집
　찌그러진 궤짝이 하나 놓여 있는 집

---

28) 리광근, 「조선의 숨결」, 『조선문학』, 문학예술출판사, 1974.

약속이나 한듯이 찾아옵니다.
신문팔이 순철이, 담배 장사 영남이……
이것저것 심부름 구실삼아
밤마다 찾아가는 옥이네 집
……
인민군대 아저씨 주고 갔다는
깊숙이 넣어두었던 빨간 수첩
조심조심히 펼처들면
우리를 바라보시며
웃고 계시는 김일성원수님
　　　　　— 리광근,「날마다 찾아가는 옥이네 집」(1972)에서

③ 용서하라 귀여운 어린이들아
　 남녘땅에서 온 나를 위해
　 이 밤이 즐거우라고
　 너희들은 행복의 노래 불렀지만
　 나는 으리으리한 층계를 내리며
　 쏟아지는 눈물을 어쩔 수 없구나

　 너희들이 열두살이라면
　 나의 둘째와 동갑이
　 너희들이 이 한밤을 궁전에서
　 즐거이 노래를 불렀지만
　 내 아들은 구두닦이통을 메고
　 서울 판자집 거리를 맥없이 걷고 있으리
　　　　　— 조태현,「궁전의 대리석 층계를 내리며」(1969)에서

　이 세 편의 시에는 이른바 '남조선의 비참한 현실'이 폭로되면서 남한 주민들이 북한을 동경한다는 왜곡된 모습이 제시된다. 여기에서 남한의 생활 현실은 '구두닦이', '깡통', '판자집', '신문팔이', '담배장사' 등으로 그 빈곤상만

이 과장되고 전형화되면서 북한에서의 부유한 삶의 모습과 극단적으로 대조되어 나타난다. 또한 이러한 남한의 비참한 현실로 인해서 남한 주민들이 북한을 동경하고 김일성을 흠모한다는 식으로 그 실상을 왜곡하고 있는 것이다. 실상 이러한 남한 현실에 대한 왜곡과 허구화는 남한 주민들을 향한 것이라기보다는 북한의 주민들을 선동, 선전하기 위한 전략 전술의 의미를 지닌다고 하겠다. 시 ③의 경우가 그 예증이 된다. 빈부의 차이라고 하는 남한 자본주의체제에서 있을 수밖에 없는 한 모습 속에서 그 부정적인 면으로서 가난한 삶만을 극대화하여 그것이 일반적인 남한의 삶의 모습으로 선전함으로써 북한 주민들을, 그 사회주의의 폐쇄성에 길들어 있는 인민들을 현혹시키고 그릇되게 이끌어가고 있는 것이다. 아울러 미국에 대한 일방적인 매도와 남한 정부에 대한 부정을 통해서 북한체제의 정통성을 주장하려는 경향도 이 시기 시의 기본적이면서도 보편적인 내용에 해당한다고 할 것이다.

이렇게 본다면 결국 북한의 공산주의 체제가 확립되는 이 시기에 북한의 시는 사회주의적 사실주의를 기본으로 하여 당성, 노동계급성, 인민성의 원칙을 지키면서 '수령'의 혁명투쟁과 인민들의 사회주의 건설노력 및 그에 대한 찬양, 그리고 남조선혁명투쟁이라는 북한노동당의 문예 정책을 그대로 형상화해 가고 있다고 하겠다. 민족해방과 계급해방이라는 두 가치 축을 일관성 있게 고무 추동 내지 선전, 선동해 간 데서 그 특징이 드러나는 것이다. 아울러 이 시기의 문단적 특징의 하나는 그동안 북한시단을 이끌어 오던 해방전 원로시인들이 대부분 죽거나 은퇴하기 시작하는 가운데 전후에 등장한 신진 시인들이 북한시단을 전적으로 주도하면서 송가를 주로한 서정시, 서사시, 담시, 가요 등 형식을 다양하게 실험하기 시작하는 것과 함께, 집체작이 대거 등장함으로써 남한문학과 현격하게 이질화되는 경향이 심화된 것 등을 꼽을 수 있을 것이다.

6. 1980년대 오늘의 남북 시의 한 검토

분단이 지속되고 심화되면서 남과 북의 문학은 점차 이질화되는 측면을 가속화하게 된 것이 사실이다. 사회주의 체제인 북한은 북한대로 사회주의적 사실주의를 바탕으로 당상, 노동계급성, 인민성을 강화해 나갔으며, 남한은 남한대로 자유주의적인 다양성 속에서 순수편향성과 예술주의를 지향해 가게 됨으로써 민족문학으로서의 동질성보다는 그 이질성이 두드러지게 된 것이다. 우리가 북한의 문학을 총체적으로 접할 수 없다는 사정에도 기인하겠지만, 북한의 시는 앞서 말한 것처럼 당의 영도하에서 제시된 정치노선을 바탕으로 하여 내각의 문화예술부에서 행정을 추진하고, 문화예술총동맹에서 창작지도와 교양업무를 강화하는 테두리를 크게 벗어나고 있지 못한 것으로 이해된다. 다시 말해서 문학이 정치의 수단으로서 활용되어야만 하는 마르크스~레닌주의적인 예술관의 대원칙 위에 놓여 있다는 뜻이다. 다만 사회주의적 내용을 민족적 특성화 내지 민족적 양식화하는 데 있어서 북한의 시는 그 민족적 특수성과 개인적 독자성을 다소 지닐 수 있다는 말이다. 그러므로 자유주의적인 개성의 중시와 시장경제원리하에 놓여 있는 남한의 작가, 시인들과는 달리 그 작품경향이나 창작 태도가 이질적인 모습으로 나타날 수밖에 없을 것이 분명하다.

그러나 남한에서 1970년대 이후 특히 집중적으로 추구되기 시작한 민중적 내용의 민족적 양식화라는 민중지향적 문학경향은, 그 목적과 내용은 현저히 달라도 다분히 북한의 인민성 원칙 및 민족적 특성 강조와 서로 상통하는 면이 없지 않다고 할 것이다. 남한의 자유민주주의 또는 자본주의 체제에서 민중적 내용의 민족적 양식화를 추구하는 민중문학과 북한의 사회주의적 사실주의에 바탕을 둔 계급주의 문학은 분명히 그 목적과 지향성이 상이하지만, 그것들 이 이 땅에서 분단상황과 인간소외의 극복을 목표로 하며 민족적 특성을 강조한다는 점에서는 공통성을 지니는 부분을 내포하고 있기 때문이다. 이 점에서 1980년대 남북한의 시는 하나의 민족문학으로서의 공통성과 이질성을 첨예하게 보여주는 시금석이 된다고 하겠다.

① 진정 아름다운 처녀를
　그대 사랑하고 싶거든
　어서 오시라 이 벌로 오시라

　벼 수확기를 타고
　금나락의 바다우에 하냥 웃음 날리는
　청년분조 저 처녀들
　그대 그리는 선녀가 아닌가

　새벽이슬 남 먼저 털어서 만도 아니라오
　꽃나이 꿈을 묻고 땀을 묻어
　너른 벌 땅빛마저 달라지게 기름지운
　그 뜨거움이 이랑이랑 물결친다오

　스쳐지나는 바람결에도 풍겨온다오
　쭉정이 한 알 밝은 가을 흐리울것같아
　벼꽃 피는 소리를 지켜 밤새우던
　그 갸륵한 마음의 향기

　어서 오시라
　이 벌로 오시라
　그대 한번 오시면
　그냥은 못 가시리

　그러나 쉽게는 사랑을 터놓지 않으리
　눈비바람 다 이겨내고

황금의 구슬을 꿰여 단 듯 천만 이삭 하나같이 여물린 그
마음들

아, 이런 처녀들과 함께라면
그 어떤 행복의 열매도 무르익히리
그대 한생의 기쁨을 안고 싶거든
어서 오시라 이 벌로 오시라

— 량덕모, 「이 벌로 오시라」

무수한 별들이 흐르는
저 하늘의 은하수처럼

뭉게뭉게 피여나는
화력발전소 하늘가의
저 장쾌한 흰 연기 속에는
어려 있어라
빛나는 삶의 열정 높은 숨결이

어려 있어라
밤이나 낮이나
끝없이 피여나는 흰 연기 속엔
하늘이 아닌 땅 속 깊은 막장에서 빛나는
뭇별이 아닌 탄부들의 미더운 모습이 어려 있어라

어려 있어라
불밝은 창가마다 비껴흐르는
행복의 노래소리
대건설행군의 거세찬 열풍 속에
전진하는 조국의 숨결을 안고 사는
동력전사들의 그 수고로운 모습들이

아, 어려 있어라
인간이 자연을 다스리는
저 줄기찬 흐름 속엔
주인된 창조자의 값높은 모습이
— 로영우, 「흰 연기의 흐름 속엔」

② 저기 가는 저 큰 애기를 보아라
　새 참으로
　막걸리 든 주전자를 들고
　보리밥과 김치로 가득한 바구니를 이고
　반달같은 방죽가를 돌아
　시방
　논둑길을 들어서는 부푼 저 가슴의 처녀를 보아라

　마른 자리 반반한 풀밭을 골라
　빨갛게 파랗게 원앙을 수놓은 하얀 보자기를 깔고
　그 위에 들밥을 차리는 농부의 딸을 보아라
　이 마을에 아니 이 나라에 하나뿐인
　검은 치마 저고리를 보아라.

　—아부지 그만 쉬셨다 하셔요
　저만큼에서 허리 굽혀 나락을 베는 아버지 곁으로 가
　아버지 대신 나락을 베고
　—아저씨 밥 한술 뜨고 가세요
　지나가는 낯선 사람도 불러
　이웃처럼 술도 한 잔 드시게 하는
　조선의 딸 그 마음을 보아라
　마을에 하나뿐인 아니 이 나라에 하나뿐인
— 김남주, 「조선의 딸」[29]

---

29) 『창작과비평』, 1989년 봄호,

수난의 강건내기 인생들이
모여 사는 광산촌
검은 옷에
칸데라 불빛 하나에
모든 것을 걸고
늑골이 부서지는
일곱자 연층 동발을
지고 헉헉거리고
콧구멍이 새카맣게 일하는 막장에서
점심때가 되면
등허리에 꿰차고
들어온 도시락 뚜껑을 열면
부옇게 낀 탄가루를 젓가락으로 대충 걷어내고
입으로 떠넣어 삼키고
피워서는 안되는 담배를
숨겨가지고 와서
피는 맛이란 기차지
……
독한 깡소줏잔을
돌려가며 마실 때
목젖이 얼얼하게
터져나오는
주먹만한 가래침들이
누구나 할 것 없이 덩어리져나오는
우리들의 입술이
끈적거릴 때까지
다 토해내고
떠밀려가는 우리들의 가슴이 큰 불길로 잉잉거릴 때까지
마셔대는 이 바닥에서
가래침보다도 더 검은
이 몸뚱아리들이 끝까지 남아

곪아 터져 가는 내부를
변혁으로 바꾸어가고 있지 않느냐
땀속에서 배어나는 이 떳떳한 주인정신으로
— 이청리, 「막장에서 부는 바람」30)

시 ①은 『실천문학』의 1980년대 북한문학 특집에 수록된 1980년대의 북한 작품 두 편이며, 시 ②는 역시 1980년대 최근의 우리 작품들이다. ①, ②는 각각 농민과 광부들의 노동하는 삶을 다루고 있다는 점에서 서로 공통점을 지닌다. 그러면서도 남북문학의 공통점과 이질성을 첨예하게 내포하고 있다는 점에서 오늘의 남북시를 함께 투시해 볼 수 있는 한 기회를 제공한다.

먼저 시 ①에서 「이 벌로 오시라」는 농민들의 노동하는 삶을 다루고 있는데, 여기서는 노동 가치가 가장 높은 의미를 지닌다. 노동이란 무엇인가? 북한의 관점에서 노동은 사람들에게 있어서 자주적이며 창조적이고 의식적인 활동이다. 사람들은 노동에 의해서 자연을 사람들의 지향과 요구대로 변모시키며, 세계의 주인으로서 자신을 고양시킬 수 있게 된다. 노동은 사람들이 자연과 관계를 맺고 자연을 개조하고 변혁하는 수단이며 동시에 사회발전을 촉진시키는 중요한 원동력이 된다는 점에서 중요성을 지니는 것이다.31) 따라서 이 시에서는 인간의 삶과 대지가 노동이라는 매개 행위를 통해서 친화와 교감을 획득하는 모습이 제시된다. 그러면서도 이러한 친화와 교감을 대지적 생명력과 결합시키고, 이것을 농사짓는 일의 즐거움과 보람으로 고양시키고 있는 것이다. 또한 여기에 농사는 처녀의 사랑을 촉매로서 등장시켜 노동에 대한 자부심과 긍지를 드러내면서 농사일을 독려하는 데 이 시의 묘미가 드러나는 것이다. 실상 이 시는 그 결구에서 "인간의 삶 = 노동하는 삶"이라고 하는 노동사상과 함께 노동계급의 밝고 힘찬 모습을 강조함으로써 계급주의

30) 『노동문학』, 1989년 3월호.
31) 북한 사회과학원철학연구실 편, 『철학사전』, 도서출판힘, 1988, 125~126쪽.

문학에서의 선동, 선전성을 우회적으로 제시하고 있다고 하겠다. 이러한 1980년대 북한의 농민시는 이전의 노골적인 노동시보다는 훨씬 예술성이 두드러진다고 할 것이다. 그렇지만 농사노동을 지나치게 미화하고 단순화함으로써 오히려 사실감을 약화시키고 있는 것은 단점이라고 하겠다. 그들의 사회주의적 사실주의가 강조하는 도식성 불식과 무갈등의 배제를 실현하고 있지 못한 것으로 판단된다는 점에서도 아쉬운 일이 아닐 수 없다. 「흰 연기의 흐름 속엔」은 광산 근로자, 즉 북한 탄부들의 노동하는 모습이 묘파되어 있어 관심을 끈다. 여기에서도 탄부들의 노동하는 삶에 대한 찬양과 감사의 뜻이 드러나고 있는 것은 마찬가지다. 아울러 "아, 어려 있어라/인간이 자연을 다스리는/저 활기찬 흐름 속에/주인된 창조자의 값높은 모습이"라는 결구를 통해서 근로자로서의 인민이 역사전개의 주체이며 원동력이라고 하는 노동계급성 내지 인민성을 강조하고 있는 것도 사실이다. 특히 "별=화력발전소의 장쾌한 흰 연기=탄부들의 빛나는 모습"으로 연결되는 상상력의 운동과정은 탄력있는 삶의 서정을 아름답게 묘파한 데서 이 시의 사상 예술성을 돋보이게 한다. 그러나 이 시에서도 "불밝은 창가마다 비껴흐르는/행복의 노래소리"와 같이 상투적인 미화와 예찬이 드러나고, 무갈등이 제시된다는 점에서는 아쉬움을 던져 준다고 하겠다. 노동하는 삶, 광부들의 고통스러운 생명의 숨결이 보다 사실감 있고 진실하게 묘파 되지 못한 데서 일반적인 북한 시처럼 전형성에 떨어지고 만 것이다. 그들 주장대로 아무리 사회주의 혁명과 해방이 이루어졌다고 하더라도, 지나친 미화와 상투적인 내용 및 도식적인 결론이 가져오는 삶의 단순화 내지 예술성의 획일화는 부정적인 요소가 아닐 수 없기 때문이다. 사회주의 체제라고 해서 노동의 고달픔과 자신의 운명에 대한 탄식, 그리고 노동하는 환경에서 빚어지는 갈등이나 사회체제 및 구조에 대한 불만이나 비판이 과연 없을 것인가? 그런 문제는 일체 도외시해 버리고 오로지 노동사상과 노동계급 찬양에만 함몰되어, 도식적인 찬탄과 미화를 되풀이하면서 혁명적 낙관주의와 낭만적 열정을 노래하는 속에서 어떻게 진정한 인간성의 발견 또는 살아있는 인간의 숨결을 느낄 수 있는가 하는 말이다.

한편 시 ②들에도 노동하는 삶의 문제, 농민과 광부의 삶이 다루어져 있는 것은 마찬가지다. 특히 시 「조선의 딸」은 농사짓는 삶에 대한 신뢰와 긍정을 드러내는 가운데 이 땅 농민들의 인정어린 삶과 풋풋한 생명력을 강조하고 있다는 점에서는 앞의 북한 시와 공감대를 지니고 있다. 무엇보다도 민중적 생명력과 민족적 정서에 대한 신뢰와 공감을 지니고 있다는 점에서는 남북한의 시가 서로 공통성을 지닌 면이 발견되는 것이 사실이다. 노동사상과 민족적인 민중적 낙관주의, 그리고 절망을 이겨내려는 끈질긴 생명력에 있어서는 민족문학으로서 노동문학의 공통원형질이 엿보이기도 하는 것이다. 특히 「막장에서 부는 바람」은 북한의 시와 같이 노동계층에 대한 관심을 드러내는 점에서 공통점을 지닌다. 그렇지만 여기에서는 북한의 시와 달리 광부의 고통스러운 삶과 울분이 생생하게 표출되어 있어 관심을 환기한다. 열악한 근로 환경에 대한 비판이라든지 고통스러운 광부의 삶에 대한 탄식이 펼쳐지는 가운데 현실을 극복해 나가고자 하는 어기찬 분투가 눈물로서 아로새겨져 있는 것이다. 이렇게 본다면 이 땅의 노동문학은 노동하는 삶의 중요성을 강조하고 이들이 역사 전개의 주체라는 점을 인식한다는 점에서는 북한의 노동문학과 서로 민족문학적인 공감대를 지닌 것이 분명하다. 그러나 이 땅의 노동문학은 노동하는 삶의 고달픔뿐만 아니라 그에 대한 울분과 비판정신을 드러내면서 현실을 이겨내고 개조해 나가려는 인간해방의지를 담고 있는 것이 특징이다. 이 점에서 남한문학의 미화의 단순성 및 도식주의, 무갈등론의 미망에서 벗어나고 있지 못한 계급해방론의 북한문학보다 훨씬 탄력성을 지닌다고 하겠다. 노동계층의 실존적 삶과 사회적 삶을 둘러싼 각양의 모순과 부조리를 비판·고발하고, 나아가서 정치·사회적 모순과 부조리에 맞서 싸우기도 함으로써 살아있는 삶의 모습과 함께 참된 시적 리얼리티를 확보하려 노력하고 있는 데서 남한 시가 보다 열려 있는 모습을 지닌 것이 확실하다. 그러나 오늘의 처지에서 우리가 북한 시의 전모를 대할 수 없기 때문에 최종적인 판단은 유보할 수밖에 없을 것이 자명하다.

무엇보다도 우리는 남북한의 시가 오늘날에도 여전히 소중하게 지닌 민족문학적 자산과 원형질을 공통점으로 발굴하여 최대한 살려 나감으로써 민족동질성을 회복하고, 서로 활발한 길 트기 작업을 통해서 민족공동체 의식을 획득해 나가야만 하는 운명적 시점에 처한 것이 사실이다. 따라서 남북한 시가 공유하고 있는 민족문학적 유대감 또는 민중문학적 공통점을 확장하고 심화하면서 그간의 대화단절로 인한 이질화의 극복을 위해 서로 열린 노력을 기울여감으로써 분단극복의 길, 민족통일의 길로 나아가지 않으면 안 되는 것이 오늘날 남북한의 모든 민족구성원, 특히 모든 문학인이 처한 시대적 과제이자 민족적 사명이라 하겠다.

7. 맺음말

남북한의 시를 보다 올바르게 살펴봄으로써 민족문학의 공통성을 발견하고 이질성을 극복해 나아가기 위해서는 무엇보다도 우리가 남북한의 문학을 서로 총체적이면서도 직접적으로 살펴볼 수 있는 만남과 토론의 기회가 적극 마련되어야만 할 것이 당연하다고 하겠다. 아울러 그러한 문학 이 산출된 정치·경제·사회·문화적 토대에 대한 체계적이고 깊이 있는 이해와 탐구가 함께 병행되어야만 할 것이다. 우리는 오늘날 그야말로 급변하는 동서관계, 남북관계의 소용돌이 속에서 우리의 좌표를 올바르게 마련해야 하는 어렵고 중요한 시점에 놓여 있는 것이 사실이다. 특히 분단 이래 날로 가속화되어 가는 남북 이질화 현상 속에서 공동운명체로서 서로 민족적 일체감을 확보하고 참된 민족적 동질성을 심화 확대하고 가속화해 감으로써 그 단절과 이질성을 극복해 나아가는 일이야말로 이 땅의 분단을 뛰어넘어 민족과 국토의 통일을 지향해 나아가는 데 있어서 매우 중요한 관건이 될 것이 분명하다. 이 점에서 이 땅의 민족구성원 한 사람 한 사람이 마음속에 자리 잡고 있는 대립과 냉전의 이데올로기, 또는 분단의식을 과감히 떨쳐버리고 서로의 입장과 처지를 깊이 이해하려는 가운데 진정한 민족화합의 길로 나아가려는 열린 자세와 능동적인 마음가짐이 그 어느 때보다도 필요하다고 할 것이다. 우리가 한 민족 한 핏줄이라는 점은 그 누구도 부정할 수 없을 것이기 때문이다. 이 글에서 북한의 시를 객관적, 비판적인 입장에서 살펴 보려 한 것도 그것이 단지 부정을 위한 부정이 아니라 더 큰 만남과 화해를 이룩하기 위해서 짚고 넘어가야 할 것을 짚어보려는 의도일 뿐이다. 우리가 지금 북한의 시를 검토해보는 이 작업도 결국은 그것이 분단의 극복으로써 민족통일의 길을 향해 나아가려는 작은 노력의 하나라는 점에서 의미를 지닐 수 있을 것이기 때문이다.

김재홍

1947년 충남 천안 출생으로 서울대학교 사범대학 국어교육과를 졸업한 후, 동대학원 국어국문학과에서 박사학위를 취득했다. 1972년 육군사관학교 전임강사를 시작으로 충북대학교, 인하대학교, 경희대학교에서 교수로 재직했으며, 2012년 경희대학교 문과대학에서 정년 연장 명예교수로 퇴직하였다. 현재는 경희대학교 명예교수이자 백석대학교 석좌교수로 있다.

1969년 서울신문 신춘문예에 평론이 당선되면서 본격적인 문단활동을 시작했다. 이후 시인론, 작품론 등의 실제비평 및 문학사와 문학이론 연구 분야에서 독자적인 학문적 영역을 구축했다. 이 과정에서『한국 현대 시인 연구 1,2,3』,『카프시인 비평』,『한국 현대 시인 비판』,『한국 현대시의 사적 탐구』,『현대시와 삶의 진실』,『생명·사랑·평등의 시학 탐구』,『한국 현대시 시어사전』을 비롯한 40여권의 저서를 발표했다. 이외에도 국내 최장수 시전문지 계간『시와시학』과 한국현대시 박물관을 창간 및 설립, 사단법인 만해사상실천선양회 상임대표와 만해학술원장 등을 역임하며 시의 대중화 작업 및 인문정신의 실천적 활동을 주도했다.

<제1회 녹원문학상>, <제33회 현대문학상>, <제1회 편운문학상>, <김환태문학상>, <후광문학상>, <현대불교문학상>, <유심문학상>, <만해대상>, <서울특별시 문화상> <보관문화훈장> 등을 수상했다.

카프시인비평

김재홍 문학전집 ⑥

초판 1쇄 인쇄일	2020년 3월 05일
초판 1쇄 발행일	2020년 3월 14일

엮은이	김재홍 문학전집 간행위원회
펴낸이	정진이
편집/디자인	우정민 우민지
마케팅	정찬용 정구형
영업관리	한선희 최재희
책임편집	정구형
인쇄처	으뜸사
펴낸곳	국학자료원 새미(주)
	등록일 2005 03 15 제25100-2005-000008호
	경기도 고양시 일산동구 중앙로 1261번길 79 하이베라스 405호
	Tel 442-4623 Fax 6499-3082
	www.kookhak.co.kr
	kookhak2001@hanmail.net

ISBN	979-11-90476-18-8 *94800
	979-11-90476-12-6 (set)
가격	300,000원